BREVIARIOS

del

FONDO DE CULTURA ECONÓMICA

156

HISTORIA DE LA LITERATURA HISPANOAMERICANA

ÉPOCA CONTEMPORÁNEA

Historia de la literatura hispanoamericana

II
ÉPOCA CONTEMPORÁNEA

por Enrique Anderson Imbert

FONDO DE CULTURA ECONÓMICA
MÉXICO – BUENOS AIRES

Primera edición (complementada con el
Breviario 89), 1961

Tercera parte

ÉPOCA CONTEMPORÁNEA

CAPÍTULO XII

1910-1925

[Nacidos de 1885 a 1900]

Marco histórico: La Revolución social en México abre un nuevo ciclo político en nuestra historia. En la Argentina triunfan, sobre la oligarquía, nuevas fuerzas sociales, democráticas. Efectos de la primera Guerra Mundial.

Tendencias culturales: Mitigado el afán artificioso del modernismo, los escritores se vuelven hacia una expresión más sencilla, más humana, más americana. Hay un grupo que se lanza hacia las aventuras del cubismo, el futurismo, el creacionismo y el dadaísmo. Las revistas de posguerra: el "ultraísmo" y su disolución.

A medida que nos aproximamos a nuestra propia época aumentan los nombres, vacilan los datos y se embrollan las clasificaciones críticas. Es natural: dejamos de hacer historia para hacer crónica. Tenemos que referirnos a quienes han sido nuestros maestros, amigos y aun discípulos. Son los achaques de toda crítica a las letras contemporáneas: contemporáneas del crítico. El crítico, escandalosamente, actúa como juez y parte. Sin suficiente perspectiva histórica es difícil jerarquizar a los escritores. Tampoco hay espacio para estudios individuales. Son los años en que se ha escrito más en nuestra América. Al menor descuido uno cae en el catálogo. Un modo de amortiguar el golpe de la caída es, por lo menos, ablandar previamente ese catálogo, como quien se hace la cama. Pongamos, pues, primero el colchón, tendamos después las mantas y por último coloquemos la almohada. Pero que sea para descansar, no para dormir.

Como en medio de estos años estalló la primera Guerra Mundial (1914-1918) se ha hablado de grupos literarios de la preguerra y de la posguerra. Pero la Gran Guerra (en aquel entonces estas dos palabras no

9

sonaban a hipérbole) fue, más que un acontecimiento en las letras de América, un par de prismáticos de teatro que se usó después para mirar la Literatura. Se quería ver un drama y, dramáticamente, se exageró el efecto de la guerra sobre la literatura. No negamos que la guerra agitara las conciencias de los escritores. Pero una guerra no construye: destruye. Y, en la construcción de la literatura hispanoamericana de estos años, las fuerzas no vinieron de la guerra, sino del espectáculo de una cultura que estaba cambiando rápidamente. Ni siquiera es verdad que los escritores se agruparan por edad, sino más bien por gustos.

Unos escritores, los decorosos, permanecieron leales a las letras áulicas. Si se proponían un comercio con las cosas exteriores llegaban a las últimas ciudadelas del realismo y del naturalismo y no iban más allá. Si se proponían exprimir la pulpa interior, les bastaban las exprimidoras del impresionismo y del simbolismo.

Otros escritores, los aventureros, minaron revolucionariamente las letras. Eran raros, funambulescos, extravagantes. Se deshumanizaban (o se rehumanizaban) en piruetas metafóricas e idiomáticas inesperadas. Eran los "fauves", los "expresionistas", los "cubistas", los "futuristas". Disconformes, rebeldes, impetuosos, se juntaron con los del tercer grupo.

O sea, que se juntaron con esos escritores, los irrespetuosos, que emborracharon las letras y las hicieron bailar en pelota o disfrazadas de monigotes sobre las páginas de revistas experimentales. "Ultraísmo" fue uno de los nombres de esta orgía. Duró poco: de 1919 a 1922. Después, los mejores, no ya en revistas, sino en libros, se dejarán de bromas.

Estos gustos se dieron tanto en prosa como en verso pero, naturalmente, se hicieron más evidentes en el verso que en la prosa. ¿Por qué? Porque el verso es vehículo del lirismo, y el lirismo suele darse en un tono dominante en cada poeta. De aquí que el verso trasluzca mejor la unidad interior de cada escritor. Por

ser la literatura en verso menos objetiva, menos pública,
menos intelectual, menos técnica que la literatura en
prosa, revela directamente el gusto con que está hecha.
Y puede hablarse, así, de poetas de gusto normal, de
gusto anormal, de gusto escandaloso.

En la prosa, en cambio, esos mismos gustos no
surgen tan directamente. Hay también prosistas normales, anormales y escandalosos. Los prosistas normales explican, realistamente, como R. Gallegos. Los prosistas anormales, con preferencias por el expresionismo,
como A. Reyes. Los prosistas escandalosos son los del
últraísmo, como O. Girondo. Pero una clasificación
de la narración, el teatro y el ensayo en estos términos no sería muy útil. La prosa es una forma que
articula el pensamiento, y el pensamiento suele estar
ligado a un mundo exterior al escritor. Por eso parece más sensata una clasificación de la prosa según
que ponga el acento en el mundo subjetivo, impresionista, imaginativo, libre del escritor; o que ponga el
acento en el mundo objetivo, real, verificable y determinado por circunstancias. Pero aun esta clasificación
en novela idealista o realista —o como se las quiera
llamar— no es lo bastante convincente. Habría que
estudiarse los principios operantes en la construcción
de las novelas: el punto de vista, la representación del
tiempo, el fluir de la conciencia, la técnica, el tratamiento de los temas, el estilo y la composición, etc.
Pero esto no puede hacerse en grupos, sino individual-
mente; y aun novela por novela. Una historia como
ésta no puede sustituir el análisis crítico individual. Sin
poder hilar tan fino como haríamos en estudios sueltos,
en esta historia no hay más remedio que ovillar por lo
grueso.

Quisiéramos, sin embargo, que el lector recordara
en todo momento la fluidez de los fenómenos literarios, su carácter no clasificable.

¿Cómo clasificar en verso y prosa si los mismos
hombres escriben en uno y otro género? Por eso deci-

mos: "Principalmente verso", "Principalmente prosa".
Y a veces poner a un escritor en una u otra sección
es mera arbitrariedad. Lo mismo para los géneros: narración, teatro, ensayo. Los mismos autores son narradores, comediógrafos y ensayistas.

Lo que haremos, pues, es dividir este capítulo en
dos partes:

A. Los escritores que se han destacado principalmente en el verso; y
B. Los escritores que se han destacado principalmente en prosa.

Agruparemos a los primeros, a su vez, según tres
conductas, tres gustos:

1. La normalidad.
2. La anormalidad.
3. El escándalo.

A los escritores del grupo B —"principalmente en
prosa"— los distribuiremos en los tres géneros:

1. Novela y cuento.
2. Teatro.
3. Ensayo.

Y a los narradores los clasificaremos en "más subjetivos que objetivos" y "más objetivos que subjetivos".

A. PRINCIPALMENTE VERSO

1. LA NORMALIDAD

En el capítulo anterior se vio cómo los autores de
la plenitud del modernismo (digamos: Rubén Darío
y sus contemporáneos) continuaron escribiendo hasta
muy entrado el siglo xx. En riguroso turno la muerte

les fue haciendo soltar la pluma. Ya en 1910 estaban, todos, consagrados y, casi todos, agotados. Un
pozo poético, por lo menos, se les estaba secando a los
modernistas: el del parnaso, con sus bellezas exteriores,
visuales, de museo artístico. Algunos (Darío, Nervo,
González Martínez) desaguaban del pozo simbolista
un fluido hondo, fresco, sereno. Otros (Leopoldo Lugones y José María Eguren) eran exploradores de nuevas fuentes de juventud verbal y se rejuvenecieron al
rodearse de la admiración de los jóvenes. Los jóvenes,
sin embargo, no se darán por satisfechos: a ellos les
estaba reservada la tarea de hacer triunfar la incoherencia. Rubén Darío, a pesar de su culto al misterio,
había sido poeta claro. ¿No había sido inteligible (todo
lo hermética, todo lo difícil que se quiera, pero en el
fondo inteligible) la poesía de 1850 a 1880, aun en
Baudelaire, Verlaine y Mallarmé? Después de todo,
cuando aparecieron las *Prosas profanas* de Darío la mayor parte de los simbolistas franceses se estaban volviendo hacia una expresión clara, límpida, tímida y
hasta casi clásica (Samain, Regnier, Moréas, Jammes).
Pero en el momento en que languidecía en Francia
el simbolismo como poesía irracional, algunos seguidores de los viejos maestros Baudelaire y Mallarmé renovaron su voluntad de poetizar lo oscuro: Maeterlinck,
Gide, Claudel, Valéry. De este flanco saldrán los
expresionistas, los cubistas, los futuristas, los dadaístas,
los superrealistas. En 1910, cuando amaina el modernismo hispanoamericano, se están enfureciendo los
escandalosos de Europa. Darío los conoció, los men-
cionó, pero no les hizo caso. Darío nació cuando Isi-
dore Ducasse, Conde de Lautréamont, publicó *Les
chants de Maldoror* (1868), pero murió sin advertir
que por ese cauce venía la inundación del sinsentido:
Laforgue, Apollinaire, Réverdy, Jacob y aun Supervielle
(de paso: Ducasse, Laforgue y Supervielle nacieron en
Uruguay). No todos los jóvenes que entraron en la literatura en 1910 usaron la misma puerta. Habían nacido

junto con los versos y prosas artísticas del primer grupo
modernista, desde las primicias parnasianas de 1880
hasta las viciosas *Prosas profanas* de Darío, en 1896.
Habían crecido junto con esa literatura esteticista, hermanos de libros que se habían hecho famosos, émulos
de esas famas. La batalla estética había sido ya ganada
por los padres: no había por qué repetir ni excederse.
Aceptaban como ordinarias normas que habían sido
extraordinarias: la aristocrática función de la poesía, el
saber insinuar con leve ademán, el individualizarse con
estilos esmerados. Sucumbieron, sin embargo, a esa
"ley de la imitación" que tanto daña las letras hispanoamericanas. Imitación a los originales europeos; imitación a los europeístas que consiguieron expresarse bien;
aun mutua imitación... Gracias a la disciplina de la
imitación, poetas hábiles impresionaron a sus contemporáneos como grandes poetas. No conmovían a nadie,
no se iluminaban por dentro, pero admiraban por su
frío arte de versificación y composición. Camarillas del
llano, especializadas en el truco de moda, se convencían
de que estaban en la cumbre de un Parnaso. Selección de palabras, de ritmos, de decorados copiados en
museos y bibliotecas, de experimentos cuyo resultado se
sabía de antemano, más que imaginación creadora. Muchos soldados vestidos de gala desfilando en días de
fiesta, pocos capitanes enardecidos en combates interiores. Los hubo, sin embargo.

Imposible clasificar la nueva poesía. Con todo, si
uno atiende a los mejores poetas de esta generación,
se oirán distintos acordes.

Algunos poetas se desvían hacia un trato más directo
con la vida y la naturaleza. Son sencillos, humanos,
sobrios (Fernández Moreno).

Otros tienen un aire de sabiduría, de haber ido lejos
y estar de vuelta con muchos secretos clásicos (Alfonso
Reyes).

Otros, los más efusivos, confiesan sinceramente lo

que les pasa, angustias, exaltaciones (Mistral, Sabat Ercasty, Barba Jacob).

Están los de sentido humorístico, como si los hijos sospecharan que había algo ridículo y cursi en la tradición familiar modernista (José Z. Tallet).

Los hay cerebrales, fríos, recatados, especulativos (Martínez Estrada).

O los de alma devota (López Velarde).

Y los criollistas, los nativistas, los apretados contra su tierra (Silva Valdés, Abraham Valdelomar).

Y los de emoción civil y política (J. T. Arreaza Calatrava).

Por falta de espacio sólo podremos detenernos en unos pocos de esos poetas. Trataremos de presentarlos junto con sus coetáneos, en grupos nacionales, desde el Río Grande hasta la Patagonia. Este agrupamiento geográfico no tiene valor crítico. Es solamente cómodo. Da rápida cuenta de los poetas menores, los sitúa. El lector sabrá dónde encontrarlos. Para encontrar los poetas mayores no se necesitan guías geográficas.

i) México

En el capítulo X se vio cómo la lengua se rejuvenecía con el primer modernista mexicano: Gutiérrez Nájera. Es la época de la *Revista Azul*. Al mismo período pertenecen Salvador Díaz Mirón y Manuel José Othón, viajeros solitarios. En el capítulo XI se vio a los poetas de la plenitud del modernismo: ante todo a Amado Nervo y los que se reunían en su *Revista Moderna*. Urbina, Tablada, Rebolledo, González Martínez, Rafael López, Argüelles Bringas, Manuel de la Parra fueron modernistas crepusculares. Urbina fue un solitario. El gran poeta de entonces fue González Martínez. El que salió del círculo modernista en busca de novedades, y por eso fue el que más influyó en los jóvenes que nacieron después de 1900, fue Tablada. En este capítulo González Martínez todavía domina los

cenáculos. Pero ahora surge la generación del Ateneo.
El Ateneo de la Juventud inició en 1909 una importante renovación en México. A los poetas del Ateneo
que tenían más edad ya los mencionamos: López, De
la Parra, Colín, Gómez Robelo, Castillo Ledón, Cra-
vioto. De los más jóvenes, al comenzar este período
de los nacidos después de 1885, el más fino de todos
fue Alfonso Reyes, a quien lo estudiaremos en lugar
aparte. La lista de estos poetas es larga y vale sólo para
el lector curioso:

Unos se fueron a pique en el naufragio modernista
(JOSÉ DE J. NÚÑEZ Y DOMÍNGUEZ, 1887-1959; RODRIGO
TORRES HERNÁNDEZ, 1889-1915; PEDRO REQUENA LE-
GARRETA, 1893-1918; ALFONSO TEJA ZABRE, 1888) y
otros cambiaron de barco con la esperanza de llegar a
puerto seguro (JORGE ADALBERTO VÁZQUEZ, 1886-1959).
Unos cantaron la vida de las provincias (JESÚS ZAVALA,
1892-1957; MANUEL MARTÍNEZ VALADEZ, 1893-1935;
LEOPOLDO RAMOS, 1898-1956), los sentimientos religiosos (ALFONSO JUNCO, 1896), evocaciones de sueños y recuerdos (GENARO ESTRADA, 1887-1937; RENATO LEDUC,
1898) o los temas históricos y civiles (MIGUEL D. MAR-
TÍNEZ RENDÓN, 1891; CARLOS GUTIÉRREZ CRUZ, 1897-
1930; HONORATO IGNACIO MAGALONI, 1898). Unos
seguían siendo músicos de las oscuras melodías simbolistas (JOSÉ D. FRÍAS, 1891-1936), se analizaban todos
los datos de los sentidos excitados o querían que la
poesía fuera una fiesta de palabras hermosas y sonan-
tes (DANIEL CASTAÑEDA, 1898-1957; VICENTE ECHE-
VERRÍA DEL PRADO, 1898). Pero sin duda el poeta que
hacia 1922 atrajo la atención de quienes hasta entonces
la tenían puesta en González Martínez fue López Velarde.

RAMÓN LÓPEZ VELARDE (México; 1888-1921) escribió poco: los sentimentales versos de *La sangre devota*
(1916), los sensuales de *Zozobra* (1919) y, póstumo,
El son del corazón (1932), donde se recogió su poema
más conocido, "La suave patria". Hay tomos póstumos:

El minutero (1923), prosas de valor poético; *El don de febrero* (1952), ensayos de diversa índole; *Prosas políticas* (1953), y el libro misceláneo *Poesías, cartas, documentos* (1952). No disminuyamos a López Velarde porque su obra lírica es escasa. Y que no nos engañe el mapa aparentemente elemental de su país poético: la provincia, el catolicismo, la amada, el dolor juvenil... En ese país, que se ve tan sencillo en el mapa, están ocurriendo en verdad cosas extrañas, secretas, complejas, misteriosas. Por ejemplo: la religiosidad de López Velarde es de raíz erótica y su "afán temerario de mezclar tierra y cielo" podría escandalizar a los correligionarios; su amor, al que se lo declara único —amor a Fuensanta— está esparcido en muchas mujeres; sus suaves paisajes provincianos, pintados con un lenguaje sin suavidad, en áspero rebuscamiento de palabras estrafalarias, adjetivos inesperados y metáforas agresivas; su tradicionalismo, una guerra a alaridos contra el lugar común... Sí: López Velarde tenía más complejidad espiritual de la que nos hace creer el mapa de sus temas poéticos. Cobró importancia desde *La sangre devota* y sobre todo desde 1919, cuando apareció *Zozobra*. Después de la liquidación del modernismo su obra, breve e intensa, es de las más duraderas. Mostró anhelo de renovación, pero no por la superficie sino por dentro: profundizó en lo subjetivo (su alma) y en lo objetivo (la intimidad de México). Su disposición amorosa está siempre presente. En *La sangre devota* aparecen los dos extremos del sentimiento amoroso, el puro, ideal, tendido hacia Fuensanta, y el de las tentaciones carnales más patentes en *Zozobra*, su mejor libro. Aquí hay versos que muestran al poeta entregándose al amor; pero son más significativos los que revelan su desencanto y aun fracaso al no poder satisfacer ni el apetito de los sentidos ni la comunicación espiritual con la amada. En *El son del corazón* es más equilibrado puesto que el poeta parece hacer un balance de todo su desarrollo espiritual, pero es menos intenso. "La suave patria" nos habla de su provincia mexicana, pero el poeta no se queda allí: sin salirse de su propio jardín viaja por los jardines literarios de otras literaturas. Curioso "exotismo interior". Su veneración por Leopoldo Lugones ("el más excelso, el más hondo poeta de habla castellana", decía) explica su parecido con otros poetas de su época, también lugonianos. El Lugones de *Lunario sentimental* había abierto escuela para los hispanoamericanos nacidos en los años en que surgía el modernismo. López Velarde, como otros, quiso inventarse un lenguaje que sorprendiera con imágenes desacostumbradas. El peligro estaba en la afectación, en la retórica, en sinuosidades que se pierden en la oscuridad. López Velarde olfateó el peligro y se apartó a tiempo: sus palabras, aunque irradiaban sorpresas, respetaron el genio tradicional de la lengua y aun el matiz de la región en que había nacido. Los humildes y aun prosaicos coloquialismos salían al encuentro de las aristocráticas invenciones verbales y se abrazaban con toda felicidad en medio del cambio. Aun así López Velarde pudo haber caído en un manerismo, de no ser por las confesiones muy personales que tenía que hacernos. López Velarde dialogaba consigo mismo. La voz de la carne, la voz del espíritu. La ciudad era para él la violencia y el pecado; la provincia, un mundo nostálgico. Y López Velarde escribe "La suave patria", que no es un poema ni de ciudadano ni de provinciano, sino de un espíritu solitario que con ternura e ironía va expresando tiernas nostalgias e irónicas distancias. En "La suave patria", el mejor poema cívico de México, se refugia López Velarde, el más mexicano de los poetas de su generación.

ii) *Centroamérica*

Guatemala. Se destaca Rafael Arévalo Martínez, pero nos referiremos a él más adelante. Otro poeta guatemalteco, de origen modernista, es el combatiente

Félix Calderón Ávila. De una promoción posterior, pero todavía modernista, es Alberto Velázquez (1891).

Honduras. Ramón Ortega (1885-1932) fue poeta sencillo, un romántico barnizado de modernismo. Quien se irguió, en su tiempo, fue Alfonso Guillén Zelaya (1888-1947). También era de los que retornaban a la sencillez, después de los cabrilleos modernistas: *El almendro del patio.* Fue el primero que escribió en su país poesía social, como el soneto "Poeta y mendigo". Rafael Heliodoro Valle (1891-1959) publicó en 1922 *Ánfora sedienta,* donde se recoge "La escuela de la niña Lola", deleite de ágiles ritmos, imágenes y brincos líricos. Su ideal era de sencillez, como se ve en su celebrada composición "Jazmines del cabo".

El Salvador. Aquí el modernismo abrazó tan fuerte a sus poetas que el abrazo los dejó casi inmovilizados. Ante todo, los iniciadores Carlos Bustamante (1891-1952) y Julio Enrique Ávila (1890). Entre los que más descuellan: José Valdés (1893-1934), el sereno autor de *Poesía pura* (1923); Raúl Contreras (1896), que llevó su devoción modernista al teatro, en *La princesa está triste* (1925), glosa escénica de la "Sonatina" de Darío. Parece que es de Contreras el libro *Niebla* (1956), firmado por Lydia Nogales. Su último título es *Presencia de humo* (1959). Alberto Guerra Trigueros (1898-1950), poeta reflexivo, de hondos sentimientos cristianos.

Nicaragua. Después de dar a luz a Rubén Darío, Nicaragua necesitó de un largo y merecido descanso. Puede hablarse, sin embargo, de dos promociones más o menos modernistas. En la primera hallamos al paisajista Ramón Sáenz Morales (1885-1926), el sobrio y cristiano Manuel Tijerino (1885-1936), el desesperanzado Luis Ángel Villa (1886-1907), el solitario Lino Argüello (1886-1937), el anecdótico Atanasio García Espinosa (1886-1938), el galante Gabry Rivas (1888), el emotivo Cornelio Sosa (1886), el ele-

giaco Arístides Mayorga (1889), el efusivo Jerónimo
Aguilar Cortés (1889), el impresionista Antonio
Bermúdez (1889), los sentimentales Luis (1889-1938)
y Eduardo Avilés Ramírez (1896) y las poetisas
Rosa Umaña Espinoza (1886-1924), Berta Buitrago
(1886) y Fanny Glenton (1887?). Pero la mayor
figura de todas es la de Salomón de la Selva (1893-
1959), quien vivió largo tiempo fuera de su país. Continuó a Rubén Darío, si bien no se quedó en las fórmulas de la primera hora del modernismo. Fue soldado
en el ejército inglés y, en inglés, escribió algunos poemas. En El soldado desconocido (1922) nos refiere
esa experiencia; pero sus versos no tienen el espíritu
literario de la posguerra. Si a veces parecía acercarse
a la vanguardia, otras volvía a lo clásico, como en su
Evocación de Horacio (1948). En la segunda promoción modernista, más o menos de 1914 en adelante, se
refuerzan las conquistas de flexibilidad en temas y metros. Algunos resisten burlonamente los primeros signos de la vanguardia. Otros prefieren, sin polémicas, un
trabajo poético sencillo y de inspiración vernacular. Se
destacan: Narciso Callejas (1887?-1917), Alfonso
Cortés (1887), Roberto Barrios (1891), Antenor
Sandino Hernández (1893), Guillermo Rotschuh
(1894), Adolfo Calero Orozco (1897), Juan Felipe Toruño (1898).

Costa Rica. Monedas de oro de la herencia modernista les tocó a Roberto Valladares (1891-1920),
Rogelio Sotela (1894-1943), José Albertazzi Aven-
daño (1892), José Basileo Acuña (1897), Hernán
Zamora Elizondo (1895). El poeta más brillante fue
Rafael Cardona (1892). En Oro de la mañana
(1916) fue ya notable su preocupación por la gracia
de las formas. Aunque prefería el soneto se probaba
en diferentes metros y estrofas, sin llegar al verso libre.
Sus temas eran ambiciosos: el hombre y su destino, por
ejemplo. Su impresionismo, su simbolismo inicial, cedió más tarde a un arte más conceptual. El otro poe-

ta costarricense de significación es JULIÁN MARCHENA (1897), quien publicó su primer libro en 1941 (*Alas en fuga*) pero que por su edad, por sus formas modernistas y por la clara construcción lógica que da unidad a sus sentimientos debe situarse aquí.

Panamá. El poeta más notable, en toda su literatura, es RICARDO MIRÓ (1883-1940). Su revista *Nuevos ritos* (fundada en 1907) fue uno de los órganos principales de la renovación modernista, después del advenimiento de Panamá como república. Troqueló en versos cuidados —con preferencia endecasílabos, sonetos— temas de amor, de emoción patria y de admiración al paisaje. Poeta de tono menor, ensimismado, solitario. Su último poemario fue *Caminos silenciosos* (1929). Escribió también cuentos y dos ensayos de novela. Su obra ha sido presentada en antologías: las más recientes, *Antología poética* (1951) e *Introducción a los cuentos de Ricardo Miró* (1957). GASPAR OCTAVIO HERNÁNDEZ (1893-1918) fue poeta modernista, combinador de los trucos del oficio, en casi toda su producción, pero también dejó entrever un filón personal y popular, el que expresaba de una manera directa su condición de negro patriota, preocupado por la injusticia. MARÍA OLIMPIA DE OBALDÍA (1891) dejó oír, con dignidad, su voz de esposa, madre y maestra: *Orquídea, Breviario lírico, Parnaso infantil.* El emotivo JOSÉ MARÍA GUARDIA (1895-1941) completa el cuadro modernista panameño de esta generación. Hubo otros poetas de menos acento modernista, como ANTONIO NOLI B. (1884-1943) y ENRIQUE GEENZIER (1887-1943).

iii) *Antillas*

En Cuba la poesía no marchó a la vanguardia ni en este período ni en el siguiente. Hasta podría decirse que, después de Casal, ni siquiera hubo un enérgico modernismo. Un hermoso desperezo —desperezo

más que grandes obras— fue el de los tres poetas más
apreciables en la continuación y renovación del modernismo: Boti, Poveda y Acosta. Al primero, a pesar
de sus audacias rítmicas, por su edad (es de 1878)
tuvimos que situarlo en el capítulo anterior. Sin embargo, fue el primero en sacudir el polvo a las letras
cubanas, después que Cuba se independizó de España,
y en dejar limpio el aire. Por su esteticismo, encami-
nado hacia la poesía pura, Boti forma pareja con Poveda. En JOSÉ MANUEL POVEDA (1888-1926) —*Versos
precursores*, 1917— hubo alardes de crear nuevas formas. No son tan nuevas. Él era el excéntrico, no sus
versos. Su excentricidad ("nuestro yo por encima de
nosotros mismos", decía) lo llevó a un cultivo de "his-
terias", "decadencias" y "satanismos" (también éstas
son palabras suyas) y así se encerró junto con muchos
otros en una manera cosmopolita. Aprendió de europeos (Regnier, Kahn, Stuart Merril, Laforgue) y de
hispanoamericanos (especialmente de Darío, Silva, Lugones, López Velarde). La luna a la que cantaba con
voz sentimental y ojillos irónicos era la luna que habían visto Laforgue y Lugones: pero el barrio en que
Poveda la miraba, tiernamente, era su propio barrio.
Sus sacudimientos nerviosos sacudieron también sus
versos, en metros más libres de los que acostumbraban
sus coetáneos. Como su amigo Boti, quería renovar la
poesía, pero la sabia y elegante acústica de sus versos
era cosa de la sensibilidad, no sólo parte de un programa de experimentos. Sin embargo, era más un
técnico que un revolucionario: trajo palabras inusitadas,
recónditas alusiones a la mitología, notas difíciles. Diferente a Boti y a Poveda, por su mayor proximidad a
las cosas de Cuba, fue Acosta. AGUSTÍN ACOSTA (1886)
levantó vuelo con *Ala* (1915) y dio vueltas por el cielo
modernista. Sentimientos de amor galante y de patria
(como en su canto a Martí) que se hicieron aún más
sencillos en los poemas suaves y melancólicos de *Her-
manita* (1923). De más significación nacional fue *La*

zafra (1926), donde, líricamente, pero también con preocupaciones sociales, evocó la vida de los trabajadores de la industria azucarera. Es un poema de gran variedad de tonos —subjetivos, realistas— con efusiones y descripciones que ponen de manifiesto el buen artífice que era Acosta y ¿por qué no? sus caídas prosaicas. Cuba se ha convertido en un gran cañaveral. "Hay un violento olor de azúcar en el aire", escribe. Y ese olor a caña de azúcar sugiere vagamente, a lo largo del poema, amenazas, catástrofes, revoluciones. De vez en cuando, la imagen de vanguardia: "en el sobre de su noche / estampa un sello la luna". Pero, en general, la emoción nacional de Acosta es franca, realista y aun didáctica. En las fiestas sonoras, con ascensionales pirotecnias, que solían celebrar los modernistas, Acosta se moderaba. Cada vez se hizo más claro, más sencillo: *Los camellos distantes* (1936) —acaso su mejor libro—, *Las islas desoladas* (1943). Pero su órbita era la del modernismo, y en *Los últimos instantes* (1941) conjuró, irresistiblemente, al Darío de "Era un aire suave". Un modernismo, repitamos, en el que hay notas declamatorias, patrióticas, religiosas, sentimentales y hasta tocadas de una difusa filosofía. Después del ímpetu que le dieron los tres corifeos Boti, Poveda y Acosta —sus *Arabescos mentales*, *Versos precursores* y *Ala* aparecieron de 1913 a 1917— la poesía cubana se puso en marcha. A veces para atrás, como en GUSTAVO SÁNCHEZ GALARRAGA (1892-1934) y en los hermanos FERNANDO (1883-1949) y FRANCISCO LLES (1887-1921). A veces girando por las avenidas céntricas del modernismo, como ARTURO ALFONSO ROSELLÓ (1897), ERNESTO FERNÁNDEZ ARRONDO (1897), RAMÓN RUBIERA (1894). A veces se desvió hacia las prosas de la vida o, por lo menos, hacia los temas comunes. FELIPE PICHARDO MOYA (1892-1957) paseó por la geografía, la historia y las actividades sociales de la isla de Cuba, como en "El poema de los cañaverales" o en sus composiciones de tema negro, pero llegó a publicar versos vanguardistas, tratando de ponerse en la "nueva sensibilidad" posterior a la guerra mundial. Prosaico, aunque irónico y vital, fue José Zacarías Tallet (1893), cuyo único libro, *La semilla estéril* (1951) apareció colgado de una exclamación de Laforgue: "¡Qué cotidiana es la vida!" Tallet se balanceaba al ras de las cosas humildes, chatas, vulgares, y desde su columpio se enternecía o se sonreía con pesimismos y sarcasmos. Como Pichardo Moya, Tallet anunció la poesía de tema africano que tendrá después tanta fortuna. Era un sentimental, entristecido por el fracaso de todo, que por la lucidez con que se enfrentaba a la mediocridad llegaba al brillo del "choteo", como dicen los cubanos. ¿Lírico? En todo caso un lírico que ya duda de su canto individual: "Soy uno de los últimos que dicen, / trágicamente 'yo', / convencido a la vez de que el santo / y seña de mañana tiene que ser 'nosotros'." Rafael Esténger (1899) cuadra también en este desvío de la poesía hacia una realidad pública. A veces la poesía andaba por hondas napas de emoción, como en María Luisa Milanés (1893-1919), María Villar Buceta (1899). A veces la poesía se adelantó hacia nuevas expresiones. Rubén Martínez Villena (1899-1934) fue el más notable en esta dirección del modernismo, de un modernismo que le venía de la fuente de Lugones y de Herrera y Reissig. Pero estaba excepcionalmente dotado, y en *La pupila insomne* —único libro, póstumo— se admira lo que supo hacer con la prosa de la vida a fuerza de sinceridad sentimental, amargo humorismo, reflexiones filosóficas y hasta irritaciones políticas, pues fue comunista. También en Regino Pedroso (1896) encontramos una evolución desde el modernismo inicial —*La ruta de Bagdad y otros poemas*, 1918-23— hasta una poesía de énfasis social ("Salutación fraterna al taller mecánico", 1927). Primero, imágenes suntuosas y alegorías a la moda. Después, las luchas del obrero, las máquinas, el antiimperialismo. Es escritor de vanguardia, pero más por sus temas que por la dislocación de las formas. Su impulso humanitario se despoja poco a poco de la propaganda política y lo lleva a afirmar las fuerzas creadoras del mundo. Últimamente parece replegarse en las sombras chinescas de su raza (*Traducciones de un poeta chino de hoy*). EMILIA BERNAL (1885), tierna, ardiente, intuitiva, fue capaz de negarse a esas cualidades para complicar y complicar sonidos hasta acercarse a la poesía que, con el rubro de "la anormalidad", estudiaremos en la segunda parte de este panorama. Queden, pues, los cubanos de "la anormalidad" —Mariano Brull, Navarro Luna y otros— para más adelante.

En Santo Domingo los hermanos Pedro y Max Henríquez Ureña fueron de los primeros en escribir poesías francamente modernistas, en 1901, pero ambos se destacaron en otros géneros y nos referiremos a ellos en otro lugar. Lo cierto es que apenas hubo modernismo en este país. Llegó tarde, fue débil y duró poco. Todos volvieron los ojos a los "decadentes" de Francia, pero algunos suspiraban todavía cuitas románticas (como la elegante ALTAGRACIA SAVIÑÓN, 1886-1942). Otros, más rubendarianos, brillaron más. VALENTÍN GIRÓ (1883-1949) fue el primero, con su soneto "Vírgínea", en encender una de esas polémicas tan necesarias para el triunfo de los estilos nuevos. OSVALDO BAZIL (1884-1946) fue modernista de pies a cabeza y dejó por lo menos una joyita sentimental: "Pequeño nocturno". RICARDO PÉREZ ALFONSECA (1892-1950), recordado sobre todo por su "Oda de un Yo". Hubo otros —como el tierno y sencillo VIRGILIO DÍAZ ORDÓ-ÑEZ, 1895, o FEDERICO BERMÚDEZ, 1884-1921, de tema social, humanitario— pero el modernismo dominicano fue tímido. Otros nombres: EMILIO MOREL (1887), BALDEMARO RIJO (1885-1939), RAMÓN EMILIO JIMÉNEZ (1886), ENRIQUE AGUIAR (1890-1947), JOSÉ FURCY PICHARDO (1891), JUAN BAUTISTA LAMARCHE (1894-1956).

Puerto Rico había tenido su gran poeta modernista

en Luis Lloréns Torres, de quien ya nos ocupamos. El modernismo fue tardío y efímero. Quienes le siguieron fueron ANTONIO PÉREZ PIERRET (1885-1937), algo parnasiano en *Bronces*, 1914, ANTONIO NICOLÁS BLANCO (1887-1945), de tono menor, JOSÉ ANTONIO DÁVILA (1898-1941), buen sonetista, y, el mejor, JOSÉ POLONIO HERNÁNDEZ Y HERNÁNDEZ (1892-1922). Este último descendía —es decir, estaba peldaños más abajo— en la escala lírica por donde habían subido Bécquer y Rubén Darío: melancólico en sus sentimientos como el uno, artífice verbal como el otro. Sus dos libros, *Coplas de la vereda* (1919) y *El último combate* (1919) nos hablan de la naturaleza, de la muerte, del amor. El amor le inspiró un madrigal "A unos ojos astrales", que lo hizo famoso. A Evaristo Ribera Chevremont, por sus incursiones en la poesía vanguardista de posguerra, lo trasladaremos a la segunda parte de este capítulo.

iv) *Venezuela*

En estos años brillan, como estrella doble, Arvelo Larriva y Arreaza Calatrava. ALFREDO ARVELO LARRIVA (1883-1934) —*Sones y canciones*, 1909—, juguetón con las formas, de travieso, desenfadado y caprichoso buen humor poético, fue el más modernista. Un fresco viento de criollismo sonaba en su flauta, sometido al rigor de una difícil música. JOSÉ TADEO ARREAZA CALATRAVA (1885) —*Canto a Venezuela, Canto al ingeniero de minas, Lo triste*— fue poeta épico en sus temas civiles, dolorido en sus tonos subjetivos, opulento en su tesoro verbal. En otros poetas venezolanos el modernismo está aguado con mucho romanticismo. En los años de mayor influencia internacional y de más estilos cosmopolitas, ellos permanecieron fieles a su tierra natal: JUAN SANTAELLA (1883-1927), SERGIO MEDINA (1882-1933), ELÍAS SÁNCHEZ RUBIO (1888-1931). Se acostumbra a hablar, en Venezuela, de la "generación del año 18". Sería la más resonante, la más efectiva en la historia poética nacional. Pero no fue una generación con unidad de estilo. Se oyen en ella varios conjuntos orquestales. Los violines modernistas se apagan sin que se alcen, claros, los saxofones de la posguerra. Dominan, en cambio, las flautas nativas. FERNANDO PAZ CASTILLO (1895), RODOLFO MOLEIRO (1898), LUIS BARRIOS CRUZ (1898), LUIS ENRIQUE MÁRMOL (1897-1926) son algunos de los miembros de ese grupo generacional del 18. De ellos, el más famoso fue Andrés Eloy Blanco.

ANDRÉS ELOY BLANCO (1897-1955), de rica madera, serio y donoso, brillante y matizado, excesivo pero íntimo, capaz de clasicismo pero romántico en sus zumos nativos y folklóricos. Fue popular. Su múltiple acento resonó en toda América, resonó en España. Fue el que traspasó las fronteras geográficas; con todo, él mismo fue un poeta frontera. A sus espaldas, el modernismo; al frente, las ganas de un cambio. Porque en Venezuela el modernismo fue tardío y se prolongó más tiempo. Y también la batalla vanguardista iba a ser tardía.

v) *Colombia*

En este país, de paso lento, como si llevara un vaso lleno de preciosa tradición y temiera derramarlo al menor traspié, a la poesía se la ve, muy atinada, pero un poco a la zaga. Poeta vestido a la antigua fue AURELIO MARTÍNEZ MUTIS (1885-1954), que trabajaba siempre con escrúpulos de buen artesano, en terrenos diversos, en la narración, la elegía, el paisaje. Había comenzado, poco modernísticamente, con las silvas de *La epopeya del cóndor* (1934), pero su *Mármol* (1922) salió de la cantera modernista. Aunque ligados por una cinta elástica al modernismo, otros poetas colombianos se alejaron algunos pasos. Son los de la "generación del Centenario", así llamada porque empezaron a publicar alrededor de 1910. Tuvieron más sentido cívico que los estetas rubendarianos y se inspiraron en el patrimonio nacional. Sin embargo, los poetas "centenaristas" aprendieron su arte de modelos parnasianos y simbolistas y, dentro de Colombia, continuaron a los modernistas Valencia, Grillo y Londoño. Los más brillantes fueron Rivera, Rasch Isla, Castillo, Castañeda Aragón, Gilberto Garrido, Leopoldo de la Rosa, Seraville.

José Eustasio Rivera fue uno de los primeros en apoyarse en el paisaje colombiano para hacer brincar allí su lirismo, pero de él nos ocuparemos por separado más adelante. MIGUEL RASCH ISLA (1889-1951), el confidencial poeta de A flor de alma, Para leer en la tarde, Cuando las hojas caen y La manzana del Edén. Y, el más influyente en esta constelación, EDUARDO CASTILLO (1889-1939), poeta suave, delicado, triste, resignado, de insinuante tono menor. Su libro: El árbol que canta, 1938. Gracias a Guillermo Valencia, a quien admiró rendidamente, Castillo viajó por todas las rutas del modernismo, siempre correcto, pocas veces inspirado por un lirismo personal y pujante. Más que sentir la vida, sentía una teoría estética de la vida. Esta teoría derivaba, claro, de una biblioteca europea, rica en franceses, pobre en españoles. Son más reconocibles sus lecturas que sus emociones, acaso porque muy tímidamente penetraba en su propia personalidad y, en cambio, elaboraba con gran decisión una teoría del arte que hizo escuela en su país. Los centenaristas eran unos veinte: GREGORIO CASTAÑEDA ARAGÓN (1886), de tema marino y marinero, autor de Rincones de mar; el desolado y recóndito ABEL MARTÍN; el suave, musical y enamorado ROBERTO LIÉVANO; LEOPOLDO DE LA ROSA (1888); DELIO SERAVILLE [Ricardo Sarmiento] (1885-1936); el melancólico y crepuscular GILBERTO GARRIDO (1887); los hermanos BAYONA POSADA (Daniel, 1887-1920; Jorge, 1888; Nicolás, 1902); JUAN BAUTISTA JARAMILLO MEZA (1892), GENARO MUÑOZ OBANDO (1890?); ÁNGEL MARÍA CÉSPEDES (1892), que se reveló a los dieciséis años con un aclamado poema, "La juventud del sol", fue un afrancesado cincelador; y otros.

Más jóvenes, pero siempre en esta poesía recostada para atrás, DANIEL SAMPER ORTEGA (1895-1943), el sobrio CARLOS GARCÍA-PRADA (1898) y MARIO CARVAJAL (1896), de tema, emoción y arreo clásicamente religiosos. Esta nómina, que puede molestar al lector alérgico al polen de nombres, indica, sin embargo, la gran extensión del jardín colombiano. En medio de ese jardín hay un copudo árbol, el último del gran liño del modernismo: PORFIRIO BARBA JACOB (1883-1942). Miguel Ángel Osorio, conocido por sus seudónimos Ricardo Arenales y Barba Jacob, es, en efecto, un nudo en el mismo hilo de la poesía colombiana donde antes anudamos a Silva y a Valencia. No fue tan delicado y profundo como Silva ni tan artista como Valencia pero sus temas eran románticos como en el primero y sus formas de corte modernista, como en el segundo. Suele considerársele como astro. No obstante, Barba Jacob, todo lo inquieto, vehemente, desesperado que se quiera, no logró dar salida poética a ese mundo interior que le ahogaba el corazón. En "Canción ligera" se quejó de que las cosas estuvieran allí, frente a los ojos, y, sin embargo, uno no pudiera darles voz: "y nosotros, los míseros poetas, / temblando ante los vértigos del mar, / vemos la inesperada maravilla / y tan sólo podemos suspirar". Y era verdad. Barba Jacob está todo dolorido de grandes interrogaciones, dudas, desánimos, rebeldías, deseos, lascivias, inmoralidades; pero se queda enfermo, en la oscuridad de su cueva, y más que cantos le oímos quejidos. Su lirismo es tan denso que a veces se oscurece, como en "Acuarimántima". Otras veces se aclara en poesías exclamativas (las exclamaciones denuncian la carga emocional del poeta), construidas (las simetrías denuncian el efecto que se quiere conseguir), narrativas (la acción, en una anécdota o en una alegoría, denuncia por dónde va el ánimo o la idea del poema). Sus mejores cantos son los de extravío, de perdición, de soledad. La leyenda de su vida de homosexual no nos interesa (aunque contribuyó a su fama), pero la leyenda de su poesía debe revisarse críticamente. Exageraba sus desgarramientos y en su voluntad de escándalo llegaba a simulaciones artísticas, pero no poéticas. En sus momentos de sinceridad, por otra parte, no siempre vio claro en su propia hondura.

vi) *Ecuador*

En la primera década del siglo es cuando el Modernismo alza aquí su llama (si bien lo mejor de la literatura ecuatoriana vendrá después, y se dará con preferencia en la prosa). ARTURO BORJA (1892-1912) fue uno de los que mejor soplaban el nuevo fuego. Era un sentimental, claro, espontáneo. Recibió influencias directas del simbolismo francés: en *La flauta de ónix* se oyen ecos de Baudelaire, Verlaine, Rimbaud, Mallarmé y Samain. Acaso estas lecturas acentuaron su disposición melancólica y le hicieron sentirse cansado de la vida antes de haber vivido. Fue un solitario, inexplicablemente adolorido. ERNESTO NOBOA CAAMAÑO (1891-1927) hace oír a Verlaine y a Samain en *La romanza de las horas* y *La sombra de las alas*. Más armonioso que Borja, como él se sentía hastiado de la vida. Es elegante y sobrio a pesar de la intensidad del dolor que quería expresar. MEDARDO ÁNGEL SILVA (1898-1919), muchacho humilde que se inventó un ambiente de aristocracia rubeniana y allí, queriendo ser otra cosa de lo que era, cantó su melodía triste. Versos de Verlaine, Morèas y Samain pasaron subrepticiamente a mezclarse con los que él hacía. En *El árbol del bien y del mal* (1918) es difícil distinguir lo propio de lo ajeno. Reflexionaba sobre la inutilidad de la existencia y después parecía encontrarle un sentido en su armonioso canto. Borja, Noboa y Caamaño y Silva se suicidaron. Quien quiso vivir más, pero no pudo, fue el acongojado HUMBERTO FIERRO (1890-1929). También ofreció ecos simbolistas en *El laúd en el valle* (1919) y en la póstuma *Velada palatina*. Fue uno de los más exquisitos en su melancolía y su tedio. Se esforzó por dejar atrás la compañía de rubenianos y alcanzar a los nuevos. Estos son los cuatro poetas mayores del mejor orfeón que cantaba en los parques otoñales del Ecuador. Se evadieron del Ecuador, de la realidad y aun de la vida. Hubo otros: José María Egas (1896), con su breviario amoroso y místico, *Unción*, 1925; Remigio Romero y Cordero (1895), modernista en *La romería de las carabelas*; Miguel Ángel Zambrano (1895), que se reveló tardíamente, en 1957, con poemas desolados y nihilistas. Y los más viejos: Aurelio Falconí (1885) y Gonzalo Cordero Dávila (1885-1931).

vii) *Perú*

Después de Chocano y de Eguren asoma un grupo de poetas modernistas que vale así, como grupo, aunque en él no descolló ninguna figura principal. José Gálvez (1885) se puso a cantar bajo la luna, en un jardín cerrado (*Bajo la luna*, 1910; *Jardín cerrado*, 1912) a la manera de Rubén Darío si bien seguía también el ejemplo de poesía narrativa, civil y americana de Chocano. Enrique Bustamante y Ballivián (1884-1936) visitaba la poesía en actitud de intelectual: es decir, observaba, estudiaba, pensaba, experimentaba. Y así su obra, sin ser original, refleja todos los vaivenes de esos años: parnasismo, simbolismo, criollismo, indigenismo, vanguardismo... Alberto J. Ureta (1885) fue el de más unidad tonal: de *Rumor de almas* (1911) y *El dolor pensativo* (1917) surge una constante melancolía. Abraham Valdelomar (1888-1919), aunque educado en el esteticismo modernista, se ahincó en su propia tierra: la provincia, la vida familiar, paisajes y hombres vistos todos los días. Así el modernismo se despojaba de ornamentos cosmopolitas y fantásticos y en cambio adquiría objetos americanos. En prosa nos dejó cuentos de sabor regional, como ese sobre "El caballero Carmelo", un gallo de riñas. Percy Gibson (1885) compuso poemas locales, con paisajes, anécdotas y tipos humanos corrientes.

Otros poetas, que se mezclaron con los precedentes, se apartaron luego del modernismo en busca de fórmulas más al día. En este conato de renovación está Alcides Spelucín (1897). En *El libro de la nave dorada* (1926) recogió sus versos de 1917 a 1921, que se despliegan como un abanico con las decoraciones rococó tan caras al modernismo; pero también hay salidas a los temas ordinarios, humildes, reales, sobre todo de ambiente marinero. De un individualismo crónico (y una egolatría aguda) fue Alberto Guillén (1897-1935). Era afirmativo, optimista y hasta ideológico en su bárbara exaltación de la fuerza. Cerremos por ahora esta exposición de poetas peruanos —por ahora, pues, en la segunda parte de este capítulo veremos a otros, entre los que está el mayor de todos: César Vallejo— con una línea de puntos suspensivos: Pablo Abril (1895), Alfredo González Prada (1891-1943), César A. Rodríguez (1891), Federico More (1889), Federico Bolaños (1896), Daniel Ruzo (1900).

viii) *Bolivia*

Después de los tres vértices del modernismo boliviano —el alto Jaimes Freyre y, en la base, Tamayo y Reynolds— vienen unas pocas líneas de geometría plana. El más entusiasta de los propagadores del modernismo fue Claudio Peñaranda (1884-1924), que recogió toda su labor en *Cancionero vivido* (1919). Su "Elegía a Rubén Darío" fue, como el "Responso a Verlaine" de Darío, una definición poética. José Eduardo Guerra (1893-1943) fue también uno de los poetas "cerebrales" del modernismo, con inquietud filosófica y dejos de melancolía y angustia. Otros: Humberto Viscarra Monje (1898), Rafael Ballivián (1898), Juan Capriles (1890-1953), Nicolás Ortiz Pacheco (1893-1953), Lola Taborga de Requena (1890).

ix) Chile

El modernismo chileno no había dado ningún gran
poeta: apenas Pezoa Véliz; y también Magallanes Moure. De repénte, la poesía se pone a soplar en Chile.
Será de Chile de donde salgan el único Premio Nobel
de Literatura en nuestra América —Gabriela Mistral—,
uno de los más ruidosos innovadores de nuestras letras
—Vicente Huidobro—, y, poco después, Pablo de
Rokha y Pablo Neruda, este último uno de los mayores
poetas de la lengua. Pero no nos anticipemos. Vaya
mos por orden.

En este período la figura de talla internacional es
Lucila Godoy Alcayaga, o sea Gabriela Mistral.

GABRIELA MISTRAL (Chile; 1889-1957). Por su poesía, áspera, desaliñada, Gabriela Mistral no parece pa-
riente de los virtuosos del modernismo; sin embargo, sus metáforas tienen esa costumbre de la familia
simbolista que consiste en saltar al abismo con una
antorcha en la mano y en iluminar en la caída las an-
fractuosidades de la vida interior. Metáforas para lectores avezados en el emocionante espectáculo de esos
ejercicios de locura; metáforas antiintelectuales que no
demuestran con la lentitud de la frase lógica sino que
muestran con la rapidez del gesto y que por eso exigen
un público preparado. Aunque diferente a los modernistas, Gabriela Mistral aprendió de ellos: de Magallanes Moure, de Carlos R. Mondaca, de Max Jara. De
todos modos escribió para quienes habían leído a los
modernistas. En "Los sonetos de la muerte" que le pre-
miaron en los Juegos Florales de Santiago, en 1914, ya
se está apartando de sus maestros. Introduce modos
provincianos de hablar (Gabriela era del valle de Elqui),
formas adverbiales (como en aquel verso "malas manos
entraron trágicamente en él"), términos bíblicos. Nunca se destacó como una revolucionaria de la poesía (a
la manera de Huidobro, Rokha y Neruda) pero también contribuyó a la poesía de vanguardia. Su influen-

cia no fue visible, pero, como un río subterráneo, regó
la poesía contemporánea. Su gran tema es el amor; y
todas sus poesías variaciones a ese tema. Poesía amorosa, amatoria, pero no erótica. El primer grupo de esas
variaciones se refiere a un triste episodio en la vida de
Gabriela: su amor, primero y único, a un hombre que
se suicidó por honor. Ella tenía diecisiete años cuando
lo conoció. Estas poesías se recogieron en *Desolación*,
su primer libro (edición príncipe, 1922; la segunda, de
1923, y la tercera, de 1926, fueron aumentadas; la definitiva, con nuevas adiciones, es de 1954). Nadie ha
expresado con más fuerza lírica el despertar del amor,
el sentirse arrebatada por la presencia del hombre y el
no tener palabras para decirlo; el pudor de saberse
mirada por él y la vergüenza de mirarse a sí misma y
verse pobre en la desnudez; la dulce calentura del cuerpo; el miedo de no merecer el amado, el sobresalto de
perderlo, los celos, la humillación, el desconsuelo; y
después, cuando él se ha pegado un tiro en la sien,
el consagrarle la propia vida, el rogar a Dios por la salvación del alma suicida y la congoja de querer saber
qué hay más allá de la muerte y por qué tinieblas anda
su muerto; la soledad, la espera inútil en los sitios que
antes recorrieron juntos y, sin embargo, la obsesión de
estar acompañada por su visita sobrenatural; el remor-
dimiento de estar viva todavía, la llaga del recuerdo; el
sello de la virginidad y el ansia maternal; y el tiempo
que pasa y la propia carne que se va muriendo bajo el
polvo de los huesos del muerto, y el llegar a los treinta
años y de pronto comprobar que ya no se puede recordar ni siquiera el rostro desaparecido; y la pobreza definitiva después de esa pérdida... Pero ya dijimos que
este amor frustrado, con ser tan conmovedor, es la primera *suite* de variaciones al tema del amor. Al llegar
a los treinta años de edad —"ya en la mitad de mis
días"— Gabriela Mistral continuó con otras variaciones
al amor universal, amor a Dios, a la naturaleza, a la
madre, a las buenas causas del mundo, a los humildes,

perseguidos, dolientes y olvidados; y, sobre todo, a los
niños, para quienes escribió rondas, canciones, cuentos.
En *Desolación* nos ha dicho cómo decidió cantar para
consuelo de los demás: "Tu belleza se llamará también
misericordia, y consolará el corazón de los hombres",
dice en "Decálogo del artista"; y formula este "Voto":
"Dios me perdone este libro amargo, y los hombres que
sienten la vida como dulzura me lo perdonen también.
En estos cien poemas queda sangrando un pasado doloroso en el cual la canción se ensangrentó para aliviarme.
La dejo tras de mí como a la hondonada sombría y por
laderas más elementales subo hacia las mesetas espirituales donde una ancha luz caerá, por fin, sobre mis días.
Yo cantaré desde ellas las palabras de la esperanza, sin
volver a mirar mi corazón. . ." Así Gabriela, después de
su depuración en el dolor, se eleva hacia un cándido,
puro y transparente amor al prójimo. Ella sigue desolada, pero ahora canta su ternura. *Ternura* (1924) es el
título de un libro de poemas, en su mayoría desgajados
de *Desolación*. Pero ese gajo ha crecido con brotes
nuevos en la edición de 1945. Otro de sus libros —el
segundo original— *Tala* (1938) retoma el tema religioso de *Desolación* pero aquí la visión de Gabriela es
más abstracta. Después de la inocencia, la pasión y la
triste desilusión de sus primeros conocimientos de la
Poesía, ahora trae a la poesía flores sin color: símbolos,
ensueños, ideales. La naturaleza está recordada de lejos, o es la naturaleza de países extraños por los que
Gabriela anda, presa en la red de constelaciones que
ya no son las suyas, las australes. En el destierro, en el
desarraigo, sus versos se hacen más duros. En las poesías de su tercer y último libro, *Lagar* (1954) se estiliza
aún más el amor a la tierra y sus hombres. En su mayoría tienen ritmos de canción. El cansancio de la vejez
en tierra extraña ahora la hace recordar y ansiar la
muerte, y los versos son duros, secos, opacos, aun prosaicos: "igual que las humaredas / yo no soy llama ni brasas". En realidad *Desolación* es su gran obra: allí dio

lo mejor de sí. Su vigor —vigor de poeta más que de poetisa— no se debe a las cosas que canta. No. Millares de poetas débiles han elegido temas fuertes. El vigor está en que ella levanta la realidad, se la derrama en las entrañas, la convierte en sangre y luego entona su noble y generoso canto de amor. Ha escrito poemas en prosa, ensayos, cartas... Su prosa, por ser muy abundante, circunstancial e inestable en calidad, no disminuirá, el día que se edite completa, la importancia de los versos, que seguirán siendo primordiales en la obra de Gabriela; pero una antología de esa prosa sorprenderá por su sabrosa espontaneidad. (Títulos en prosa: *Recados. Contando a Chile*, 1957.)

Otros poetas chilenos. Después de Gabriela Mistral, las figuras chilenas más importantes de este período son Vicente Huidobro y Pablo de Rokha. A ambos los encontraremos entre los poetas de "la anormalidad". Pero no podemos cerrar este parágrafo sobre Chile sin antes mencionar otros nombres significativos. Al gran Pedro Prado lo estudiaremos en otro lugar, como prosista. Pase a la sala MAX JARA (1886), recogido y altivo, escaso pero esmerado, riguroso en una poesía de pocas cuerdas. En un grupo más juvenil, el primero, en orden de méritos, es ÁNGEL CRUCHAGA SANTA MARÍA (1893), todavía iluminado por el simbolismo, personal en su sentimiento religioso (*Paso de sombra*, 1939). Después hay que recordar a JUAN GUZMÁN CRUCHAGA (1895), íntimo, triste, enternecido. La simple enumeración de otros poetas dará una idea del despertar de Chile, en este período: el tierno ROBERTO MEZA FUENTES (1899), la inquieta WINETT DE ROKHA (1896-1951), JORGE HUBNER BEZANILLA (1892), FRANCISCO DONOSO (1894).

x) *Paraguay*

El modernismo empezó a manifestarse aquí cuando, en casi toda Hispanoamérica, estaba ya liquidado. La figura de más talla, ELOY FARIÑA NÚÑEZ (1885-1929), se acercó al modernismo, entró en él; pero los grupos distintamente modernistas vendrán después. Fariña Núñez vivió en el extranjero, pero de lejos cantó los temas de su patria. *Canto secular* es un largo poema épico en versos blancos, serenos, de frialdad seudoclásica. Reunió su obra poética en *Cármenes* (1922). No fue, en verdad, un gran poeta. Se cultivaba leyendo y estudiando libros europeos o europeizantes en el círculo modernista de Buenos Aires. La idealización de su patria guaraní (*Mitos guaraníes*) fue lo mejor que hizo. Escribió también narraciones de inspiración helénica (los cuentos de *Las vértebras de Pan* y la novela *Rodopis*), teatro y varios libros de ensayos. El modernismo tal como Rubén Darío lo había impuesto en el resto de América, años antes, prendió en Paraguay en dos promociones muy tardías. La primera, formada en torno a la revista *Crónica* (1913); la segunda, en torno a la revista *Juventud* (1923). En la primera de estas promociones se destacó GUILLERMO MOLINAS ROLÓN (1889-1945). Este bohemio, talentoso pero de corta producción poética, fue un simbolista enardecido por las metáforas de Herrera y Reissig. Las otras dos figuras interesantes del grupo de *Crónica* fueron LEOPOLDO RAMOS GIMÉNEZ (1896), poeta libertario, de violenta tónica social en *Piras sagradas*, más estetizante en *Eros* y *Alas y sombras*; y PABLO MAX INSFRÁN (1895), con algo de parnasiano en su voluntad de perfección formal, de temas exóticos, filosóficos. Después dejó la poesía por el ensayo. El poeta más popular fue MANUEL ORTIZ GUERRERO (1897-1933), popular en parte por la dolorosa leyenda de su vida de leproso, idealista, sacrificado, bohemio, sin resentimientos ni amarguras. Se reconoce el sello de Rubén Darío en sus obras *Surgente, Nubes del este, Pepitas*. Combinó temas exóticos y nativos. Escribió también en guaraní. De tema social es el rebelde FACUNDO RECALDE (1896), autor de *Virutas celestes*. Junto con estos dos últimos poetas deberíamos estudiar a Natalicio González, pero preferimos hacerlo cuando lleguemos a los prosistas. Poeta social, combativo y desaliñado, al parecer más meritorio por su teatro guaraní, es JULIO CORREA (1890-1955). A la segunda promoción aludida más arriba, la de *Juventud,* la veremos en el próximo capítulo.

xi) *Uruguay*

En Uruguay había surgido —según se vio en el capítulo anterior— el milagro de una generación extraordinaria: la "generación del 900", formada nada menos que por Reyles, Viana, Rodó, Sánchez, Quiroga, Carlos y María Eugenia Vaz Ferreira, Herrera y Reissig. María Eugenia Vaz Ferreira y Herrera y Reissig fueron los máximos poetas de esa generación. Entre ellos y los poetas que corresponden a este período de nacidos después de 1885 pasó, como una estrella fugaz, DELMIRA AGUSTINI (1886?-1914). La vida de una mujer de sexo encendido, siempre anhelante de abrazos de hombre, no tendría importancia espiritual si se quedara en eso y sólo nos dijera, espontáneamente, lo que le pasa a su organismo. Delmira Agustini fue así, como una orquídea, húmeda y caliente; y uno de sus temas repetidos es la espera, en el lecho, de la visita nocturna del amado. Pero ella trascendió su erotismo, y el deleite del cuerpo se convirtió en deleite estético. La belleza de sus deseos adquirió valor independiente, se hizo arte, con las palpitaciones de la vida biológica, sí, pero espiritualizadas en imágenes portentosas. Ninguna mujer se había atrevido, hasta entonces, a las confesiones de "Visión", "Otra estirpe", "El arroyo", y todos, en fin, los poemas de sus libros, desde *El libro blanco* (1907) hasta el póstumo *Los astros del abismo.* Pero esas confesiones valen, no por sus anécdotas vitales, sino por sus visiones transvitales, en que la voluptuosidad se sublima en poesía. Su osadía imaginativa es más asombrosa que su impudor. Y, viéndolo bien,

¿no tenía su impudor mucho de fantástico? Ella conocía el deseo: apenas su satisfacción carnal (apenas un mes duró su matrimonio, cuando ya había publicado su obra). Sus imágenes brotan cuando menos se las espera, como "hongos gigantes".

De más larga vida, y por lo tanto de obra más completa, son los poetas que vamos a presentar ahora. Emergen del reflujo modernista y se desbandan en direcciones a veces opuestas. Los que, a pesar de desbandarse, llevaron en el pecho el emblema modernista, fueron PABLO MINELLI GONZÁLEZ (1893) y Juana de Ibarbourou. Los más filosóficos fueron el vital Sabat Ercasty, el intelectual Oribe y el estetizante Casaravilla Lemos. De más intención simbólica, bajaron a oscuros sótanos o subieron a claras torres alegóricas Basso Maglio y Maeso Tognochi. Inclinados hacia la raíz nacional, los nativistas Silva Valdés e Ipuche y el "negrista" ILDEFONSO PEREDA VALDÉS (1899). Y el tribunicio ÁNGEL FALCO (1885), el épico EDGARDO UBALDO GENTA (1894), MANUEL DE CASTRO (1896), que después de destacarse como excelente sonetista probó, también con éxito, su talento de novelista, EMILIO CARLOS TACCONI (1895) y otros más. Pero, para no deslizarnos de nombre en nombre, detengámonos en los poetas que nos ayudan a iluminar el aura de estos años. JUANA DE IBARBOUROU (1895) por la pureza de su canto fue consagrada "Juana de América". A quienes hablan de ella se les suben a la boca las palabras fruta, flor, mies, gacela, alondra... Es decir, imágenes de lo vegetal y lo animal en el goce de existir. De estas metáforas han salido otras. Por ejemplo: que su obra poética pasa por los ciclos orgánicos de nacimiento, juventud, madurez y vejez. A veces se los compara a las cuatro estaciones del año o a las cuatro horas del día. Y se dice que *Las lenguas de diamante* (1919) fue la iniciación de la vida en una mañana de primavera; *Raíz salvaje* (1920) la juventud en un mediodía estival; *La rosa de los vientos* (1930) la madurez en un atardecer de oto-

ño; y *Perdida* (1950) la vejez en una noche invernal.
Metáforas. Porque el autocontemplarse no es ni vegetal ni animal sino humano, y toda la poesía de
Juana de Ibarbourou es un obstinado narcisismo. Nar-
ciso-mujer con las delicias de la coquetería y la femenina turbación ante el espejo del tiempo donde nos
vemos afear y morir. Joven, mimosa, incitante, sentía
en la carne el poder de su hermosura. Se sabía admirada y deseada por el hombre; y se describía a sí
misma para ese hombre, desnuda, encendida y apremia-
da por la certidumbre de que ese supremo momento
de belleza no se habría de repetir. "Tómame ahora
que aún es temprano / y que llevo dalias nuevas en la
mano", urge en "La hora". ¿Y qué son "Salvaje",
"Como la primavera", "La tarde" sino invitaciones?
En "La inquietud fugaz" el tiempo no es un tema de
grave meditación, sino un sensual mensaje al amado,
para que no aparte los ojos de ese "momento fugitivo
e inquieto" en que ella se sabe bella como una ninfa
desafiante. Teme más envejecer que morir; pues al fin
y al cabo la muerte puede fijarla en el último gesto
estético. En el soneto "Rebelde" ("Caronte, yo seré
un escándalo en tu barca") ve su desnudo triunfal. Se
imagina muerta en "Vida-garfio" pero, muerta y todo,
quiere sobrevivir como belleza contemplada: "A flor de
tierra abre mi fosa", le pide al amante; "yo presiento /
la lucha de mi carne por volver hacia arriba". La albo-
rozada coquetería de *Las lenguas de diamante,* su mejor libro, insiste en *Raíz salvaje* pero contenida por la
preocupación de encontrar un nuevo quehacer. En *La
rosa de los vientos* los versos ya no son fáciles, sencillos, claros, amables, musicales, sino que, soplados por
las corrientes de vanguardia, se rompen en ritmos irregulares, se oscurecen con misterios y las imágenes aspi-
ran a un superrealismo. Y aquel narcisismo jubiloso de
antes se entristece y amarga. Se siente menos, se piensa más. Se piensa en el tiempo —"el buho pesado del
tiempo", "la rama musgosa del tiempo"— y en la carne

que se hace mustia. "¿Qué te daré cuando no tenga esta juventud?" Pero ha perdido la juventud, está perdiendo la belleza. "Siento el peso de cada hora / como un racimo de piedra sobre el hombro. / ¡Ah! quisiera ya librarme de esta cosecha / y volver a tener los días ágiles y rojos" ("Días sin fe"). En *Perdida* Juana sigue ante el espejo y hace sus cuentas, melancólica. "Tiempo" se llama, significativamente, su poema inicial. CARLOS SABAT ERCASTY (1887) quemó en 1912 sus poemas (decadentes, crepusculares, modernistas) y buscó una expresión sana, exuberante y atlética. Fue a los primitivos, a las culturas antiguas; y en su primer libro, *Pantheos* (1917), cantó la indisoluble unidad de Dios y la creación. Se exaltó con sus propias profecías de una América potente. En *Poemas del hombre* (1922), el hombre —el hombre como animal problemático— fue su centro. Procuró que su poesía fuera un microhombre, así como el hombre es un microcosmos. Sus libros posteriores dieron una lírica clamorosa, vital, difusa, que influyó en el joven Neruda. EMILIO ORIBE (1893), poeta que dejó los fríos cinceles parnasianos para preocuparse más y más por problemas filosóficos, en los últimos años también dejó su intelectualismo para sacar, en *Rapsodia bárbara* (1954), el "gaucho esencial que dormía en el tuétano de su alma". Su poesía, como sus meditaciones —y, en él, poetizar y meditar eran actividades simultáneas—, le mostraron un camino interior, abierto siempre, por donde avanza sin esa necesidad de repetirse que sienten otros más sedentarios. ENRIQUE CASARAVILLA LEMOS (1889) tiene una fuerza lírica que a veces se equivoca, da de cabeza en una pared o se desvía por un camino de conceptos, pero que cuando acierta lo lleva a un primer plano de belleza.

El cohete de la poesía estalla y su trayectoria de luces irradia en las direcciones más opuestas.

FERNÁN SILVA VALDÉS (1887) deslumbró a los jóvenes (Jorge Luis Borges y otros) con *Agua del tiempo*

(1921), libro admirable por la felicidad con que el mundo criollo aparecía visto desde los ojos de miles de metáforas inesperadas. Lanzó así, un nativismo ultraísta o un ultraísmo nativista, de gran fortuna en la historia de nuestra poesía. Descolló también en el cuento y en el teatro. PEDRO LEANDRO IPUCHE (1889), como Silva Valdés, fue un explorador de lo criollo, en sus poemas y también en su relatos. Su raíz está en la tierra, y sus flores poéticas, por "metafísicas" que parezcan, vienen de allí: véase sus *Diluciones*. CARLOS RODRÍGUEZ PINTOS (1895), que busca con la mirada los temas altos —amor, patria— y se acerca a ellos cambiando de manera, aunque siempre con actitud aristocrática. VICENTE BASSO MAGLIO (1889) desecha las cosas reales y se entrega a símbolos rigurosos y a veces herméticos: intuyendo y reflexionando llega a una poesía honda, que tuvo influencia en los grupos juveniles. Entre las esencias caras a los simbolistas, y las imágenes hondas recogidas por los superrealistas está el lenguaje de Basso Maglio, uno de los poetas más representativos de estos años. Su "Canción de los pequeños círculos y los grandes horizontes" es antológica. A Julio J. Casal lo encontraremos más adelante.

xii) *Argentina*

En Argentina, antes que en otros países, los escritores se depuraron de los artificios modernistas. Es decir, que aquí había habido un compacto grupo modernista cuando en otras partes sólo se oían voces aisladas; y, al revés, cuando en otras partes aparecieron compactos grupos modernistas aquí el modernismo se disolvía y aparecía un grupo de tónica moderada. Ahora lo precioso, lo exótico, lo mórbido, lo artístico atraen menos que los temas humanos inmediatos. Siguen siendo estetas, pero su expresión es más sencilla. Dos grandes poetas se revelaron después de Lugones: el escaso Banchs y el abundante Fernández Moreno. ENRIQUE

BANCHS (1888) publicó cuatro libros de poemas —*Las barcas*, 1907; *El libro de los elogios*, 1908; *El cascabel del halcón*, 1909; *La urna*, 1911— y luego enmudeció. Apenas unas "páginas no publicadas en libro" que recogieron sus amigos en 1950. No fue un inventor de imágenes; no experimentó con las formas; no se afilió a ningún grupo ni buscó fama alguna; no cantó con toda la voz que tenía ni intervino en las polémicas literarias de siempre: y su precoz renunciamiento a las letras fue el último "no" a esa serie negativa. Sin embargo, fue positivamente querido, respetado y admirado aun por los poetas más jóvenes. Banchs iba hacia la poesía —lo dice él mismo en "El voto"— "como un romero / que al ara, toda lumbre y lino y plata y nieve, / lleno de miedos santos a llegar no se atreve". Quería la perfección pero solía quedarse en el umbral, alelado, tembloroso: sus versos, siempre pulidos, se adelgazaban, se transparentaban hasta cobrar una quebradiza sutileza. De los modernistas tenía el culto a la perfección pero no los trucos ornamentales que muchas veces eran meros sucedáneos de esa perfección. Algunos sonetos de Banchs son los mejores que se hayan escrito en la Argentina. El que empieza "Hospitalario y fiel en su reflejo" es de tal pericia, que uno se conmueve cuando ve a Banchs renunciando a su destreza para escribir versos tan sencillos, tan elementales, tan desnudos como los tiernos de "Balbuceo" o tan folklóricos como sus romances y cantares. Vivía la tradición poética castellana, castiza, clásica. Fue un poeta puro (aunque ocasionalmente escribió uno que otro verso de tono social o de descripción realista). Su intimidad empezó a revelarse eufóricamente, cantando en los tres primeros libros la belleza que veía o imaginaba. Eran los años de sano deslumbramiento ante la armonía del mundo, pero todavía se cubría de símbolos, se rodeaba de objetos suntuosos, se enroscaba en una lengua literaria. Después el poeta reveló directamente su tristeza y sus propias desventuras. Es cuando publica *La urna* de cien sonetos, libro en que, sin plañidos, se nos muestra más meditabundo y melancólico. La presencia de Banchs no alteró el curso de la poesía: sí lo alteró la de Fernández Moreno. BALDOMERO FERNÁNDEZ MORENO (1886-1950) cantó sin interrupciones, desde su primer libro *Las iniciales del misal* (1915) hasta *Penumbra: El libro de Marcela* (1951). Cantó también sin desfallecimientos. Su poesía va siempre por lo alto, firme, tensa, sostenida, perfecta. No conocemos otro caso, en su época, de vocación poética tan fervorosa y de invención poética tan lograda. Iba por la vida enamorado de las cosas más humildes; y las salvaba para la poesía con sólo mirarlas. Impresionista. El mejor impresionista, quizá, de nuestra literatura. Quienes creyeron que su poesía era trivial porque triviales eran sus temas —de la ciudad de Buenos Aires, de los pueblos de provincia, del campo, del hogar, de sus trabajos y ocios, de su tranquila intimidad— no supieron comprender la hondura de su imaginación. Sus versos son aparentemente elementales, pero siempre complejos. Sencillos pero no prosaicos. Sinceros pero no ordinarios. Fernández Moreno fue el poeta que se hinca en el lugar donde vive y abre los ojos a su alrededor, leal a lo que él es como hombre y a lo que las cosas son cuando se las ve esencialmente. No había para él objetos más poéticos que otros: todo, lo más vulgar, lo más insignificante, lo más pequeño y transitorio, era poetizable. Cada porciúncula de realidad excitaba su fantasía; y con dos, tres trazos, le daba un sorprendente sentido. Como buen impresionista fue un fragmentario. Pero leyendo sus libros uno admira la unidad de su arrobamiento ante el mundo. Allí está el mundo, para que él lo cante cordialmente. El poeta podrá estar triste, abatido, melancólico: pero el poder cantar da alegría a su vida. Sus impresiones sensoriales se desnudan como bellos relámpagos. Tenía el don de la definición, de la miniatura y de la síntesis lírica. Las cosas se configuran en metáforas, las metáforas se tiñen suavemente con el aire sentimental del

poeta. Hay también ingenio, que así, como puro ingenio, se ve mejor en su prosa aforística: *La mariposa y
la viga* (1947). Su lengua —sabia por lo mucho que
había oído y leído— era la de un español de todas las
Españas. Llegó a la sencillez por la disciplina, y su
disciplina le daba un curioso aire de clasicismo en la
forma y de modernidad en la inquietud espiritual.
"Sencillismo" se ha llamado a su escuela (porque, aunque no lo advirtiera, había formado su escuela, no sólo
la de los Bufano, Camino, Mariani, Pedro Herreros, sino
de todos los que lo admiraban, como Alfonsina Storni).
El maestro, claro, sorprendía porque simplificaba sin
empobrecer. Por mirar lo que tenía más cerca agregó
a la poesía argentina temas que los modernistas, por
mirar a lo más lejos, no habían visto. Según su hijo
César la "época sencillista", de espontaneidad sentimental, duró hasta 1923 (*Intermedio provinciano, Ciudad, Campo argentino*); de allí hasta 1937 se abre la
"época formal", de mayor preocupación por cánones
artísticos (*Décimas, Sonetos, Seguidillas, Romances*);
y de ahí a 1950, la "época sustancial", en que ahonda
en su intimidad hasta tocar su fondo de desengaño y
amargura (*Penumbra*).

Banchs y Fernández Moreno estaban en una corriente tradicional, clásica, hispánica; y por allí andaba
un grupo —AUGUSTO GONZÁLEZ CASTRO, 1897; CARLOS
OBLIGADO, 1890-1949; ARTURO VÁZQUEZ CEY, 1888-
1958; EUGENIO JULIO IGLESIAS, 1897; PEDRO HERRE-
ROS, 1890-1937; y ANTONIO PÉREZ-VALIENTE DE MOC-
TEZUMA, 1895— del que sólo destacaremos a Cané y
Marasso. LUIS CANÉ (1897-1957) dio matiz criollo a
la vieja voz del pueblo español. Con frescura, gracia
y sensualidad escribió romances, coplas y cantares sobre
amores y aventuras, del presente y de la historia. AR-
TURO MARASSO (1890), estudioso de los clásicos, aprendió con ellos a cantar los temas universales, en especial
el del destino humano. Todavía algunos poetas acusa-
ban modalidades románticas; otros, modalidades moder-

nistas. Veámolos en dos grupos. Entre los de acento
romántico —por la intensidad en la confesión personal— hay que destacar a ALFONSINA STORNI (Suiza-
Argentina; 1892-1938). Con el rescoldo de su resentimiento contra el varón encendió su poesía, pero también
la dañó dejándole sobrantes de ceniza estética. Ella lo
explicó así: "Soy superior al término medio de los hombres que me rodean, y físicamente, como mujer, soy
su esclava, su molde, su arcilla. No puedo amarlo libremente: hay demasiado orgullo en mí para some-
terme. Me faltan medios físicos para someterlo. El
dolor de mi drama es en mí superior al deseo de cantar..." Se sentía mujer humillada, vencida, torturada;
y, no obstante, con una pagana necesidad de amor. Lo
buscaba con desesperación. No se hacía ilusiones: sabía
lo que era un varón. "Tus catacumbas inundadas de
aguas / muertas, oscuras, cenagosas, fueron / con mis
manos palpadas." Amor al hombre y al mismo tiempo
desilusión y aun asco. Nota original, pues, en la poesía
erótica femenina. El tema: el amor, siempre malogrado
y por lo tanto desdeñoso e irónico, al hombre, "amo
del mundo", para quien una mujer es sólo una "fiesta".
Libros de esta primer manera: de *El dulce daño* (1918)
a *Ocre* (1925), acaso su mejor libro. Al final, en esta
lucha contra el varón, Storni triunfa; pero a costa de su
sensibilidad. Es la planta que triunfa de la savia, secán-
dose (¿es eso triunfar?). Abandonó su erotismo en *El
mundo de siete pozos* (1934), y también la factura
modernista de sus versos: en busca de imágenes escondidas en las cosas desarregló todos los cajones del verso
y pareció así una compañera tardía de los vanguardistas.
Que la vida no merece ser vivida, parece decirnos. Había tenido fáciles éxitos literarios (porque había gentes
que simpatizaban con sus luchas humanas). Pero ella,
tan valiente en su vida de mujer libre, también fue
valiente en su literatura: renunció a aquellos éxitos,
renunció a sus admiradores y comenzó una poesía de
nuevo tipo, torturada, intelectual, de ritmos duros, que

la alejaron de su viejo público y no le ganaron un público nuevo. Ahora a sus experiencias no apasionadas, de serena decepción, las estilizó en símbolos, con claves oscuras: *Mascarilla y trébol* (1938). Se sabía gastada. Escribió un soneto —"voy a dormir"— y se fue al mar, a suicidarse. También de acento romántico (aunque más elocuente que lírico) es ARTURO CAPDEVILA (1889). Primero fue un acento de dolor (de *Melpómene*, 1912, a *El libro de la noche*, 1917). Después, a partir de *La fiesta del mundo* (1922), su acento fue resignado y aun feliz y nos habló de su adolescencia, de sus viajes, de sus emociones civiles y de sus pensamientos. Cerremos este grupo con ENRIQUE MÉNDEZ CALZADA (1898-1940), HÉCTOR PEDRO BLOMBERG (1890-1955) y PEDRO MIGUEL OBLIGADO (1888).

En el segundo grupo, de poetas con modalidades modernistas, los mayores son Ezequiel Martínez Estrada y Arrieta. Al primero lo estudiaremos cuando nos refiramos a los ensayistas de esta generación. RAFAEL ALBERTO ARRIETA (1889) es un lírico sin excesos, limitado pero en cuyos límites se ven, se oyen, se palpan cosas. Es elegante, recatado, frío y breve. *Alma y momento* (1910), *El espejo de la fuente* (1912), *Las noches de oro* (1917), *Fugacidad* (1921), *Estío serrano* (1926) y *Tiempo cautivo* (1947) son confidencias, sutiles y aun veladas, de un espíritu distinguido, más nórdico que latino, que de tanto pulir el cristal simbolista le suele dar transparencias de poesía pura. Es la suya una poesía de tono menor, dulce y elegiaca. Cerremos este grupo con FERNÁN FÉLIX DE AMADOR (1889-1954) y ÁLVARO MELIÁN LAFINUR (1889-1958). Y aun podríamos abrir otro grupo, el de los poetas metidos en sus regiones americanas, como JUAN CARLOS DÁVALOS (1887), ALFREDO R. BUFANO (1895-1950) y ATALIVA HERRERA (1888-1953).

2. La anormalidad

Pasemos ahora al grupo de los que, al salir del Modernismo, dieron un estruendoso portazo. No podríamos decir que fueron los mejores escritores de su generación, pero sí que fueron los más audaces, los que mejor respondieron al cambio de estéticas en todas las artes de Europa. A comienzos de este capítulo tratamos de poner en su lugar las relaciones entre esta literatura y el efecto de la guerra. La incubación de la literatura de vanguardia fue más larga de lo que se supone. Y el efecto de la guerra sobre ella mucho menos decisivo de lo que se supone. La guerra fue una concomitancia, no una causa. Desde mucho antes de la guerra la literatura —y todas las artes— venía haciéndose cada vez más insolente. El simbolismo había enseñado una magia revolucionaria y, cuando desapareció, los aprendices de mago no pudieron dominar sus propias revoluciones. No porque la pintura pueda explicar la literatura, sino porque es más fácil y rápido ver los cambios de estilo sobre las paredes de un museo que desentrañarlos de los estantes de una biblioteca, invitamos al lector a que recuerde lo que ocurrió en las artes plásticas desde 1900. "Fauvisme", "expresionismo", "cubismo", "futurismo" italiano, "orfismo" francés, "irradiantismo" ruso, "dadaísmo", "superrealismo", etc. Piénsese en la prodigiosa inquietud de Piccaso, que llena toda esta historia de "ismos" pictóricos, y se tendrá una idea de lo que estaba pasando en las conciencias europeas aun antes de la primera Guerra Mundial. Un análisis de las otras artes —o de las teorías filosóficas vitalistas, irracionalistas, neoidealistas, místicas, existencialistas— nos llevaría a lo mismo: la energía espiritual con que se derriba, para que triunfe la plural dimensión de la vida, el andamiaje lógico levantado por el sentido común del siglo XIX. Desde el simbolismo los escritores se habían convencido de que la literatura era una revolución permanente. Ya diji-

mos que, en Hispanoamérica, el modernismo es eso: un
sentir que toda moda, todo nuevo modo, eran valiosos.
En la literatura francesa Apollinaire, Salmon, Réverdy
pedían nuevos procesos revolucionarios. Por lo pronto,
la liquidación del simbolismo. Tomaron de los simbolistas los preciosos collares de metáforas para romperles
el hilo de sentido: que cada metáfora ruede por su
lado, como una perla suelta. No sólo acabaron de libe-
rar el llamado "verso libre" de los simbolistas, sino que
llevaron el irracionalismo simbolista a su última consecuencia: negaron el principio lógico de identidad,
negaron la categoría de causalidad, negaron las formas
a priori del espacio y el tiempo. Antes de 1914 había,
pues, una literatura disgregadora: en España el "gre-
guerismo" de Ramón Gómez de la Serna. Pero la Guerra Mundial, de 1914 a 1918, exacerbó a todos. La
inestabilidad de la civilización, el poder de la violencia
política, el desprecio al hombre, el sentimiento del
absurdo de la existencia y aun del mundo, el desengaño
ante las pretensiones de seriedad del arte pasado produjeron una erupción de expresiones incoherentes. Los
"ismos" de la historia de la pintura tenían su equiva-
lente en literatura: expresionismo, cubismo, futurismo
y, en los años de la guerra, dadaísmo, onomatopeya de
la incoherencia. Tristan Tzara, Paul Éluard, André
Breton, Louis Aragon, Paul Morand, Blaise Cendrars,
Drieu La Rochelle, Valery Larbaud, Max Jacob fueron
más conocidos en Hispanoamérica que los escritores
afines de otras literaturas. Los dadaístas descubrieron
que el subconsciente era una fuente de placer estético:
si la incoherencia verbal ilumina abismos del alma, decían, ¿para qué buscar la belleza? Mejor, dejar en libertad las fuerzas oscuras y espontáneas. Querían tocar
las fuentes mismas de la creación artística, de ahí su
atención al arte de pueblos primitivos. Al plantearse
este problema los dadaístas prepararon la poesía "su-
rrealista", poesía dictada por el subconsciente: André
Breton, Philippe Soupault, Aragon. Disminuye la vo-

luntad artística y aumenta el placer estético de la sorpresa ante los ensueños y los automatismos psíquicos. Muchos dadaístas fueron tragados por este no-arte. Los que sobrevivieron aprovecharon los descubrimientos oscuros a fin de construir obras lo bastante claras para significar algo: Cocteau, Morand, Salmon. El movimiento superrealista fue más ordenado y fértil que el dadaísta, pero ambos coincidían en su antimaterialismo, en su aspiración a una realidad más absoluta que la percibida normalmente, en el rechazo de la inteligencia lógica, en el ansia de evasión, viaje, aventura, ensueño. En Hispanoamérica esta literatura influyó en algunos de los escritores que estudiamos en el primer grupo. Pero ahora vamos a apartar a los más exasperados. En casi todos los poetas estudiados en este capítulo notamos más o menos extrañezas. Es que en todo el modernismo se movían hombres raros o, al menos, hombres que tenían un modo raro de moverse. Pero estos raros que ahora nos van a ocupar —Vallejo, Huidobro, Greiff, Girondo— van en la misma dirección, se juntan, conspiran, proselitizan, dan un manotón y se apoderan de la bandera que ha de flamear en la vanguardia. ¿En qué orden hacerlos desfilar? ¿En el orden de sus méritos poéticos? Entonces César Vallejo iría a la cabeza. ¿En el orden de la mayor repercusión de sus innovaciones? Entonces, Vicente Huidobro. ¿En el orden en que, lentamente, se fueron despegando del Modernismo? Entonces, Mariano Brull, Casal. ¿En el orden en que dieron sus primicias? Entonces, Huidobro otra vez. Esto estaría bien si sólo nos ocupáramos de unos pocos poetas individuales, pero tenemos que dar noticias sobre una muchedumbre. Hagámoslos desfilar siguiendo el mismo orden de los capítulos anteriores.

i) *México*

Con excepción del viejo José Juan Tablada que en los años de la guerra está aún experimentando, esta vez con nuevas formas de metaforizar —poemas sintéticos, japoneses hai-kais— y, por lo tanto, influye en el anormal culto a la metáfora en libertad, que ahora nos ocupa, no hubo en México cesarvallejos o vicentehuidobros. Los estridentistas (Maples Arce y List Arzubide) y el grupo de la revista *Contemporáneos* (Pellicer, Gorostiza, Villaurrutia, Torres Bodet, Novo) no caben aquí. Los veremos en la tercera parte —"el escándalo"— y, más detenidamente, en el próximo capítulo sobre la literatura de 1925 a 1940.

ii) *Centroamérica*

Los pocos poetas que fueron conscientes de que hubo una "vanguardia", una "nueva sensibilidad" se realizaron mejor en prosa, como Max Jiménez y Rogelio Sinán. Por otra parte, pertenecen al próximo período, de 1925 a 1940. Los veremos, pues, en el capítulo siguiente. Los nombres que dejemos aquí serán: VICENTE ROSALES Y ROSALES (El Salvador; 1894), quien publicó en 1959 su antología, salió del modernismo, avanzó en busca de formas nuevas y llegó a hablar con el lenguaje de la vanguardia. ANDRÉS RIVAS DÁVILA (Nicaragua; 1889-1930) fue uno de los que prepararon la eclosión de la vanguardia, con algo de estridentista: *El beso de Erato*.

iii) *Antillas*

En Cuba fue a MARIANO BRULL (1891-1956) a quien se le hincharon las velas con los vientos primigenios de la poesía nueva. Comenzó con un sereno lirismo, en *La casa del silencio* (1916). Atraído por ideales de poesía pura —librar al verso de todo lo que puede decirse en prosa, según la definición de Valéry— Brull se puso a la vanguardia con *Poemas en menguante* (1928). Eran los años en que los nuevos poetas, reunidos para celebrar el tercer centenario de Góngora, des-

cubrieron que el gongorismo era un presente, no un
pasado, y que a la luz de esa alta luna se podía escribir
mejor que nunca una poesía de puras imágenes y de
bellos temas. Después Brull publicó *Canto redondo*
(1934), *Solo de rosa* (1941), *Tiempo en pena* (1950).
No hay "evolución" en su obra, sin embargo: es mono-
tonal (y aun monótona). Brull ayuda a que cada cosa
—la rosa, el mar, la piedra, los ojos de niño— de a luz
una metáfora. Metáforas bellas, pero que dejan en
ruinas las entrañas del mundo, de donde han salido.
Un juego se consintió Brull: el de la libre invención
de sonidos, como habían hecho los dadaístas. Castigo
a ese creer que en poesía se puede hacer de todo con
tal de no parecerse a los padres es que la ternura, imaginación, gracia y serenidad de Brull se recuerdan menos que la pura delicia auditiva de poemas como "Verde
halago". De uno de sus juegos —"Filiflama alabe cun-
dre / ala olalúnea alífera / alveolea jitanjáfora / liris
salumba salífera"— sacó Alfonso Reyes la palabra "jitanjáfora" y la hizo famosa como referencia a esas
estúpidas y sonoras hermanas de la metáfora que irrum-
pieron en la poesía deliberadamente párvula. Otros
cubanos de estos años acompañaron a los jóvenes en
su subversión de vanguardia: Regino Pedroso, Juan
Marinello y, sobre todo, MANUEL NAVARRO LUNA
(1894), quien, a partir de *Surco* (1928), hilvanó metáforas en diminutas alegorías y dibujó caligramas.

Santo Domingo, tardío en su Modernismo, recibió
tempranamente, gracias al "postumismo", las tendencias
de vanguardia, en la posguerra. La palabra "postumismo" —como "futurismo", "ultraísmo"— manifestaba
el deseo imposible de escribir la literatura de pasado
mañana. Pero los postumistas aguaron el vino de Dadá.
En su pequeño país parecieron osados: en comparación
con lo que se hacía en otras partes, eran apenas extravagantes. Creían ser iconoclastas porque descuidaban
el idioma, se animaban al verso libre y no estudiaban
a los grandes poetas del pasado, pero carecían del espí-

ritu travieso, juguetón e irreverente de los vanguardistas.
Del movimiento postumista (1922) fue el primer folleto antológico. Fueron muchos los postumistas, y en sus atropelladas querían hacer pasar cualquier adefesio como poesía. Uno de ellos, sin embargo —el Sumo Pontífice del Postumismo— fue el mayor poeta que hasta entonces había dado Santo Domingo: DOMINGO MORENO JIMENES (1894). Su primer cuadernillo de poesía nueva fue *Psalmos* (1921). Se desentendió de las formas tradicionales del verso y con su humor melancólico ablandaba y amasaba ideas. Anárquico y desigual, miró a su alrededor y la naturaleza de su país entró en su poesía, cosa por cosa. Este realismo nativista, paisajista y costumbrista es su mayor mérito. Después de todo, era algo que los anteriores no habían hecho. Y en cuanto a sus sentimientos elegiacos y sus ideas, fueron malogrados por su lenguaje llano, opaco, laxo y pobre de imaginación. Cuando sintetiza sus ideas en una imagen logra un poema muy personal, y en esos instantes una frase tiene la energía de todo un poema. Más tarde consagraron Sumo Pontífice del Postumismo a RAFAEL AUGUSTO ZORRILLA (1892-1937), autor de micropoemas de fina sensibilidad, pero sólo Moreno Jimenes se salva. Así y con todo, el postumismo ha sido uno de los movimientos más consecuentes, combativos y durables en la isla: relacionados con él escribieron JULIO ALBERTO CUELLO (1898), ANDRÉS AVELINO GARCÍA SOLANO (1899), MANUEL LLANES (1899), RAFAEL AMÉRICO HENRÍQUEZ (1899), a quienes veremos más adelante.

En Puerto Rico el promotor de las nuevas tendencias fue EVARISTO RIBERA CHEVREMONT (1896). Al regresar de España en 1924 —donde vivió cinco años— difundió la poesía que había conocido en el círculo ultraísta. Su "página de vanguardia", que durante diez años apareció en *La Democracia,* fue un órgano de propaganda estética y también un laboratorio de poesía. Su programa era romper con las formas demasiado elo-

cuentes, solemnes y pesadas que predominaban. Pero
no se afilió a los "ismos" puertorriqueños: ni al "euforismo" y "noísmo" de Vicente Palés Matos ni al "atalayismo" de Graciany Miranda Archilla. A Ribera
Chevremont le interesaba experimentar con las nuevas
técnicas —*La copa de Hebe*, 1922, fue su experimento
versolibrista— pero en realidad se sentía más atraído
por la tradición, según se advierte en su *Antología
poética* (1924-1950). Era universalista, respetaba lo
que habían hecho parnasianos y simbolistas, persistía
en él lo castizo, y si bien no se dejó ahogar por lo
telúrico tampoco se entregó a las revoluciones que siguieron al dadaísmo.

iv) *Venezuela*

Salvo tímidos escarceos vanguardistas en Andrés
Eloy Blanco o en Fernando Paz Castillo, en este país
se saltó de la "normalidad" que ya estudiamos en la
primera parte al "escándalo" que estudiaremos en
la tercera.

v) *Colombia*

Entre los poetas del Centenario que ya vimos y
"los nuevos" que veremos, colocamos aquí, solitario, a
LEÓN DE GREIFF (1895). Complejo, introvertido, nar-
cisista, sarcástico, descontento, imaginativo, con esta-
llidos de ritmos, palabras y locuras, siempre lírico, León
de Greiff fue, entre los buenos poetas colombianos, el
que abrió la marcha de la vanguardia. Desde *Tergiver-
saciones* (1925) hasta *Fárrago* (1955) no cesó de con-
torsionarse. En realidad ya desde 1915, en la revista
Pánida de Medellín, había empezado a asombrar con
una poesía que no se parecía a nada de lo que se conocía en Colombia. Después aparecieron, en España
y en Hispanoamérica, poetas que, al crecer, dejaron en
la sombra a León de Greiff: pero él vino primero y lo

que hizo lo sacó de su cabeza. Juvenil en su arrebato lírico, pasan los años pero sigue gozando del respeto de los jóvenes, generación tras generación. No es de fácil lectura, sin embargo. Maneja las palabras como instrumentos de música y las distribuye como en una orquesta. Estructuras musicales de rondeles, contrapuntos, etc., contienen el verso libre y lo hacen sonar con repeticiones que son inevitables y, al mismo tiempo, sorprenden. Las palabras —arcaísmos, onomatopeyas, neologismos, cultismos—, el caprichoso temario —leyendas, reminiscencias de autores raros, paisajes escandinavos—, los cambios repentinos de los estados de ánimo, la agitación constante contribuyen también a hacerlo difícil, no de comprender, sino de gustar.

vi) *Ecuador*

HUGO MAYO (1898) hizo algo de lo que los dadaístas y creacionistas hacían. Aunque reacio a publicar en libro, todavía se lo respeta por su personalidad original. CÉSAR ARROYO (1890-1937) dirigió en Madrid la revista *Cervantes*, que en una época fue órgano de los creacionistas; pero, a pesar de su admiración por todo lo nuevo, los poemas que nos dejó son todavía modernistas.

vii) *Perú*

Ya vimos cómo algunos poetas peruanos rompieron sus lanzas con el modernismo. Agreguemos ahora a RICARDO PEÑA BARRENECHEA (1893-1949). En *Floración* (1924) era todavía un sentimental de la vieja escuela, pero disciplinó después su poesía y la hizo andar por senderos recién abiertos. Como Góngora —a quien admiró y emuló— cultivaba la lírica culta y la popular. Se le veía a veces en la vanguardia poética, con quienes eran más jóvenes que él. Su lirismo correteaba graciosamente hablándonos de sus amores, sin convencernos cuando se ponía serio, orgulloso de sus imágenes y licencias poéticas, agradecido a Góngora, "alto acróbata de la sintaxis española, malabarista del hipérbaton, ciclista del color". Agreguemos también a JUAN PARRA DEL RIEGO (1894-1925), quien en los años de la primera Guerra Mundial se apoderó de imágenes del nuevo lenguaje de la velocidad, la máquina, el deporte, el jazz, la acción violenta, etc. Su "Oda a la motocicleta" hizo época. También sus "polirritmos". Sin embargo, todo esto no era todavía la vanguardia. JOSÉ CARLOS MARIÁTEGUI (1895-1930), ensayista que enfocaba los graves problemas sociales con lentes marxistas, había dicho en 1924 que en Perú no surgirían el futurismo, el cubismo, el dadaísmo, piruetas de la decadencia burguesa. Es curioso que, de todas las revistas de vanguardia —el vanguardismo de la primera, *Flechas* (1924), no había sido muy impetuoso, que digamos— fuera *Amauta* (1926-1930), dirigida precisamente por Mariátegui, la que se prestara más a esas piruetas. Sólo que también allí había otros afanes. Mariátegui simpatizaba con la idea de una revolución y le daba lo mismo que la revolución se hiciera en la política o en las letras. *Amauta*, pues, situada en la izquierda política, publicaba de todo. Desde hacía años venían llegando desde Buenos Aires los libros de un peruano: ALBERTO HIDALGO (1897). "Futurista", como Marinetti, fue el cantor de la guerra, la energía, la violencia, la antidemocracia, la máquina y la velocidad, extravagante en su manipuleo de todos los "ismos". Se creía poeta genial. Era menos crecido de lo que su megalomanía le hacía creer. Después de su *Química del espíritu* (1923) obtuvo por destilación *Simplismo* (1925): aquí propuso un "ismo" propio, que consistía en reducir la sustancia poética a puras metáforas. "En el aire las miradas pastan / grandes rebaños de metáforas", decía. "Que el mundo se ponga de cabeza; que lo gobiernen los malos; que los fuertes aplasten a los débiles: a mí no me importa. ¡Yo soy un poeta y sólo construyo metáforas! La poesía es necesaria, pero es inútil, ¡i-n-ú-t-i-l!" Pero, en la vanguardia de estos años, nadie pudo subir tan alto ni ir tan lejos como lo hizo Vallejo en *Trilce.*

CÉSAR VALLEJO (Perú; 1892-1938) partió en su primer viaje poético —*Los heraldos negros,* 1918— de la estética de los padres Rubén Darío, Herrera y Reissig y el Lugones de *Lunario sentimental,* llevándose en los bolsillos, como confituras obsequiadas, muchos versos de la alacena modernista. Pero el muchacho, aunque por el camino vaya saboreando esas confituras, se aleja del cosmopolitismo hacia lo nacional, regional, popular e indigenista. Mestizo el autor, mestiza su poesía. La sangre parnasiana y simbolista circula por las arterias de los versos mezclada con la de un realismo peruano. Los temas son el amor, erótico u hogareño, la vida cotidiana en su tierra de cholos; y el humor es de tristeza, desilusión, amargura y sufrimiento. El hombre sufre, fatalmente, golpes inmerecidos: "Hay golpes en la vida, tan fuertes... Yo no sé! / Golpes como del odio de Dios." Ha nacido sin quererlo; y mientras llegue la muerte, llora, y se compadece de los prójimos también dolientes, y cuando no cae sobre él un golpe se siente culpable porque sabe que lo ha recibido otro desventurado. Este impulso de solidaridad humana lo llevará más tarde a la rebelión política. Entretanto, el próximo libro es de pura rebelión poética: *Trilce* (1922). Fue un estallido. Volaron a pedazos las tradiciones literarias, y el poeta avanzó en busca de su libertad. Versos libres, para comenzar, pero libres no sólo en sus metros y ritmos, sino libertados de la sintaxis y de la lógica, con imágenes en libertad que huyen en todas direcciones casi sin mirarse entre sí, y con tal rapidez que a veces se pierden en la oscuridad sin que el lector haya podido reconocerlas. ¿Cubismo? ¿Creacionismo? ¿Ultraísmo? ¿Superrealismo? Vallejo había leído a los simbolistas franceses en traducciones; y en una traducción de Cansinos-Assens, publicada en 1919, debió de leer "Un coup de dés", de Mallarmé, poema

que animó a todas las vanguardias europeas y parece
haber dejado su huella en la construcción hermética de
Trilce. Este libro —el más importante— tiene muchos
poemas malogrados. En los peores casos chocamos con
caprichos meramente externos: irregularidades gramaticales y tipográficas; sonidos sin significado; innecesarios
mecanismos verbales; feas mezclas de tecnicismos y po-
pularismos, de frases hechas y neologismos oscuros (el
título *Trilce* fue, por ejemplo, un neologismo circunstancial). Pero estos mismos caprichos se ennoblecen
—vale decir: dejan de ser caprichos— cuando contribuyen a expresar una honda intuición de la vida. En
estos casos los poemas revelan el ánimo serio, doliente,
desolado con que Vallejo, convencido del absurdo de la
existencia, se pone a recordar su hogar perdido, su madre muerta y sus primeros sufrimientos. Los poemas de
Trilce son irracionales, ininteligibles; pero sólo conmue-
ven aquellos en que Vallejo ha elaborado sentimientos
comunes a todos los hombres. El valor de este libro es,
sobre todo, histórico. En 1922 Vallejo tenía treinta
años, pero coincidió con algunos rasgos de la vanguardia
adolescente que surgió al terminar la primera Guerra
Mundial. Nos referiremos más adelante a esa vanguardia. Sólo que la poesía de Vallejo no está deshumanizada. Su emoción, sus sombras subconscientes, sus experiencias de pobreza, orfandad y sufrimiento en la
cárcel, su protesta ante la injusticia, su sentimiento de
piadosa fraternidad con todos los oprimidos, se levantan
entre las grietas de la versificación. Después de *Trilce*
Vallejo se expatrió (no volverá a Perú nunca más) y
se apartó de la poesía: escribió cuentos, novelas, dramas y mucho periodismo. Vivió en Francia, España,
Rusia y otros países. Era ya comunista, e hizo literatura
de propaganda marxista y revolucionaria. La guerra civil
española de 1936 le arrancó sus *Poemas humanos*, que
se publicaron póstumamente en 1939. La antigua pie-
dad por los desdichados ahora se hace acción; la antigua desolación, combate esperanzado. Y el poeta, al

cantar la beligerancia de las masas y la propia, llega, desnudo, libre, a lo más profundo de sí, que es su emoción incoherente. De su obra en prosa lo más significativo fueron sus relatos. *Fabla salvaje* es la historia de una neurastenia, la del campesino Balta, quien se siente seguido, perseguido por una sombra de forma humana a la que a veces sorprende en el espejo o en los reflejos del agua, acechándolo por la espalda. Alucinaciones, presagios, dudas crecen en su mente mientras en las entrañas de su mujer va creciendo un hijo: justamente cuando el hijo nace, él, Balta, acosado por la sombra, se desbarranca por un precipicio y muere. La aciaga atmósfera, de realismo mágico, suele brillar con imágenes poéticas. Con el título de *Escenas melografiadas* se recogieron páginas sueltas: recuerdos de prisión, poemas en prosa, cuentos de clima fantástico (como "Los Caynas"), todo en una prosa reverdecida con brotes verbales, con frases dadaístas y superrealistas, con fantasías expresionistas. Después de su primer viaje a Rusia (1928) abandonó esta actitud artística y sirvió al Partido con una novela de propaganda comunista: *Tungsteno* (1931). El héroe es el herrero Huanca, a quien vemos, en las últimas páginas, preparando la revolución social con consignas marxistas. La acción transcurre poco antes de 1917. Una empresa norteamericana ha comprado las minas de tungsteno, en el departamento del Cusco. Se nos presenta la explotación de los indios, la corrupción política, la brutalidad de la policía, la crápula de curas y burgueses, el servilismo de los intelectuales, en truculentas escenas de sexo, miseria, borrachera, muerte. La prosa es periodística, discursiva, llana; convencional, también, es la composición lineal de la crónica. Todo tiende a un fin: exaltar el ejemplo de Lenin, en Rusia, promover una revolución mundial y, en Perú, dignificar a los indios y dar el poder a obreros y campesinos. A los intelectuales se les asigna un papel: "ponerse a nuestras órdenes y al servicio de nuestros intereses", dice el obrero Huanca.

viii) *Bolivia*

RAFAEL BALLIVIÁN (1898) —*La senda iluminada,*
1924— puede caer aquí, por su cosmopolitismo aso-
mado a novedades.

ix) *Chile*

Los poetas chilenos más notables, en este panorama
de "la anormalidad" que estamos ofreciendo, son Huidobro y Rokha. En 1917, cuando se publicó la antología *Selva lírica*, Rokha parece estar más cerca que
Huidobro del Futurismo de Marinetti y otras tendencias de vanguardia. Rokha está, en esa antología, mejor
representado que Huidobro. A su lado Huidobro parece
anodino. Pero después Huidobro irá creciendo hasta
convertirse en el poeta chileno de mayor significación.

PABLO DE ROKHA (1894) es más un personaje poético que un poeta. Contundente, rotundo, afirmativo
y negador, se ahoga en sus propias palabras. Tuvo influencia sobre otros poetas chilenos: uno de los influi-
dos, nada menos que Neruda (sólo que Pablo el viejo
es un desesperado a quien no llegamos a tomar en serio;
y Pablo el joven, en cambio, es un poeta serio que
nunca nos convence de que de veras está desesperado).
El demoniaco y desorbitado Rokha tiene voz de romántico. Como los románticos se enfrenta a lo que él
llama el "infinito", la "eternidad". Y mientras gime
y grita se siente titán. Ulula presintiendo la muerte.
Su énfasis califica todo de gigantesco, colosal, tremendo.
Erupción volcánica que suelta su presión en largas enumeraciones de imágenes rotas a pedazos o derretidas
en lava informe. Escorias prosaicas, con gemas poéticas. El desorden de sus poemas no siempre traduce,
legítimamente, su visión de un mundo desordenado: a
veces es mero fracaso en la composición. La ondulación de sus versos no siempre pone en libertad lo que
está sacudiéndolo por dentro: a veces es mero versoli-

brismo. De aquí que su gigantismo suela asemejarse a un gas en expansión. Sus mejores poemas ("Círculo", v. gr.) combinan lentes que tan pronto acercan como alejan las cosas, y al mezclarse las imágenes se superponen en magnificaciones y miniaturas (siglo y echarpe; mundo y falda; Dios y botella, etc.). Es muy chileno y comprende los meandros oscuros del alma criolla y el sentido del lenguaje popular. Por amor al pueblo hizo poesía civil y aun política (que él creía marxista). Dejó de sentirse "el iluminado", "el terrible megalómano de metáforas" para dedicar su alma al "servicio social, que es su verdad" ("Alegoría del tormento").

VICENTE HUIDOBRO (Chile; 1893-1948) ha reclamado para sí el honor de ser el padre del Creacionismo. No todos se lo conceden. Comoquiera que sea fue uno de los primeros poetas de nuestra lengua que se puso en la vanguardia de la literatura europea y, entre otras felices innovaciones, brindó ésta: la de una poesía que mágicamente oblitera el mundo real y, en el hueco que deja, levanta, también mágicamente, otro mundo ideal. La poesía, pues, como creación absoluta, la poesía "creacionista". Este orgullo creador —"el Poeta es un pequeño Dios", dirá Huidobro— es tan viejo como la poesía misma, pero se contuvo o se disimuló en aquellos estilos que durante siglos se propusieron imitar la naturaleza o imitar imitaciones de la naturaleza. Con el Simbolismo —de Mallarmé a Apollinaire— el poeta se niega a la función, meramente adjetiva, de calificar una realidad exterior a él y, en cambio, con toda energía, afirma su función sustantiva, de inventar objetos dentro de la conciencia. Huidobro se incorpora a la hueste de poetas con vocación divina; y fue tal su precocidad que en pocos años quemó las etapas de un largo proceso histórico. Al llegar a este punto el historiador debe pisar con pies de plomo pues los documentos de la formulación teórica del Creacionismo son los que el mismo Huidobro suministró después, y es posible que él fraguara conferencias y edicio-

nes inexistentes. Ya se sabe que la vanidad de los
escritores que quieren sentar plaza de maestro de cere-
monia de cada escuela literaria suele moverlos a ante-
datar sus opiniones y poemas. Parece, sin embargo, que
al estallar la primera Guerra Mundial, en el manifiesto
Non serviam (1914), leído en Chile, empieza a orien-
tarse por el camino que Apollinaire le había abierto en
1912, en sus *Meditaciones estéticas*. Apollinaire había
hablado de la "servidumbre" a la naturaleza, de que
"es hora de ser los amos". Huidobro dice: "*Non serviam*. No he de ser tu esclavo, madre Natura; seré tu
amo... Yo tendré mis árboles, que no serán como los
tuyos; tendré mis montañas, tendré mis ríos y mis ma-
res, tendré mi cielo y mis estrellas. Y ya no podrás
decirme: ese árbol está mal; no me gusta ese cielo...,
los míos son mejores"; "Hasta ahora no hemos hecho
otra cosa que imitar el mundo en sus aspectos, no hemos creado nada. ¿Qué ha salido de nosotros que no
estuviera antes parado ante nosotros, rodeando nuestros
ojos...? Hemos cantado a la Naturaleza (cosa que a
ella bien poco le importa). Nunca hemos creado realidades propias... Hemos aceptado, sin mayor reflexión,
el hecho de que no puede haber otras realidades que las
que nos rodean, y no hemos pensado que nosotros también podemos crear realidades en un mundo nuestro, en
un mundo que espera su fauna y su flora propias".
En vez de imitar a la Naturaleza, en suma, el poeta
debe proceder como ella, y crear. Durante la guerra,
en una conferencia pronunciada en 1916, en Buenos
Aires, parece que dijo que "toda la historia del arte no
es más que la historia de la evolución del hombre-es-
pejo al hombre-dios"; una obra de arte "es una nueva
realidad cósmica que el artista añade a la Naturaleza".
Y poco menos de diez años después recuerda Huidobro:
"Allí fue donde me bautizaron con el nombre de *creacionista* por haber dicho en mi conferencia que la
primera condición de un poeta es crear, la segunda
crear y la tercera crear." Un mes más tarde publicó

el cuadernillo *El espejo de agua* —esta edición de 1916 es inhallable—, donde figura su famosa "Arte poética": "Por qué cantáis la rosa ¡oh Poetas! / Hacedla florecer en el poema." La composición que da título al cuadernillo ilustra bellamente su manera estética. A fines de 1916 llegó Huidobro a París, se incorporó al grupo que dirigía Apollinaire y a la revista *Nord Sud*, en la que escribían, además, Pierre Réverdy, Tristan Tzara, Paul Dermée y Max Jacob. No es, Huidobro, un simple seguidor, pues colabora en un plano de igualdad. Huidobro publicó poemas en francés, que escapan a esta historia, si bien en muchos de ellos se perfila definitivamente su Creacionismo: *Horizon carré* (1917), *Tour Eiffel* (1917), *Hallalli* (1918), *Saisons choisies* (1921), *Automne régulier* (1925), *Tout a coup* (1925). Desde el punto de vista de nuestra cultura hispánica, Huidobro es el que nos trae los nuevos postulados franceses, el que hace pasar por su boca el nuevo lenguaje poético francés. Es decir, que gracias a Huidobro el nuevo estilo francés se hace verbo americano. En 1918 llegó a Madrid, y en seguida su Creacionismo señaló otra dirección a la voluntad de viajar por nuevas estéticas que urgía a los jóvenes. Perturbó, entusiasmó; fue envidiado y celebrado. Y la poesía de la generación del 98, aun la de Juan Ramón Jiménez, de pronto pareció pálida —aunque no menos bella— al lado del rostro pintarrajeado de Huidobro. Su presencia —a vuelta de una visita a Chile estaba en Madrid otra vez en 1921— ayudó al nacimiento de lo que se llamaría Ultraísmo. Cuando se leen los poemas de los ultraístas, españoles e hispanoamericanos, uno se imagina que todos pasaron alguna vez por el puente de Huidobro. La gruesa de cohetes de Huidobro empezó a estallar, en la literatura castellana, con *Poemas árticos* y *Ecuatorial*, ambos de 1918. Los poetas músicos eran los que se molestaban con el estrépito. Los poetas visuales, acostumbrados al cine mudo, advirtieron, en cambio, que esos cohetes eran cohetes-señales y fuegos artificiales que con sus bengalas, buscapiés, estrellones, girándulas y castillos pirotécnicos ponían en fiesta a la noche. Con un ¡ah! contemplaron la lluvia de imágenes. Cohetes-tronadores, sí, pero también cohetes-chisperos: "Un ruiseñor en su cojín de plumas / tanto batió las alas / que desató la nieve"; "Hice correr ríos / que nunca han existido. / De un grito elevé una montaña / y en torno bailamos una nueva danza."; "Soy el viejo marino / que cose los horizontes cortados" (*Poemas árticos*). "El viento mece los horizontes / colgados de las jarcias y las velas"; "Pasan lentamente las ciudades cautivas / cosidas una a una por hilos telefónicos"; "El negro esclavo / abre la boca prestamente / para el amo pianista / que hace cantar sus dientes" (*Ecuatorial*). Huidobro había rechazado el Futurismo de Marinetti (por demasiado muscular y extrovertido) y el Superrealismo de André Breton (porque su fuente era la debilidad mental y su medio un simulado automatismo) para avanzar con la estética del Creacionismo, que se hundía en la intimidad para producir objetos poéticos tan autónomos que no pudieran compararse con los objetos naturales. Sólo el poeta —dice— "posee los espejos vertiginosos que sorprenden el paso de las metamorfosis". Su fórmula: "Hacer un poema como la naturaleza hace un árbol". ¿Qué quiere decir esto? Quiere decir que el poeta debe crear, inventar hechos nuevos como una fuerza natural pero sin imitar la naturaleza. ¿Cómo? Con la metáfora. Se despoja a las cosas de su ser real y se las funde con otro ser, en medio de la imaginación. El Creacionismo, pues, fue una manera de metaforizar. Suprimía la comparación, el enlace lógico de la fantasía con la realidad y establecía como verdadero el hecho de que "pasan lentamente / las ciudades cautivas / cosidas una a una por hilos telefónicos". El parecido se hace realidad, la imagen se hace cosa. Al mundo que nuestra inteligencia acepta y ordena Huidobro oponía, con buen humor, un mundo inventado. Es lo que siempre han hecho los poetas, pero

Huidobro asombró con sus enumeraciones caóticas, sus
neologismos, sus imágenes múltiplemente alucinadas,
sus versos libres tipografiados caprichosamente, su culto a las palabras sin significado y a las letras sueltas,
sus cabriolas para burlarse de la literatura. El humor
de los dadaístas había librado la poesía de una excesiva
carga de melancolía. También Huidobro da libertad a
la poesía, mediante el humor. Su humor no es ni chis-
toso ni sombrío: es poético. Huidobro sigue creciendo, y con él crece la ambición. Ambiciona poemas
largos, más confidenciales. Cuanto más se confiesa, más
superrealistas se hacen sus imágenes creacionistas. Nos
contará su vida, sus anhelos, sus desilusiones. Es el mejor Huidobro, el Huidobro angustiado porque al negar
a Dios para ocupar su sitio, como poeta divino, se encuentra en un vacío. Puede, claro, crear su propio
mundo de imágenes, pero es una creación falaz. Con
todas sus invenciones en el magín se siente caer hacia
la muerte. Éste es el Huidobro de *Altazor* (1931). *Ver
y palpar* (1941) y *El ciudadano del olvido* (1941). (Los
Últimos poemas, de 1948, son póstumos.) Según Huidobro compuso esos libros entre 1919 y 1934. Ahora,
por los agujeros de su antifaz de Arlequín, los ojos de
Huidobro están mirando la muerte. Una vez abolidas
las cosas que llamamos reales, Huidobro lanza sus miradas-metáforas para llenar el gran vacío; y las lanza
—aquí está su seriedad— con el propósito deliberado
y consciente de ser "un creador absoluto, artista-dios".
Sus miradas-metáforas vuelan porque el vuelo figura
en su programa teórico —la poesía como fuga— y
porque el vuelo era el impulso ascensional de la naturaleza aérea de Huidobro. El "vuelo" y el "viaje" son
las más hermosas constelaciones en su zodiaco metafórico: cielo, luz, alas, ángeles, aviones, pájaros, me-
teoros, viento, flecha, indican que Huidobro, al anular
la realidad, huye por el aire hacia el centro de su subjetividad. Lo que tiene alas es positivo: aventura, juego,
vida. Lo que no tiene alas es negativo: tristeza, enfer-

medad, caída, muerte. *Altazor o El viaje en paracaídas*
nos cuenta esta caída al fondo de sí mismo, este derrumbe hacia la muerte. Es uno de los poemas más
valiosos de este tiempo; y en sus versos —como en la
prosa de *Sátiro*— Huidobro prueba que el Creacionismo
no era un juego, sino la anatomía y fisiología de su
teoría de la poesía, teoría vivida, no pensada. Altazor
es el mismo Vicente Huidobro, alto azor, "azor fulmi-
nado por la altura", "Vicente antipoeta y mago". Ha
querido convivir con las cosas, pero ¿cómo podía sos-
tenerse en un mundo que es creación imaginaria, visión
pura y sin objeto, sueño de un pequeño Dios que no
cree en el Dios grande, mundo-nada, en una palabra?
Una tarde cogió su paracaídas —explica en el prefa-
cio— y se arrojó por los huecos del vacío. "Mi paracaídas empezó a caer vertiginosamente. Tal es la fuerza
de atracción de la muerte y del sepulcro abierto." Y
mientras cae va recitando sus poemas, "proezas aéreas".
A lo largo de siete cantos Altazor-Huidobro, renuncia-
dor al mundo, cae en "un eterno viajar en los adentros
de sí mismo", cae al fondo donde la muerte lo espera.
"Justicia —exclama— ¿qué has hecho de mí, Vicente
Huidobro?" Y el ángel caído, en su "caída sin fin de
muerte en muerte", trágicamente "desafía al vacío" y
metamorfosea el universo en una incesante recreación
metafórica. El poeta nos da su biografía de mago de
la palabra con sus angustias e insurrecciones. Y las
palabras, en esta caída, poco a poco se enloquecen
—"una bella locura en la zona del lenguaje"—, pierden
la gramática, se convierten en puro sonido, se deshacen
en letras sueltas y en el canto final se funden en el
caos: "Lalalí / Io ia i i i o / Ai a i a i i i i i o ia."
En *Ver y palpar*, el mismo tono. En "Canción de la
Muervida" nos habla de muertos que "están desterra-
dos de la tierra y encielados en el cielo". "Volemos a
la nada / . . . / Volad como un pájaro sensible cuando
viene la muerte." "Caigo de mi alma / y me rompo
en pedazos de alma sobre el invierno." En el primer

poema de *El ciudadano del olvido*, al hacer un balance
de sus treinta años, se pregunta "qué locura nos ha
hecho nacer / de donde viene esta substancia de amargura" y al recordar su vida de poeta que cantaba dentro
de sus enigmas agrega que entonces "yo no conocía
el peso de mi muerte". En "Al oído del tiempo" dice:
"Contemplo de tan alto que todo se hace aire"; y entonces el mundo se le deshace en una nada, una nada
que sólo sienten los que agonizan. En "Transfiguración": "que el universo sólo descubre sus alianzas /
andando por los adentros de ti mismo. / En esta amal-
gama de ecos / estoy vivo y estaré muerto". Escribió
también piezas teatrales y novelas. Entre las primeras,
En la luna (1934), "pequeño guignol". Es una farsa
política que termina con la revolución colectivista en
que creían los intelectuales del treintaitantos. Sus novelas fueron más interesantes. *Cagliostro* se publicó
en fragmentos entre 1921 y 1922; la primera edición es
de 1934; la que hemos visto es la segunda edición, de
1942. "Novela-film", la llama Huidobro. Si lo es, más
bien parece una broma que se le hace al cine, pues el
argumento es absurdo, truculento, misterioso en el mal
sentido, sin que los letreros irónicos de Huidobro basten
para convertir las aventuras de Cagliostro en literatura
(si uno sigue a este Cagliostro de Huidobro hasta el
final es porque el interés viene de antes, de cuando
uno lo conoció en Alejandro Dumas). Después vino
Mio Cid Campeador (1929). Pero la novela que más
interesa, por sus revelaciones profesionales, es *Sátiro o
El poder de las palabras* (1939). La novela entrelaza
dos temas: el doble nacimiento en el neurótico Bernardo Saguen de una vocación literaria y de un irrefre-
nable deseo sexual por niñitas de diez años. Así como,
en poesía, la palabra crea una realidad (es el credo
creacionista de Huidobro), la palabra "sátiro", arrojada
con toda injusticia a la cara de Bernardo (cap. II)
acaba por crear en él un sátiro de verdad. Los esfuerzos
para ser escritor y para no ser sátiro (y el fracaso de

ambos esfuerzos) es toda la novela. Novela interior, pues, en la que hay relámpagos de "poesía creacionista". Novela más reflexiva que introspectiva, en general. Por rápidos segundos, sin embargo, Huidobro ensaya el monólogo interior directo que muestra el flujo de la conciencia de Bernardo.

x) *Paraguay*

Reuniremos los poetas más adelante, cuando estudiemos a Campos Cervera.

xi) *Uruguay*

Julio J. Casal (1889-1954) quebró la suave línea modernista de sus primeros libros y desde 1921 se plegó al ultraísmo, más con su simpatía que con sus versos. De *Árbol* (1923) a *Colina de la música* (1933) anduvo Casal buscando a la poesía, encontrándola, perdiéndola y volviendo a su busca y a su rencuentro y pérdida. Podríamos traer aquí a tres poetas ya mencionados: Carlos Rodríguez Pintos, que se acercó a los talleres metafóricos de la posguerra; Silva Valdés, nativista, pero de imágenes de calidad nueva; Parra del Riego, peruano, pero que se sumó a la poesía uruguaya.

xii) *Argentina*

Un Lugones parcial (la parte que le toca por el *Lunario sentimental*) y un Macedonio Fernández entero era lo más avanzado que había ofrecido la generación modernista: y así lo reconocerán los jóvenes ultraístas de posguerra. Entre ellos y los jóvenes ultraístas hubo poetas que iban y venían, y este ir y venir era lo anormal. De los nacidos en los últimos quince años del siglo xix algunos se acercan al ultraísmo. Ricardo Güiraldes, en *El cencerro de cristal* (1915) tenía poemas que anticipaban los lemas ultraístas —"beber lo que viene / tener alma de proa", se lee en "Viajar"—, y, en efecto, se incorporó a la redacción de *Proa* y *Martín Fierro;* pero a Güiraldes lo estudiaremos como prosista. Ya dijimos que Alfonsina Storni, en *Mundo de siete pozos* (1934) se hizo vanguardista. La anomalía de ÉVAR MÉNDEZ (1888-1955) no está en su propia obra (cuatro poemarios que no hubieran alarmado a Rubén Darío) sino en su entusiasmo por la obra de los más jóvenes. Dirigió *Martín Fierro,* prologó poesías ultraístas y paseó la bandera de una estética que no era suya. Por su ingenio juguetón y su funambulismo podríamos mencionar aquí a EMILIO LASCANO TEGUI (1887). Se hizo "visconde" por el mismo capricho con que Ducasse se había hecho "conde de Lautréamont". Sus versos (*La sombra de la Empusa,* 1910; *El árbol que canta,* 1911; *Muchacho de San Telmo,* 1954) y sus prosas (*De la elegancia mientras se duerme,* 1925) tienen fantasía, buen humor, destreza. El niño terrible fue OLIVERIO GIRONDO (1891). No era un niño cuando hizo su primera travesura: *Veinte poemas para ser leídos en el tranvía* son de 1922. Pero se acercó a los niños de posguerra, formó parte de la pandilla ultraísta y cuando los niños crecieron y se hicieron serios Girondo se quedó en niño. Envejeció sin crecer en su talla ultraísta. Es el Peter Pan del ultraísmo argentino. Redactó el manifiesto de la revista *Martín Fierro* (1924): programa nacionalista por un lector de Apollinaire, Morand y Max Jacob. Girondo es aforístico, detonante, desorbitado, metafórico, dadaísta, superrealista tanto en verso (*Calcomanías,* 1925) como en prosa (*Espantapájaros,* 1932). En *Persuasión de los días* (1942) y sobre todo en *Campo nuestro* (1946) pareció que cambiaba; pero *En la masmédula* (1954) vuelve a lo suyo, que es un lirismo a timbrazos.

3. EL ESCÁNDALO

Se acaba de ver cómo algunos herederos del Modernismo, agotada la herencia, se pusieron a labrar nueva fortuna. Más jóvenes que ellos, y nacidos sin esa herencia, hubo otros poetas que se dedicaron a la nueva industria: la de la metáfora a toda ultranza, la de la metáfora ultraica, la del ultraísmo. Fue un escándalo. Pero aun los escándalos, por repentinos e inesperados que parezcan, en literatura, sobre todo en la literatura hispanoamericana, que es tan tímida en sus experimentos, vienen después de ensayos, pruebas, imitaciones. Algunos poetas que, al terminar la guerra, en 1918, tenían más de cuarenta años, vislumbraban el fuego del incendio donde los expresionistas, cubistas, futuristas y dadaístas habían quemado bibliotecas y museos. Y, para participar de algún modo en la locura, daban zapatetas y cabriolas. Ya hemos hablado de Lugones y su *Lunario sentimental*, de Herrera y Reissig y su "Tertulia lunática", de Eguren y sus *Simbólicas*, de Tablada y sus *Versos ideográficos*. Continuando la veta oscura del simbolismo se acercaron por lo menos al "creacionismo" que Huidobro impondrá después. Entre los poetas que, al terminar la guerra, tenían menos de cuarenta años, hubo algunos que, a ratos o tardíamente, sintieron también ganas de hacer lo que habían hecho los europeos, del expresionismo al dadaísmo: Alfonso Reyes, López Velarde, Peña Barrenechea, Ibarbourou, Storni. Otros que, al terminar la guerra andaban más o menos en los treinta años, fueron más violentos, decididos y consecuentes en su afán de escandalizar: Vallejo, Huidobro, Girondo, Greiff. Pero los primeros poetas en surgir totalmente de la negación al modernismo y sus estilos fueron los que tenían menos de veinte años al terminar la guerra: Borges y Compañía. Este movimiento se dio junto con el de España; y españoles e hispanoamericanos arrimaron las cabezas para formular el nuevo programa estético, como los cuñados Borges y Guillermo de Torre. GUILLERMO DE TORRE (España-Argentina; 1900) impuso la afortunada palabra "ultraísmo" para calificar la literatura de vanguardia (su libro de 1925, *Literaturas europeas de vanguardia* fue el primer panorama que ofrecía una síntesis de las tendencias nuevas, nivelando e integrando lo europeo, lo hispánico y lo hispanoamericano). En 1919 ya se llama "ultraísta" a todo un grupo, de españoles e hispanoamericanos. "Ultraísmo" alude a un más allá, juvenil y liberador, a un deseo de rebasar las metas. "He aquí nuestro lema: *Ultra*, dentro del cual cabrán todas las tendencias avanzadas." Esta palabra fue lo que quedó como hito que señala, no el nacimiento de corrientes, ni siquiera que las corrientes pasaron por allí, sino que esas corrientes existieron. El grupo oficial ultraísta —con excepción del español Garfias y del hispanoamericano Borges— no tuvo ningún gran poeta en los pocos años que duró, de 1919 a 1922. Y aun ellos fueron grandes después, no durante esos años. Podríamos decir: el ultraísmo no existe. Pero sin duda existieron corrientes de vanguardia sueltas que se reconocen en poetas ajenos al ultraísmo. En todo caso, el ultraísmo existe en revistas, no en libros. Desde 1919 las revistas que ya existían se convierten en ultraístas (*Grecia* y *Cervantes*, de 1919 a 1920) y las que nacen, nacen ultraístas (la española *Ultra*, 1921-22; las argentinas *Proa*, 1922-23, *Prisma*, 1921-22, *Martín Fierro*, primera época 1919, segunda 1924-27; las mexicanas *Horizonte*, 1926-27, y *Contemporáneos*, 1928-31; la cubana *Revista de Avance*, 1927-30; y las uruguayas *Los Nuevos*, 1920, y *Alfar*, que sobrevivió hasta 1954). Ultraísmo fue la palabra más afortunada. Hubo muchos otros rótulos: simplismo, creacionismo, vanguardismo, cubismo, dadaísmo, postumismo, superrealismo, estridentismo, avancismo, etc. Cuando no había detonantes estéticas nuevas, se hacía detonar a la sencillez misma, como el "sencillismo" (Évar Méndez). Se decía que el ultraísmo estaba "más allá de todos los ismos": es decir, que era un *ismo* para salir de los otros *ismos*. Los *ismos* que aparecieron fueron sucursales de la gran planta industrial con sede en Europa. Pero esta vez los hispanoamericanos nacidos en los umbrales del 1900 produjeron casi simultáneamente a los europeos. Nunca antes habíamos estado tan cerca de sincronizar nuestros relojes con los de Europa. Eran relojes de bazar. Quienes todavía eran adolescentes cuando terminó la Guerra Mundial de 1914-1918 dieron cuerda a esos relojes, prepararon el resorte de las alarmas y las hicieron sonar estrepitosamente para que se creyera que una nueva hora literaria comenzaba. Es difícil estudiar esos "ismos" porque, al principio, se propusieron no existir como literatura. Debe estudiárselos en dos pasos. El primero es el de las revistas; el segundo es el de los libros. En este capítulo sólo corresponde el primer paso, que fue el verdaderamente escandaloso. Las revistas son interesantes para una historia no tanto de la literatura como de la vida literaria. Se dieron allí todos los excesos, disparates, locuras, chacotas, nihilismos y escándalos. La poesía no podía andar así. Tuvo que aceptar la coherencia. Después de todo, un poema, por irracional que sea, debe ofrecer un mínimo de sentido para que pueda ser genérico y comprensible. Algunos poetas, obstinados en sus desatinos, desaparecieron o se convirtieron en sombras o se quedaron golpeando las baterías del "jazz band". Otros se salvaron con el libro, buscando una justa conciliación entre la fantasía y la lógica. A estos poetas que supieron salvarse los estudiaremos en el próximo capítulo. Pero no sería justo menospreciar la negación del pasado literario, por loca que fuera, de los primeros vanguardistas. Al buscar la metáfora desnuda, eliminando las formas conocidas del verso, cumplieron una función necesaria. Lo malo de esos enardecidos metaforistas era que, sin advertirlo, cedían a una superstición: la de creer que las metáforas valían en sí, por virtudes más o menos mágicas. Las buscaron en vez de hallarlas. Y al buscarlas solían renunciar a la mención directa de lo que querían decir, lo que hubiera sido más poético. Las metáforas no expresaban el íntimo sentir del poeta. Es que esos vanguardistas partían de una desestima de la literatura. No tenían fe en la poesía. No la creían seria. Se avergonzaban de ella. Preferían la chacota. La creación metafórica, a pesar de ser esencial, ocupaba, pues, un lugar subalterno. Hubo en esto cierta insinceridad porque, al burlarse de la poesía seria, cobraban una notoriedad al revés: la notoriedad fácil de los que niegan algo notorio. Escribían en contra. En contra de las dulces perspectivas, en contra de los cosmopolitas ensueños del modernismo. Y escribiendo en contra se dieron al verso suelto, a la idolatría de la imagen y a la manía de coleccionar luego esos ídolos metafóricos, a los cambios en las funciones gramaticales de las palabras, a los barbarismos deliberados, a la sobreproducción de neologismos. Y este exceso de preocupación por las formas (preocupación negativa, pero preocupación al fin y al cabo) se convirtió en retórica, y la retórica maleó lo que traían de bueno a la literatura, que era el sentimiento de que la belleza no había que soñarla en otros países, sino verla en la vida simple, ordinaria, de las ciudades o los campos americanos. Ya se sabe que todo estilo está penetrado por una concepción del mundo; o, si se quiere, que toda concepción del mundo prefiere labrarse su propio estilo. En épocas en que el hombre ve un cosmos, suele componer en formas cerradas, con deslindes nítidos, con palabras bien definidas, con detalles independientes y proporcionados, con claridad y reposo. Pero ahora hubo escritores que se sintieron en agudo conflicto con el mundo en que vivían. El resultado fue que las formas se desprendieron unas de otras, se desorganizaron y rompieron, y las frases empezaron a sonar como en la boca de un esquizoide. Los ojos veían el caos. Es decir, fue como una ceguera, y surgió así una literatura menos visual que la de los modernistas; en cambio, se proyectaban sensaciones más táctiles, viscerales. Sintiendo que

el universo les era hostil o, al menos, que se ocultaba
a la comprensión humana, estos escritores fueron anti-
realistas, prefirieron lanzar esquemas abstractos donde
podían distorsionar las cosas con violencia de emoción
y libertad de fantasía. En los años de la primera Guerra
Mundial, y en los que inmediatamente siguieron, la antropología filosófica avanzó en Europa a grandes pasos.
Pues bien: al mismo tiempo que filósofos, sociólogos,
psicólogos, biólogos, etc., querían responder a la pregunta
"¿qué es el hombre?", los escritores de vanguardia, in-
dependientemente de la antropología, contribuían sin
embargo a ella con sus propias exploraciones, una de
las cuales fue el Superrealismo. No se planteaba el problema en términos antropológicos, pero se proponía expresar tenebrosas zonas que nunca antes la literatura había expresado. El estilo de esos escritores era tan caótico
como el objeto que describían: el caos humano.

En México el escándalo —por lo menos el ruido— estalló en 1922 con el "estridentismo" de Manuel
Maples Arce, Germán List Arzubide, Salvador Gallardo, Luis Quintanilla y Arqueles Vela. Lanzaron manifiestos, revistas y hasta dejaron la crónica de su desprecio a la burguesía y aun a la literatura en *El movimiento
estridentista* (1926) de List Arzubide y en *El café de
nadie* (1926) de Vela. Habían oído los balbuceos del
dadaísmo de Tristan Tzara y les encantaba en lo que
tenía de irracionalidad. Eran unos jóvenes traviesos,
desafiantes, para quienes un poema era una percha donde poder colgar sus sombreros (sombreros que zum-
baban con un enjambre mental de metáforas). La
buena literatura no vino de los estridentistas, empero,
sino del grupo de la revista *Contemporáneos* (1928-
1931), donde se destacaron los tres poetas mayores, Villaurrutia, Gorostiza y Pellicer, y también Torres Bodet
y Salvador Novo. Escribían con clásicos deseos de perfección, pero al final de cuentas es la voz, no el alarido,
lo que hace andar la poesía. Y si los estridentistas, por
confiar demasiado en que la comunicación callejera es

fácil, a la postre no comunicaron nada, en cambio los solitarios de *Contemporáneos*, al encerrarse en sí mismos, convirtieron sus torres de marfil en faros que irradiaban mensajes. Los recibiremos en el capítulo próximo.

Argentina (o, mejor, Buenos Aires) fue en verdad el gran circo de la vanguardia, en toda Hispanoamérica. El mundo se había hecho trizas, pero los argentinos se sentían muy contentos, en esos años de prosperidad y confianza en el porvenir. De ahí que la vanguardia literaria no fuera una vanguardia política y, en general, escribiesen para divertirse y tomar el pelo a los consagrados Lugones y Capdevilas. En una carta a Juan Pinto (publicada en 1958) decía el fino Carlos Mastronardi: "A pesar de la guerra mundial, la generación a que pertenezco supo de un mundo todavía estable. Sólo más tarde vacilaron los cimientos de ese mundo moral y espiritual que entró en franca liquidación durante la última Guerra Mundial [1939-1945]. Por 1920 aún no habían perdido vigencia los principios que componían una suerte de orgánico sistema de vida; en él nos insertábamos sin violencia y sin amargura. El espíritu innovador se cumplió como tal precisamente porque se apoyaba en una realidad firme y delimitada. El nihilismo agresivo de las escuelas de vanguardia surgidas en esa época se identifica con cierta voluntad de juego desaprensivo. Perduraba el sentido del humor de una época que enfatizó el Progreso." Orden y tradición les permitían jugar con la aventura y el futuro. Revistas orales, murales e impresas fueron actividades alegres. Borges iba al taller de imprenta y ensartaba erratas grotescas en los poemas de sus amigos. González Lanuza escribía epitafios a Lugones, y Alfredo Brandan Caraffa a González Lanuza. Enlazaban las alimañas más montaraces —un jabón inglés, un grifo de patio, un rezongo de tranvía— y las traían, amansadas, al corral de la letra impresa. Ponían la lengua en solfa para reírse de las caras de los gramáticos. Inven-

taban autores para escarnecer a los pedantes. En moji-
ganga asaltaban los cafés. Se sacaban la lengua. Pro-
miscuaban en el amor. Befas y cuchufletas a profesores
y al público serio. Pitorreo. Carnavalada. Burlería.
Frente a estos jóvenes de buen humor —Girondo, Borges, González Lanuza, Marechal, Norah Lange— estaban los preocupados por la decadencia moral del mundo
y por los sufrimientos del proletariado —Yunque, Barletta, César Tiempo—, pero aun de aquí salían payasos
furibundos, como Raúl González Tuñón y Nicolás
Olivari.

Así, los *ismos* de posguerra clavaron en el suelo de
América sus bastones fabricados. Y a veces el bastón
les brotó como una rama de árbol americano. El palo
se hacía planta. Fue casi una equivocación; pero equi-
vocadamente o no, esos ismos transplantados a América fueron fecundos. Por ejemplo: la educación artística del ojo para las formas primitivas, subconscientes,
elementalmente creadoras y míticas hizo posible la estimación por el folklore afroantillano y por las artes indígenas (aunque se equivocara el sentido de los dibujos
mayas o de los bajorrelieves mexicanos).

Una tabla de escándalos, en la literatura de posguerra, incluiría estas peculiaridades:

1. *Cosmopolitismo.* El meridiano de la lengua pasa
por todas las ciudades, no solamente por Madrid. Se
sigue mirando a Europa, pero ya no es el europeísmo
idealizador de los modernistas, sino un europeísmo irreverente gracias al cual es posible cantar, en cada rincón
americano, las humildes cosas locales. Las calles de todas las ciudades forman una red internacional, más
vital que la red de las Academias: las Academias sirven
ahora para provocar el antiacademicismo.

2. *Actitud ante la literatura.* Aunque eran más fecundos en la teoría que en la práctica de una nueva
literatura, los escritores jóvenes estaban de acuerdo en
su afán de insurgencia, en su nihilismo e iconoclastia.
La literatura era un juego intrascendente. No dar ex-

plicaciones. Hablar por hablar, sin sentido. Abolición de ornamentos. Oscuridad rebuscada. Esquematismo.

3. *Ingenio*. La realidad se convirtió en un estadio donde probar la ingeniosidad y la fantasía. Aforismos. Culto a la novedad y la sorpresa. No definían con claridad las categorías lógicas que usaban, pero se corrían a una gradación de analogías cada vez más vastas hasta perderse en símbolos vacíos.

4. *Sentimiento*. Deshumanizaban el arte obliterando las fuentes de todo sentimentalismo. Destruían el "yo" sustituyendo la psicología del hombre con lo que ellos imaginaban ser el lirismo de la materia. Atendían a sus instintos y, cuando daban salida a sus sentimientos, eran sentimientos de escarnio, sarcasmo, confusión y humorismo.

5. *Feísmo*. En su deseo de alcanzar un máximo de desorden, cultivaban el mamarracho, lo estrafalario, lo chocante, la deformidad o las cosas tradicionalmente feas. La poesía se proponía ser un modo nuevo de conocimiento, desinteresándose por el manipuleo de una belleza ya conocida.

6. *Morfología*. No les importaba si la lengua perdía su eficacia comunicativa, y llegaban a destituirla de su significación. Desconformes con la lengua, la rompían o la sustituían con signos matemáticos y musicales. La reducían a pura materia (el "letrismo", en que cada letra no era más que un garabato plástico), la hacían sonar como cascabeles de bufón (jitanjáforas). En los poemas los blancos y espacios valían tanto como los vocablos. Abandonaban las letras mayúsculas y la puntuación. La tipografía se componía en varios planos simultáneos. Las palabras se imprimían en la página según el significado, en caligramas.

7. *Sintaxis*. Destruían la sintaxis disponiendo los sustantivos al azar de su nacimiento. Palabras en libertad. Verbos en infinitivo. Los verbos intransitivos se hacían activos. El adjetivo sentaba plaza de nombre. Abolición del adjetivo y el adverbio. Se redoblaba el

sustantivo analógicamente: Hombre-torpedo, Mujer-golfo, Multitud-resaca. Se tachaban los nexos, las frases medianeras. Se volvía a la escritura medieval, sin mayúsculas ni puntuación.

8. *Métrica.* Abandono de los moldes estróficos, de la rima, de la medida, del ritmo. El verso suelto, la palabra suelta, a fin de dar libertad máxima al poeta. Se renunciaba así a lo que la música había dejado en herencia a la poesía.

9. *Temas.* Exclusión de lo narrativo y de lo anecdótico. La descripción del paisaje como artificial telón de fondo. Las cosas inanimadas se hacen protagonistas. Introducción a la literatura de elementos hasta entonces descuidados: el rumor, el peso, el olor. Presencia de la máquina, de los movimientos sociales.

10. *Imaginismo.* En vez de la musicalidad de lo externo (la rima y el ritmo de los modernistas) los ultraístas buscaron violentamente otra clase de poesía, reducida a la metáfora. La imagen por la imagen, a toda costa. Acarreaban ladrillos metafóricos sin construir la casa: la unidad del poema (si existía) quedaba en la mente del poeta, y lo que se veía eran parcelas metafóricas. Bombardeo de metáforas. Álgebra de metáforas. Metáforas mezcladas o en largas series inconexas.

Hemos tratado de dar la teoría, la historia y los rasgos estilísticos del escándalo literario que ocurrió en los años de la primera Guerra Mundial. Los escritores nacidos entre 1885 y 1900 que allí intervinieron se confundieron con los que eran adolescentes o casi adolescentes cuando comienza el próximo período: 1925. Después de todo, no había gran diferencia de edad entre Girondo (1891) y Borges (1899), entre Huidobro (1893) y Neruda (1904). Los escritores que se quedaron en el puro escándalo pertenecen —repetimos— a la historia de las costumbres literarias, no de los aciertos. A los otros, nacidos de 1900 en adelante, los pasamos al próximo capítulo. Gran parte de lo que acabamos de decir en este parágrafo vale también, pues, para el próximo capítulo. Conviene que los historiadores mezclemos a veces los capítulos: así el lector, que ya se estaba acostumbrando a un esquema convencional, se verá obligado a reparar en la fluidez del proceso histórico.

B. PRINCIPALMENTE PROSA

No se extrañe el lector de que el nombre de un poeta figure aquí en una nómina de prosistas o viceversa. Pasemos, pues, a los prosistas, donde seguiremos encontrando poetas. Porque en esta generación, hija de la estética modernista, hubo deslumbrantes prosistas (Alfonso Reyes). Se siguieron escribiendo novelas y cuentos con los ideales de prosa lírica de la época de Darío (Pedro Prado). Y aun en las narraciones realistas quedó el recuerdo de la gran fiesta de prosa artística que había desfilado, con luces de bengala, bandas de música y gallardetes de colores, por las calles del 1900, enseñando a todos a escribir con decoro estético y técnicas impresionistas (Gallegos, Rivera, Güiraldes, Guzmán, Barrios). Pero, por supuesto, el realismo y el naturalismo continuaron su viejo rumbo, cada vez más seguros, más dueños de sí, más decididos a contar acciones que interesen a todo el mundo (Gálvez, Lynch, Azuela). También en el teatro el realismo de Florencio Sánchez fue enriquecido con nuevos aportes (Ernesto Herrera). La prosa ensayística de pensadores y humanistas fue importante (Pedro Henríquez Ureña, Martínez Estrada, Vasconcelos, Reyes).

1. NOVELA Y CUENTO

Según explicamos al comienzo de este capítulo, apartaremos la producción narrativa en dos familias de escritores: una, de los más subjetivos, otra de los más objetivos. Las dos familias suelen mezclarse. Más: un

narrador puede cambiar de foco y escribir diferentes
narraciones que se orientan, ya hacia el mundo del
sujeto, ya hacia el mundo del objeto. Más aún: en una
misma novela con frecuencia alternan las páginas intro-
vertidas y extrovertidas. Ya se ve: es muy difícil rotular
los millares de narraciones con sólo dos etiquetas. Y
aunque agregáramos otras etiquetas —europeísmo y nacionalismo; cosmopolitismo y regionalismo; urbanismo
y ruralismo; idealismo y realismo, etc.— no ganaríamos
mucho. Si somos hipercríticos acabaremos por no clasificar nada, pues toda clasificación es falsa. Por otro
lado, si no clasificamos, nos perdemos en el caos. La
única solución es intentar una división, rogando al lector que no la tome al pie de la letra. En la historia
de la prosa narrativa parecen entrecruzarse dos líneas
ondulantes. En una están los narradores que, al expresarse, cantan líricamente su intuición del mundo. Se
repliegan en sí mismos y sus palabras se ciñen al acto
mismo de ver. Revelan la peculiaridad de su visión, y
generalmente cultivan el arte por el arte. En la otra
línea están los narradores que, al expresarse, reflexionan
sobre su intuición del mundo. Se despliegan sobre la
realidad exterior y sus palabras se ciñen a las cosas
vistas. Describen la índole de los objetos y, generalmente, su arte se convierte en una función social.

a) *Narradores más subjetivos que objetivos*

Repetimos: aquí pondremos los esfuerzos que se
acercan, más o menos, a la ficción artística, expresiva,
poética, imaginativa, personal, íntima. En vez de una
contemplación del mundo, estos narradores nos con-
fían una autocontemplación; en vez de una realidad
desplegada en grandes superficies, una realidad reple-
gada en lo más hondo de la imaginación. Es decir, una
realidad desrealizada. Aunque estos narradores no pueden menos de contar lo que les pasa a ciertos hombres
que sueñan o luchan en medio de situaciones sociales

problemáticas o en medio de la naturaleza, más que apoyarse en la realidad lo que hacen es zambullirse en sí mismos.

i) México

El más brillante: Alfonso Reyes. Como el azogue, se nos escapa entre los dedos. Se nos escapó del verso a la prosa; y, dentro de la prosa, se nos escapa de la narración. Lo arrinconaremos al final del capítulo, entre los ensayistas, aunque merece también un primer lugar como poeta y como narrador. Otro mexicano sutilísimo: JULIO TORRI (1889). Ha publicado muy poco —*Ensayos y poemas*, 1917; *De fusilamientos*, 1940—. Sus prosas son finas, intencionadas, maliciosas. Contienen la sonrisa. Quien no sepa adivinarla queda burlado. La inteligencia despunta con tal gracia que uno la saluda como si fuera la poesía misma. Sus prosas poemáticas en realidad están hechas con inteligencia: la fantasía se deja ordenar por ella.

ii) Centroamérica

Guatemala. RAFAEL ARÉVALO MARTÍNEZ (1884), poeta, novelista. Que la sencillez de algunas de sus poesías —"Ropa limpia"— o la invocación a las venturas sencillas —"Sueño de ventura"— o los sencillos temas tradicionales —la religión en "Oración al Señor"— no nos distraigan: Arévalo Martínez no es poeta de alma sencilla, sino contorsionada en recovecos nerviosos y enfermizos. Más que en sus versos —de *Juglerías*, 1911, a *Por un caminito así*, 1947, pasando por sus celebradas *Las rosas de Engaddi*, 1927— se reveló en sus cuentos y novelas. Sobre todo en *El hombre que parecía un caballo* (1914), que fue el cuento más original de su generación. Se dice que ese egoísta, fuerte, arrogante, blasfemo y amoral hombre-equino fue la caricatura del poeta Barba Jacob. Pero una caricatura vale en relación a un modelo; y el cuento que comentamos, en cambio, vale en sí, como visión delirante. Tiene una atmósfera de pesadilla, de poesía, que la conocimos en Jean Lorrain y hoy la reconocemos en Franz Kafka. Escribió otros cuentos psicozoológicos, *v. gr.*, *El trovador colombiano* (1914), cuyo personaje es un hombre-perro, manso, humilde, leal. Nos encontramos también con "el hombre que parecía un elefante", "el hombre que parecía un tigre". Muchos años después Arévalo Martínez nos contó que una amiga espiritista recogió en uno de sus viajes al trasmundo dos relatos escritos por un testigo de acontecimientos que "se remontan a épocas pretéritas, hace milenios, cuando en la tierra existía un continente único, Atlán, que precedió a la Lemuria y a la Atlántida": las dos utopías, *El mundo de los maharachías* (1938) y *Viaje a Ipanda* (1939), están entrelazadas. La primera es la más poética: así como el náufrago Gulliver halló entre los Houyhnhnms una civilización de criaturas parecidas a caballos, el náufrago Manuol encuentra una civilización de criaturas parecidas a monos también superiores al hombre. Son los "maharachías", cuyas colas son casi órganos espirituales. Contrariamente a Swift, el tono de Arévalo Martínez no es de sátira. Se adivina la sonrisa de buen humor, no más, con que el autor describe líricamente el amor de Manuol por Aixa e Isabel, la cálida tierra de monos filósofos y la belleza de las sensitivas colas. La novela no está lograda, empero. El pensamiento no guarda compás con la fantasía. Cuando en *Viaje a Ipanda* —que es un desprendimiento de *El mundo de los maharachías*— ese pensamiento intenta una utopía con pretensiones intelectuales y políticas, el resultado es peor.

FLAVIO HERRERA (1892). "Soy de cepa romántica", dice un personaje de *Cenizas*, cuentos de 1923. "He leído a Bourget", dice otro. En esa zona sentimental, y con algo de narrador psicólogo, ha escrito Flavio Herrera esos cuentos, todos de amor, con una variada galería de mujeres al fondo. El desenlace de cada cuento arroja luz sobre la psicología de los personajes. La prosa corre rápida y nerviosamente, pero por un viejo cauce artístico: el cauce afrancesado, modernista, con curvas medidas. Era poeta, y su temperamento lírico se ejercitó en hai-kai japoneses. También describió, con prosa poemática, ambientes campesinos. Obras: *El tigre, La tempestad, Los siete pájaros del iris, Siete rábulas en flux, Caos.* CARLOS WYLD OSPINA (1891-1958) forma, con Arévalo Martínez y Flavio Herrera, el trío de los mejores narradores guatemaltecos de estilo artístico. Como sus compañeros, fue poeta: *Las dádivas simples* (1921), canto sereno y elegante a las sementeras, a los labradores. Después escribió cuentos —*La tierra de las nahuyacas*, 1933— y novelas: *El solar de los Gonzagas*, 1924, y *La Gringa*, 1935. Con una prosa precisa, disciplinada, orgullosa de sí misma, presenta estampas del trópico y narra la vida criolla. Aun las páginas aparentemente naturalistas están medidas por el arte. Aunque no es novelista, merece un lugar de honor, en la prosa poemática, otro guatemalteco: JOSÉ RODRÍGUEZ CERNA (1889-1952), autor de los hermosos paisajes de *Tierras de sol y de montaña.*

Costa Rica. FRANCISCO SOLER (1888-1920) fue modernista en sus temas del Renacimiento italiano. MANUEL SEGURA MÉNDEZ (1895) fue poeta y novelista. MOISÉS VINCENZI (1895), ensayista en temas de filosofía, ha publicado varias novelas concebidas intelectualmente, con novedades temáticas y técnicas: van de *Atlante* (1924) a *Elvira* (1940).

Panamá. JOAQUÍN DARÍO JAÉN (1893-1932) publicó cuentos y novelas con morbideces que recuerdan las de Vargas Vila.

iii) *Antillas*

Cuba. Nadie negará un lugar en nuestra historia, nada más que porque parte de su carrera fue en España, a ALFONSO HERNÁNDEZ CATÁ (1885-1940). Es un cuentista consciente de la alta dignidad formal de su género, con riqueza de observación para el detalle exterior o para los pliegues psicológicos, con un sentido del "pathos" que lo lleva hacia el melodrama pero lo bastante sobrio para detenerse a tiempo y quedarse en el buen lado de la frontera, en el lado trágico. Sus temas favoritos son de psicología anormal, tratados a veces con ironía, a veces compasivamente. Cuba suele aparecer en sus cuentos, cuando menos se espera. En su primer libro, *Cuentos pasionales* (1907) recordaba a Maupassant. Obras de madurez fueron *Los siete pecados* (1918), *Los frutos ácidos* (1919), *Piedras preciosas* (1927), *Manicomio* (1931). Uno de sus mejores libros: *La casa de fieras* (1919). Domina una prosa viva, sensual, jugosa, cálida, opulenta, noble. Escribe bien; es decir, sabe cómo repujar y recamar una frase para que no se la confunda con otras. Conoce los secretos del oficio de cuentista, como se ve en estos cuentos de antología: "El testigo", "La culpable", "La perla", "Los chinos", "La galleguita", etc. Como novelista se destacó menos: *Pelayo González* (1909), *La muerte nueva* (1922), *El bebedor de lágrimas* (1926), *El ángel de Sodoma* (1927). Menos aún como poeta y comediógrafo. ARMANDO LEYVA (1885-1940) fue un cuentista afiliado al modernismo, con aficiones irónicas a misterios a lo Poe.

Santo Domingo. ABIGAÍL MEJÍA DE FERNÁNDEZ (1895-1941), autora de obras de imaginación, como *Sueña, Pilarín* (1925), de análisis psicológico.

iv) *Venezuela*

La educación de RÓMULO GALLEGOS (Venezuela; 1884) en la literatura modernista y, por otro lado, su percepción de la ruda realidad venezolana, aparecen contrastadas, tanto en los temas de sus novelas —pugna entre civilización y barbarie en villorrios, llanos, selvas,

cafetales, río y lago—, como en la doble embestida de
su estilo: el impresionismo artístico y el realismo descriptivo. Ya había publicado los cuentos de Los aventureros (1913) y las novelas El último Solar (1920) y
La trepadora (1925) cuando Gallegos se consagró con
Doña Bárbara (1929) como uno de los pocos novelistas
nuestros que satisfacen la expectativa de un público internacional. Doña Bárbara funciona con los resortes
tradicionales de la novela del siglo xix. Sobre un fondo
de naturaleza implacable la acción destaca, románticamente, casi melodramáticamente, el esfuerzo heroico.
Los símbolos —exagerados hasta por el nombre de los
personajes: la barbarie de Doña Bárbara; la santa luz,
el santo ardor del civilizador Santos Luzardo, etc.— son
demasiado evidentes. La composición con simetrías y
antítesis (que a veces tienden a la alegoría) suele llevar
de lo artístico a lo intelectual: la yegua y Marisela son
amansadas en procesos paralelos y simultáneos; el hombre civilizado tiene toda la destreza del bárbaro; la "bella durmiente" es salvaje y hermosa al mismo tiempo; el
idilio en contrapunto de voces; Doña Bárbara agoniza
entre el bien y el mal; la carga de brujerías, agorerías y
maldiciones acaba por ceder a un desenlace feliz. . . Las
escenas son violentas y deliberadamente efectistas: el
desfloramiento de Bárbara, el padre que mata al hijo,
clava la lanza y muere con los ojos abiertos; el encierro
en la pieza, con un murciélago abominable; la borrachera de Lorenzo y Mr. Danger ("el señor Peligro"); la
hija y la madre peleándose; el cadáver colgado del caballo, etc. Con todo, Doña Bárbara es una gran novela.
La prosa corre como la sabana venezolana. El autor
cambia de actitudes —lírica, costumbrista, psicológica,
sociológica— a lo largo del relato y desde cada perspectiva logra páginas admirables. ¿Quién ha descrito mejor que Gallegos el paisaje de la llanura, una doma, la
junta de ganado? La fuerza poética de la prosa de
Doña Bárbara se intensificó en Cantaclaro (1934). Su
estructura novelística es inferior, pero allí vive uno

de los pocos caracteres que convencen en toda nuestra
literatura: Cantaclaro, el trovador de los llanos venezolanos. En *Canaima* (1935) el arte del prosista y del
narrador alcanzaron un alto punto de equilibrio. El escenario es la Guayana; el protagonista es el demonio
mismo de la naturaleza, Canaima, frenético y maligno
principio del mal, devastador de hombres. En la urdim-
bre novelesca los personajes se entrelazan con la gran
persona de la selva. En sus últimas novelas —*Pobre
negro*, 1937, y *Sobre la misma tierra*— Gallegos enriquece su galería de cuadros regionales: la primera, con
sus problemas sociales no resueltos, en Barlovento; la
segunda, con unos indios infelices y trashumantes en las
márgenes de Coquivacoa. En *El forastero* (cuyos bo-
rradores son anteriores a *Doña Bárbara*, pero que se
publicó mucho después) el tema político es el dominante. A diferencia de las otras novelas de Gallegos, aquí
la naturaleza aparece disminuida en su acción sobre los
personajes. Menos descripciones, más personajes y diálogos, como que el autor está preocupado por el problema del despotismo. Su última novela ya no transcurre
en Venezuela sino en Cuba: *La brizna de paja en el
viento*.

La deliciosa Teresa de la Parra (1891-1936) nos
hace palpar el tiempo como si fuera una sustancia. Y,
en efecto, el tiempo es la sustancia de su literatura. Vida
rezagada es la vieja sociedad que nos describe. Lo que
nos cuenta es cómo se va deshaciendo. La clase aristocrática a que pertenece es un momento, ya vencido, de
la historia. Despide a las cosas con un adiós tan cordial
que las vemos irse hacia el pasado, envueltas en sus
horas. O evoca su infancia, y paisajes, acontecimientos,
personas vienen de lejos, envueltos en sus años. Tiempo, siempre tiempo. Pero, sobre todo, es el subjetivismo de su prosa, estremecida de impresiones y metáforas,
lo que hace tan patente el fluir del tiempo. Porque ya
se sabe que la vida psíquica es temporal, pura duración;
y hable Teresa de la Parra de lo que hable su sujeto es

ella misma. Proust fue uno de sus maestros en el arte
de matizar la ondulante sucesión de recuerdos. Su primera novela fue *Ifigenia: Diario de una señorita que
escribió porque se fastidiaba* (1924). A media voz (porque está confesándose y, por momentos, murmurando
de los demás) pero con la soltura de una elegante conversación, Teresa de la Parra comenta la injusta posición social de la mujer criolla. Mejor aún fue la segunda
—y última— novela: *Las memorias de Mamá Blanca*
(1929). Novela, sí, porque los episodios, por desparra-
mados que parezcan, no podrían podarse del tronco
central del relato. Ramas, gajos, se secarían. Los personajes van madurando capítulo tras capítulo, como en las
novelas. Novelesco también es el artificio de presentar
las *Memorias* como un manuscrito legado a la autora
por la viejita Mamá Blanca. Son memorias de una
infancia feliz, en una hacienda de cañas, cerca de Caracas. La ternura, la melancolía, la vivaz imaginación,
la simpatía humana, la sensibilidad para registrar las
suavidades del mundo, el encanto del describir y del
narrar no tienen par en nuestras tierras. Recuerdos
infantiles pero no ingenuos. La inteligencia vigila ri-
sueña, irónica. Don Énfasis y Doña Cursilería no podrían entrar en estas páginas, no han sido invitados y
frases traviesas los detendrían en la puerta y tendrían
que volverse, humillados, oyendo a sus espaldas risitas
de burla. El estilo parece espontáneo pero es porque
Teresa de la Parra, sabiamente, ingeniosamente, traba-
josamente, ha cavado antes en las durezas de la lengua
para abrir un cauce original a su río de metáforas.

Aunque JESÚS ENRIQUE LOSSADA (Venezuela; 1895)
escribió también cuentos de ambiente rural o de intención satírica, más personales fueron sus cuentos con
problemas intelectuales, con temas increíbles o personajes que van de la lírica a la locura. Es autor de *La
máquina de la felicidad* (1938).

v) *Colombia*

El excesivo respeto a las formas europeas había malogrado aun las mejores novelas colombianas, tanto las románticas como las realistas y modernistas. De pronto surgieron páginas de novela con la fuerza de árboles nativos: las de *La vorágine* de Rivera. Volaron las semillas y poco a poco fueron levantándose otras novelas con temas colombianos y estilos propios.

JOSÉ EUSTASIO RIVERA (1888-1928) escribió sonetos admirables: *Tierra de promisión* (1921). La estructura fija del soneto se presta a que verso tras verso, una acción se vaya desarrollando en un riguroso movimiento unitario que mantiene al lector alerta a lo que va a venir. La acción que Rivera pinta en sus sonetos es la de la naturaleza de Colombia: animales, plantas, ríos, montañas, luces del cielo... El último verso cierra esa acción y la deja perfecta, como un cuadro lleno de color. Lo que se ve en ese cuadro es una realidad virgen para la poesía: nadie, antes de Rivera, la había desarrebozado con tanta intensidad, desde un ángulo tan embellecedor. Pero la técnica literaria de pintar las cosas de la naturaleza, con tanta nitidez en el perfil, en el matiz, en el gesto, y de encuadrarlas en una forma aristocrática, es parnasiana. Las palabras elegidas por el poeta ennoblecen la sustancia bruta del paisaje y la transforman en preciosa materia. Rivera era una fuerza de la naturaleza. Su cultura humanística era pobre en comparación con su ubérrimo temperamento. Pero tenía por lo menos una manera culta de contemplarse a sí mismo: sus pasiones, sus desequilibrios, su necesidad de vivir en el campo, entre árboles, animales y ríos, se vestían, en autocontemplación, con las prendas del soneto. Cuando escribió su novela *La vorágine* (1924) Rivera mantuvo su alta tensión poética pero cambió de perspectiva. En vez de contemplar cuadros, se metió dentro de la naturaleza misma y sorprendió la belleza del espanto. Enmarcada —para hacernos creer

en su objetividad— entre un prólogo de Rivera y un
epílogo del Cónsul, *La vorágine* figura ser un libro autobiográfico. Con el viejo procedimiento de fingirse edi-
tor de unas memorias ajenas —"respeté el estilo y hasta
las incorrecciones"— Rivera cede la palabra a Arturo
Cova, quien ha de narrar en primera persona, salvo
cuando transcribe relatos de otros personajes. (La novela, pues, es unívoca, aunque el "yo" suele desplazarse
retóricamente: el "yo" se hace tú cuando Cova se habla
a sí mismo; el "yo" se hace "él" cuando Cova habla
como si él fuera Lesmes; el "yo" se abre en galería
de espejos que reflejan otros "yo", como cuando habla
Clemente Silva.) El escenario son los llanos del Orinoco y las depresiones del Amazonas. La acción transcurre en poco más de siete meses: comienza con la
preñez de Alicia y termina con el aborto del sieteme-
sino. La acción es rápida, continua, pero el relato —dividido en tres partes— avanza en líneas entrecortadas.
Primera parte: la exposición. Arturo Cova, joven poeta
colombiano, ya celebrado por las promesas de su inteligencia y por sus poemas "esculpidos" (aun en el desierto el sórdido Barrera, el ebrio Gámez, la prostituta
Clarita admirarán su fama) tiene un amorío fácil con
Alicia. La seduce, sin amarla, y huye con ella de Bogotá. Huye de las amenazas de casorio con que lo persiguen los padres de la muchacha, el juez y el cura.
Desde entonces todo es aventura, hasta con toques de
novela policial. En las casas de La Maporita viven
Alicia y Cova con Franco y su mujer, "la niña Griselda"
(éstos, con un pasado también policial). Arturo, por
lealtad a Franco, resiste el llamado sensual de Griselda
y, por despecho, comienza a apasionarse de Alicia. Aparece Barrera, un canalla, que roba, miente, mata, trai-
ciona y quiere seducir a las mujeres. Arturo, furioso,
sale en busca de Barrera. Lo hieren en una trifulca de
juego de dados. Lo cuida una prostituta. Al volver, con
Franco, a La Maporita, se entera de que Barrera se ha
llevado consigo a Griselda y Alicia. Incendian La Ma-

porita. Segunda parte: la acción se anuda con denuncias
sociales. Arturo, acompañado por Franco y otros, se
interna por la selva en busca de Barrera y las dos mujeres, para vengarse. Vive con los indios (lo que da
lugar a escenas de etnografía y de una contemporánea
"crónica de Indias"). Oye las cuitas de algunos acom-
pañantes (lo que da lugar a una espeluznante documentación sobre los sufrimientos de los caucheros). La
dolorosa historia del colombiano Clemente Silva ocupa
más de la mitad. Tercera parte: desenlace. Termina
el relato el cauchero Silva —que anda en busca de los
huesos de su hijo— y ahora Cova sigue adelante, no
sólo por venganza personal, sino también para luchar
contra las injusticias de los hombres de presa y redimir
a los caucheros. La enfermedad va abatiéndolo, enlo-
queciéndolo, paralizándolo. Cae en los brazos sensuales
de la turca Zoraida. Nuevos personajes van abriendo
nuevos círculos en el infierno verde: el Váquiro, Cayeno, Ramiro, el Petardo Lesmes. Cova se pone a escribir un pliego de acusaciones para que lo lea el Cónsul
de Colombia. Será un cuadro de miserias, una "tremenda requisitoria de estilo borbollante y apresurado
como el agua de los torrentes". Los hilos del relato
van entretejiéndose y apretándose con firmeza. Cova
encuentra a Griselda, quien cuenta sus desdichas con
Barrera y cómo Alicia le cortó la cara a Barrera. Las
escenas violentas se acumulan hasta quitarle el aliento
al lector: suplicios horrendos, mutilaciones, charcos de
sangre, el cadáver de Cayeno, flotante, mientras un
perro va desenvolviendo su intestino, la muerte de Carrera, a mordiscos de peces, el aborto de Alicia, la
marcha final, donde, sin dejar rastros, "los devoró la selva". *La vorágine* —la novela de la vorágine, esto es, de
la selva— está construida en dos niveles, uno de protesta social y otro de caracterización psicológica. Rivera
parece haberla escrito con dos propósitos y aun con dos
temas discernibles. En el primer nivel defiende a los
colombianos, prisioneros de la selva, y la soberanía

de Colombia, amenazada por invasiones y depredaciones. Para ello aprovechó datos de la historia, experiencias que oyó en boca de otros, anécdotas leídas o vividas y también sus propios viajes, que lo llevaron al Orinoco y al Amazonas. Estas páginas de patente intención civil no son las mejores: escenas costumbristas, reflexiones morales, frases satíricas y desviaciones del relato dañan la unidad de composición y estilo. El mejor logro literario, en este nivel, es el interesante caso de duplicación interior de la novela: es decir, que mientras leemos las Memorias, no sólo oímos las confidencias de Cova sobre cómo se inspira en la naturaleza y la diferencia entre las convenciones tradicionales de la literatura y la sincera expresión artística, sino que lo vemos en el acto mismo de escribirlas, cuidarlas y mandarlas al Cónsul. El segundo nivel es superior. Rivera ha creado un carácter de notable complicación mental, obsesionado por su fracaso: "no soy lo que pude haber sido". Como Rivera hizo poeta a Cova, no sólo sus reacciones, exaltaciones y llantos son convincentes, sino que el tono lírico de sus Memorias es auténtico. Cova es apasionado, irascible, teatral, imaginativo, valentón, histérico, desequilibrado, con ímpetus de adolescente y de neurótico. Las violencias de sus acciones armonizan con las violencias de sus metáforas, y las cosas más cruentas y macabras se iluminan con resplandores estéticos: "la visión frenética del naufragio me sacudió con una ráfaga de belleza", dice. Y con ojos de artista compone los cuadros más truculentos de dolor, infamia, muerte, inmundicia y bestialidad humana. Cova recorre regiones inhóspitas, desde Casanare hasta perderse en las selvas brasileñas, y de llano en llano, de río en río, de población en población, de tribu en tribu y de cauchería en cauchería va conociendo los horrores de la naturaleza más devastadora y de la humanidad más degradada. Serpientes, hormigas, infrahombres, todo aparece en una misma masa repulsiva. A veces, un poema en prosa sobre la belleza del paisaje; pero, generalmente, nos da un lirismo de pesadilla, de fiebre, de esperpento. Es poeta refinado, pero de bárbaro empuje. Da nervios a la naturaleza colombiana y cuando la vemos crispada, trágica, estamos viendo también el alma de Cova. En todo caso, vemos la selva en el acto de tragarse a Cova, pero desde los ojos de Cova. La compleja personalidad de Cova va expresándose en primera persona. Rivera no intenta, sin embargo, el monólogo interior. Es más bien un largo soliloquio, en el que Cova se analiza psicológicamente. Sus sueños, delirios febriles, fantasías desenfrenadas, sensaciones anormales aparecen, no en el flujo oscuro de la consciencia o de la subconsciencia —tal como se nos da antes de que la palabra lo configure— sino todo explicado, ordenado, iluminado en una prosa cuyas mayores audacias son metáforas, descripciones impresionistas, sinestesias y personificaciones expresionistas, como la de la venganza de los árboles contra el cauchero.

A pesar del intenso estímulo artístico de *La vorágine*, los novelistas colombianos se fueron por las ramas del costumbrismo, el realismo y el naturalismo. Los veremos más adelante. Aquí corresponden las novelas psicológicas, fantásticas, intelectualistas y de entonación lírica, que también las hubo, aunque pocas. Los tres novelistas más subjetivos son López de Mesa, Álvarez Lleras y Restrepo Jaramillo. Los dos primeros no fueron, en verdad, novelistas: ensayista el primero, dramaturgo el segundo. De todos modos, debemos mencionarlos aquí también. Luis López de Mesa (1884) escribió su *Libro de apólogos* (1918) —emparentados con las parábolas de Rodó—, con pompa esteticista. También tentó la novela idealista con *La tragedia de Nilse* (1928) y *La biografía de Gloria Etzel* (1929), en las que hay análisis psicológicos, un difuso espiritualismo y charlas más o menos filosóficas sobre el perfeccionamiento individual. Antonio Álvarez Lleras (1892-1956) dejó una de las buenas novelas de este período: *Ayer, nada más...* (1930), de ambiente bogotano, con personajes decadentes y paseos por laberintos mentales. Más importante es JOSÉ RESTREPO JARAMILLO (1896-1945), atrevido en sus experimentos con el arte de narrar y en el enfoque estético de psicologías complejas. Se complace en el espectáculo de su propia imaginación creadora, y novela el acto mismo de novelar. Mira con múltiples perspectivas a sus personajes. Sorprende los fondos oscuros, irracionales de la vida y los describe líricamente. Títulos: *Novela de los tres* (1924), *David, hijo de Palestina* (1931). Cerremos esta lista con FÉLIX HENAO TORO (1900), autor de "la primera novela psicoanalítica en español": *Eugeni la pelotari* (1935) y M. F. SLIGER, que practicó el género de la ficción seudocientífica: *Viajes interplanetarios que tendrán lugar en el año 2009* (1936) y GREGORIO SÁNCHEZ GÓMEZ (1895-1942) y su fantasmagórica *Vida de un muerto* (1936).

vi) *Ecuador*

Uno de los prosistas respetables de esta generación fue GONZALO ZALDUMBIDE (1885). Durante años se lo estimó por sus trabajos críticos: sobre Rodó, Montalvo, D'Annunzio. Es también autor de una novela juvenil pero extraordinariamente cincelada: *Égloga trágica*. La escribió en 1910-11, publicó algunos de sus fragmentos en diversos periódicos, de 1912 a 1916, y sólo en 1956 la editó, completa, en forma de libro, sin retocar su estilo. El joven Segismundo, después de varios años de viaje por las capitales de Europa, donde ha vivido con todo el refinamiento de un artista, pero sin conocer nunca un verdadero amor, regresa a su rincón natal, en Ibarra y su provincia. Se exalta ante la belleza de los paisajes, asiste a los trabajos campestres, observa las costumbres de los indios, reflexiona sobre los problemas americanos, conoce los desastres de una revolución política, posee ardientemente a una indiecita arisca. Su tío Juan José, un gigante de cuarenta años, señor de esos feudos, lo lleva a visitar a Marta, joven hermosa, dulce, anémica. Marta vive con su madre loca, Dolores. (Dolores había tenido amores clandestinos con un alemán; una noche, al sorprenderlos abrazados, el padre de Dolores descerrajó un tiro al alemán; Dolores, ya loca, dio a luz a Marta; Juan José, primo de Dolores, se convirtió en protector de las dos mujeres.) En vista de la guerra civil Juan José aloja en su casa a Dolores y a Marta. Dolores muere. Segismundo y Marta se enamoran. Juan José siente nacer una pasión desesperada por Marta y, celoso, amenaza de muerte a Segismundo. Éste, por amor a su tío, decide volverse a Europa. Listo para partir, recibe en Quito una carta de Marta, quien ha adivinado lo que ocurre entre ambos hombres y se despide antes de suicidarse. Segismundo regresa definitivamente a casa de su tío. Muere Juan José, y Segismundo sobrevive recordando a Marta, "símbolo de la dicha que nadie logra". La historia es melodramática: o sea, una acción efectista suavizada con un fondo musical. La estructura de la novela es tradicional: Segismundo, el protagonista, es quien narra; la primera parte, descriptiva, y la segunda, que plantea el conflicto, son lentas; las últimas dos partes se precipitan trágicamente. Pero lo excepcional de *Égloga trágica* es la calidad de su prosa. Prosa modernista, de períodos cadenciosos y rara felicidad en la palabra justa y en la imagen lírica. La descripción del paisaje natural y de los sentimientos íntimos es brillante, impresionista, imaginativa. Zaldumbide no se propone ni reproducir cosas reales ni analizar psicologías, sino estilizar su visión poética en admirables poemas en prosa. Gracias a esta visión, *Égloga trágica* puede deleitar aun hoy a lo cazadores de imágenes; su lengua literaria, sin embargo, produce un extraño efecto de épocas mezcladas, con viejos esquemas románticos y modernidades de principios de siglo.

vii) *Perú*

Artista de la prosa es VENTURA GARCÍA CALDERÓN (1886-1959), quien cumplió un buen servicio diplomático: mostrar a los europeos que nos creen pintorescos y nos piden sólo regionalismo, por mediocre y ramplón que sea, una excelentemente escrita literatura regional. *La venganza del cóndor* (1924) son cuentos de violencia, muerte, horror, supersticiones y pasiones desenfrenadas. La buena prosa pone toda esa realidad —cruda en otros narradores— como en un vitral de colores, brillante y frío. Esa mente de civilizado parisién contando episodios bárbaros o describiendo paisajes espeluznantes sonríe a veces con refinada y casi imperceptible ironía. Las almas pesadas, que necesitan de explicaciones, tesis, declamaciones, creyeron que García Calderón no había visto su tierra peruana: sí la vio —y comprendió sus problemas— pero con mesura artística.

viii) *Bolivia*

ARMANDO CHIRVECHES (1883-1926) comenzó como poeta modernista (de *Lilí*, 1901, a *Añoranzas*, 1912), pero le estamos agradecidos porque se decidió a escribir novelas: *Celeste* (1905), *Casa solariega* (1906) y *Flor del trópico* (1926). Apartamos, por sus excepcionales méritos, *La candidatura de Rojas* (1909). En esta novela se ve bien uno de los fenómenos modernistas que ya anotamos: pasado el deslumbramiento ante las luces artificiales no americanas, hubo escritores que, sin renunciar a los refinamientos cosmopolitas, hicieron literatura americana. El protagonista, Enrique Rojas, dice que sus autores favoritos son los españoles Pereda y Palacio Valdés. Puede ser. Comoquiera que sea, es evidente que el autor, Chirveches, formó su estilo más bien en la prosa artística francesa, de Flaubert en adelante. La novela cuenta la fracasada aventura política de Rojas, que sale de La Paz con la ambición de ser elegido diputado y acaba casándose, en un rincón provinciano, con su prima Inés. La realidad boliviana, de la ciudad y del campo, de los grupos intelectuales y de las masas bárbaras, de españoles, criollos, mestizos e indios, está descrita magistralmente. Chirveches orquesta y sinfoniza como pocos todos los instrumentos y tonalidades de la literatura de su tiempo. Páginas líricas y humorísticas, idealización de las cosas y naturalismo brutal y fétido, ingenio travieso y grave pensamiento crítico, temas de sátira y de idilio, voluntad de hacer literatura y al mismo tiempo burlas a la literatura, primores paisajistas y sin embargo rapidez en la acción. Chirveches sabe contar. Tiene agudeza psicológica. No se le escapan los detalles más significativos de cada escena. Ha creado, objetivamente, un personaje tan vivo que el lector, engañado porque el relato anda en primera persona, puede creer que Rojas es el mismo Chirveches. No lo es: Rojas es una creación novelística.

ix) *Chile*

EDUARDO BARRIOS (1884). En sus dramas juveniles (de 1910 a 1916) había intenciones de reforma social o, al menos, preocupaciones por los problemas sociales: la hipocresía religiosa, la burocracia, y la política, la desventaja de la mujer en la vida familiar, etc. Después abandonó el teatro y en sus novelas se interesó más en los personajes que en las cosas; y, más que en las aventuras de los personajes, en sus almas. Ya en *El niño que enloqueció de amor* (1915) mostró su capacidad de análisis psicológico: es el diario de un hipersensitivo niño de diez años que, enamorado de una mujer, sufre, se enferma y termina por volverse loco. Más penetrante fue *Un perdido* (1917), donde novela la historia del desdichado Lucho, que de fracaso en fracaso va cayendo en la miseria y el vicio. Al mismo tiempo que ahonda, no sólo en la psicología de Lucho, sino en la de muchos otros personajes, Barrios va construyendo la obra con

habilidad de arquitecto: novela psicológica, pero tan
atiborrada de observaciones sobre la vida social de Chile
que también lo es de costumbres. En *El hermano asno*
(1922) otra vez se ve, tenso, al novelador de casos
psicológicos raros. Estas páginas, sueltas, impresionistas,
escritas en tiempo presente y en primera persona, tienen la forma de un diario íntimo. Quien las escribe
es Fray Lázaro. Al comenzar lleva ya más de siete años
en un convento franciscano, pero no ha podido olvidar
el mundo. En el mundo él se llamaba Mario, y había
amado a una mujer, Gracia. Cuando Gracia se casó
con un pianista, Mario se convirtió en Fray Lázaro. Un
día Fray Lázaro cree ver a Gracia en la iglesia. No, no
es Gracia: es su hermana María Mercedes. Tenía once,
doce años cuando Gracia abandonó a Mario, y ya entonces estaba románticamente enamorada de él. Ahora
tiene veinte años; y entre María Mercedes y Fray Lázaro
va naciendo un sentimiento de amistad, aun de amor,
que él procura dominar. Gracia y la madre se alarman.
Las páginas en que Fray Lázaro anota sus jornadas se
entrelazan con otras en las que describe a Fray Rufino.
Tantas pruebas de amor y de abnegación da Fray Rufino que las gentes empiezan a venerarlo como a un
santo. Molesta a Fray Rufino que se le atribuya santidad. Cree no merecerla. Duda de si no habrá en el
fondo de sí un sentimiento de vanidad. Además, siente
que lleva "el hermano asno", esto es, un cuerpo capaz
de bajezas y tentaciones. Al final asalta a María Mercedes, en la oscuridad del locutorio, y antes de morir
confiesa que quiso violarla. (¿Fue la lujuria del "hermano asno"? ¿No habrá sido también el deseo de humi-
llarse y, para destruir la fama de santidad que estaba
ganando, hacerse aborrecer? ¿O acaso también un modo
de salvar a su amigo Fray Lázaro y apartarlo de María
Mercedes? ¿O también un equivocarse y seguir el con-
sejo del Diablo, disfrazado de Capuchino? ¿O mera
locura?) Estas dos hebras del relato —y aun otra tercera hebra, la descripción de la vida del convento con

sus diferentes tipos de fraile— forman una trenza bien
hecha que termina en un fuerte nudo: Lázaro cargará
con la culpa de Fray Rufino e, irónicamente, el convento, por conveniencia propia, decide que Fray Rufino
sea venerado a pesar de sus deseos y sacrificios. Como
Fray Lázaro, antes de meterse a fraile, fue hombre
aficionado a las letras —uno de sus libros favoritos era
El niño que enloqueció de amor, del mismo Barrios,
y su manuscrito comienza con unos versos de Amado
Nervo— se explica la belleza de sus páginas: fino impresionismo, rico en metáforas de paisajes interiores y
exteriores. En dos décadas Barrios no produjo gran cosa,
hasta que en *Tamarugal* (1944) continuó su descripción de la vida chilena, en los desolados campos de
nitrato del norte. *Gran señor y rajadiablos* (1948)
cuenta la vida de un rico hacendado chileno ("gran
señor", en el sentido feudal), audaz, alocado, tunante
y simpático ("rajadiablos"). Aunque los episodios
transcurren a fines del siglo pasado y tienen sus ribetes
de historia y aun de política, el mayor logro está en la
psicología del "héroe" Valverde. Tanto hemos usado
a propósito de Barrios el concepto "psicológico" que
conviene advertir que sus novelas, más que psicológicas,
son subjetivas. Lo cierto es que Barrios usa convenciones narrativas no siempre verosímiles y a veces increíbles
desde un punto de vista rigurosamente psicológico. El
subjetivismo de Barrios en la creación de caracteres se
da junto con su impresionismo en la creación de frases.
Su última novela —*Los hombres del hombre*, 1950—
imagina la tortura interior de un marido que duda de
su paternidad. "Se te pone de repente —resume el
conflicto otro de los personajes de la novela— que
Charlie no es tu hijo. ¿Por qué? Porque un amigo
inglés, su padrino, muere sin herederos forzosos y le
deja una millonada."

PEDRO PRADO (Chile; 1886-1952) fue primero poeta en verso, pero la prosa poemática fue su más ancho
y largo cauce. Versos: *Flores de cardo* (1908). En

1949 se publicó una *Antología* ("Las estancias del amor") y *Viejos poemas inéditos*. La poesía de Prado no denuncia esfuerzos de renovación formal. Aunque es uno de los que introducen en Chile el verso libre, prefiere técnicas tradicionales, el soneto. En lenguaje fiel a la gramática común pone en tensión al lector pero no lo lleva a mundos inexplorados. En "Las estancias del amor" el motivo dominante es el amoroso. El poeta ha recogido poesías de diferentes libros con los que, en los últimos años, inició una nueva fase: *Camino de las horas* (1934), *Otoño en las dunas* (1940), *Esta bella ciudad envenenada* (1945), *No más que una rosa* (1946). Prado es un espíritu reflexivo, meditabundo, con preocupaciones —y lecturas— filosóficas. Poetizó una filosofía de la vida en parábolas —*La casa abandonada*, 1912— y aun en poemas en prosa —*Los pájaros errantes*—. El pensamiento adelgazado en tenues símbolos imbuye sus páginas líricas más puras. Sus ideas filosóficas, al aplicarse a la vida social, lo llevaban a una combinación de anarquismo y tolstoianismo: por el camino de la sencillez en la conducta, la confianza en la inteligencia y el culto a la bondad y la belleza se liberaría la humanidad. Su primera novela —*La reina de Rapa Nui*, 1914— es una bella fantasía imaginada en una isla perdida del sur. Siguió *Alsino* (1920), una de las mejores novelas poemáticas de nuestra literatura, en la que se ha querido ver una alegoría libertaria. Alsino es un chilenito que quiere volar. Cae de un árbol al suelo y queda corcovado. La corcova echa alas. Y Alsino vuela, embriagado de aire, de árboles, de pájaros, de libertad, dicha y canciones. Es un cuento de aventuras mágicas, pero que ocurre entre las cosas y los hombres de este mundo. La fantasía y la realidad baten como las dos alas de Alsino: "Una de mis alas —dice Alsino— llévame a la derecha; y la otra, a la izquierda; mi peso a la tierra; y mis ojos hacia todos los ámbitos." La novela traza la trayectoria del vuelo lírico de Prado, que se entrega gozosamente a la naturaleza

pero la traspasa en una ansia de estar en todas partes, de
mirar desde perspectivas extrahumanas y de fundirse en
el aire universal. La imaginación que urdió los hilos
gruesos de la maravillosa historia del jorobadito trabajó
exquisitamente cada punto del tejido: es un estilo precioso, apretado de visiones poéticas originales. *Un juez
rural* (1924) relata desde abajo la vida popular de un
barrio pobre, pero sus estampas no son realistas: el
autor ha bajado al ras del suelo pero sus ojos traen de
las alturas un ideal modo de mirar. Después de *Karez-
I-Roshan* —mistificación literaria que hizo pasar como
de un poeta persa algunos poemas en prosa de Prado—,
publicó *Androvar* (1925), "tragedia en prosa" con una
metafísica de la personalidad: Androvar, su mujer Elie-
nai y su discípulo Godel se funden en una sola conciencia; cuando muere Godel, el discípulo, los otros dos ven
más allá de la muerte.

También en Chile, también en esta literatura narrativa que no se entrega al realismo, cabe recordar a
JENARO PRIETO (1889-1946). En su novela *Un muerto
de mal criterio* (1926) un juez se muere y sigue sen-
tenciando "casos" en un tribunal del otro mundo:
absurdos, grotescos, fantasmagóricos... El rápido desfile
de estas escenas de farsa, aunque humorístico, a veces
echa chispas de buen arte imaginativo. Termina la
pesadilla cuando el juez resucita (o, si se prefiere la ex-
plicación realista, cuando a fuerza de inyecciones, recobra
el sentido) y se pone a escribir la novela de ultratumba
que es, precisamente, ésta que acabamos de leer. Muy
superior fue su novela *El socio* (1928), contada por un
autor omnisciente capaz de mostrarnos acciones simultáneas y de caracterizarnos diferentes personajes. Sin
embargo, Jenaro Prieto se acerca preferentemente a su
protagonista Julián Pardo (repárese en que los nombres
de autor y personaje llevan las mismas iniciales), y,
mediante monólogos interiores indirectos, lo sigue hasta
en sus pensamientos más íntimos. Julián Pardo, antes poeta, ahora agente de propiedades, inventa un

socio —Mr. Davis— para aliviarse de responsabili-
dades. Toda la sociedad chilena acepta su mentira. Y
el ideal Mr. Davis empieza a cobrar vida, cuerpo, independencia, efectividad. Humilla a Pardo, lo amenaza, lo
destruye. Al final Pardo, derrotado, se enloquece, acaba
por creer en su propio ente y se suicida de manera que
Mr. Davis aparezca como su asesino. La policía, en
efecto, busca desde entonces a Mr. Davis. Es posible
que la situación de la novela se la sugiriera Oscar
Wilde, a quien cita (recuérdese cómo Algernon inventa
a Bunbury en *The importance of being Earnest*). El
erudito puede proponer una larga lista de fuentes posibles, porque son innumerables las variantes al tema del
desdoblamiento interior de una obra de arte: la novela
dentro de la novela, el personaje que inventa otro personaje, la situación ficticia que se hace real, el héroe
imaginario que se rebela contra el autor y declara su
autonomía, etc. Cuando se habla de este tema la gente
suele pensar en Pirandello (*Il fu Mattia Pascal*, *Sei
personaggi in cerca d'autore*). Pero lo cierto es que
la literatura en español fue de las primeras en tratarlo
(espléndidamente en el *Quijote*) y no hay por qué
salir de casa: recuérdese, en *Misericordia* de Galdós,
cómo Benina inventa a "Don Romualdo", quien de
pronto se aparece e interviene en la acción, o en *El
amigo Manso*, también de Galdós, o en Augusto Pérez,
de la *Niebla* de Unamuno. Esta hipóstasis del ficticio
Davis es parte de un juego más complicado: Anita y
Julián inventan una novela de adulterio que ellos mismos acabarán por encarnar; Anita inventa una Madame
Duprés como Julián Pardo ha inventado a Mr. Davis,
y la madame y el míster tendrán amores de los que
saldrá un niño; una adivina predice que Anita se ena-
morará de un hombre inexistente, y Anita tiene que
enamorarse de Mr. Davis. No es, pues, una novela
psicológica, con Julián Pardo como "caso", sino más
bien una novela —humorística, y a veces satírica—
sobre el medio simbólico en que vivimos todos los

hombres, sobre nuestra capacidad mitificadora, sobre la imaginación como fábrica de un mundo ideal. Todos creen en el ficticio Davis, y hasta lo ven. Y el mismo lector, en ciertas páginas, al dudar de si Davis existe o no, es convertido también en personaje de la novela. Novela expresionista, pues, que en forma de farsa muestra cómo se objetivan aun las ideas más absurdas. La prosa es rápida, viva, natural, de rara cualidad imaginativa. Las metáforas —modernistas y a veces ultraístas— se encienden constantemente; y con fuerza. Irrespetuosas, originales, con guiños humorísticos, pero con serio propósito: sacar a luz la falaz índole humana. Póstumo fue su libro de recuerdos: *La casa vieja*.

x) *Paraguay*

De prosa modernista, coloreada con preciosos pinceles franceses, fueron los cuentistas LEOPOLDO CENTURIÓN (1893-1922) y ROQUE CAPECE FARAONE (1894-1922), ambos iniciados en el grupo modernista de la revista *Crónica* (1913).

xi) *Uruguay*

ADOLFO AGORIO (1888) coloreó de fantasía y exotismo la prosa narrativa de *La Rishi-Abura* (1920), "viaje al país de las sombras". De las supersticiones indias emana esta bruja de los pantanos.

xii) *Argentina*

RICARDO GÜIRALDES (Argentina; 1886-1927) mostró en 1915, con los versos de *El cencerro de cristal*, sus credenciales de lector de poesía francesa y de poeta atrevido: como lector prefirió a los simbolistas y, sobre todo, a Jules Laforgue; como poeta tanteó mucho, acertó a veces y consiguió anticipos de lo que luego se ha de llamar "creacionismo" y "ultraísmo". Los *Cuen-*

tos de muerte y de sangre, también de 1915, eran en realidad "anécdotas oídas y escritas por cariño a las cosas nuestras". Esos *Cuentos* no estaban bien construidos; tampoco bien escritos. Pero el "cariño a las cosas nuestras", al campo argentino y sus paisanos que allí se indicaba iba a inspirarle obras mejores. *Raucho* (1917), en cuyo protagonista vemos la misma formación de Güiraldes, hastiado de Buenos Aires, hastiado aun de París, con simpatía al campo, y *Rosaura* (1922), historia sentimental sencilla, melancólica de unos amores pueblerinos, fueron ya novelitas interesantes. Especialmente la segunda, donde la unidad constructiva y la unidad emocional son mucho más visibles que en todas sus obras restantes. Muy visible, también, la influencia de Laforgue en el lenguaje poético, metafórico, impresionista, irónico en la expresión de la ternura. Güiraldes apreciaba el poema en prosa (en Baudelaire, Flaubert, Villiers de l'Isle-Adam, Aloysius Bertrand) y con prosa poemática publicó, en 1923, su libro más característico: *Xaimaca*. Característico de su doble y armónica aptitud de lírico y narrador. La novela *Xaimaca* —viaje de Buenos Aires a Jamaica, con una aventura de amor— fue olvidada por el éxito de *Don Segundo Sombra* (1926). En tal éxito entraron factores ajenos a los méritos puramente literarios, como el sentimiento nacionalista del lector, la sorpresa de reconocer, en ropas de gaucho, un lenguaje metafórico de moda en la literatura de posguerra y una concepción de la novela, también de moda en esos años, según la cual el tono poemático es más importante que la acción y la caracterización. La realidad está contemplada a través de un curioso lente estético que aleja y, sin embargo, aumenta las figuras. El resero Don Segundo, por ejemplo, es "un fantasma, una sombra, una idea" que se aparece emergiendo de la tradición. No es el gaucho de la época de Facundo ni de la de Martín Fierro, pero viene de esos transfondos y el narrador, con emoción histórica, admira su aura legendaria: "¡Qué caudillo

de montonera hubiera sido." Aunque lo vemos en su
avatar de resero trabajador y civilizado, no es un hombre contemporáneo, sino "algo que pasa". La novela
tiene, así, la forma de un adiós. Es una Argentina que
se va, y el narrador la despide con ternuras de poeta.
Una tras otra las estampas de la vida campesina van
componiendo un álbum de costumbrismo poético: la
aldea, la pulpería, la salida al campo, la doma, el amor
natural, la carneada, el baile, cuentos folklóricos, riñas
de gallos, escenas de política criolla, feria, reencuen-
tros con viejos amigos en la vida nómada de la llanura
argentina, el arreo y sus duras tareas, el rodeo, duelos
a cuchillo, carreras de caballos por dinero, espantadas
del ganado, etc. Dentro de este cuerpo de evocaciones
—costumbristas pero líricas— hay un esqueleto y una
musculatura novelescas. Es decir, que el costumbrismo
lírico se mueve con pasos de novela. Sólo que la acción
es mínima, sencillísima. En forma de memorias, Fabio
Cáceres nos va contando su vida. Son veintisiete capítulos que podrían dividirse en tres partes, si bien no
todos localizarán de la misma manera las articulaciones
de esa tripartición. Quien guste de simetrías podría
proponer tres partes de nueve capítulos cada una. Primera: un huérfano de catorce años, que ni siquiera conoce quién fue su padre, y hasta entonces ha vagado
como un pícaro por las calles de un pueblecillo de la
provincia de Buenos Aires, de pronto se siente fascinado
por la aparición del gaucho Don Segundo Sombra y
decide prendérsele al chiripá, como un abrojo. Se escapa de la casa y se inicia en "el más macho de los
oficios": arrear animales por las pampas del sur. Termina esta exposición —en la que se insinúa un misterio
de familia— con una interrupción en la secuencia narrativa. Segunda parte: Han pasado cinco años, y el protagonista-narrador nos dice que Don Segundo lo ha
convertido en un gaucho. Desde entonces, los nueve
siguientes capítulos son otros tantos cuadros de costumbres rurales. Esta parte descriptiva —descripción

no sólo de costumbres, sino también de paisajes— culmina en el capítulo XVIII, cuando el protagonista-narrador, al salir de un desmayo, tiene una rara experiencia de anticipación del futuro: oye, o cree oír, lo que en el capítulo XXVI oirá de verdad, o sea, que de peón ha pasado a ser patrón. Tercera parte: Continúan los trabajos de resero con esbozos de aventuras. El protagonista regresa al pueblo y se entera de quién ha sido su padre. Hereda su nombre y sus propiedades, se hace hombre culto, se le despierta la vocación de escritor y termina el libro con la despedida de Don Segundo Sombra. Esta división simétrica, aunque defendible, sugiere una estructura rigurosa que la novela dista de tener. Asimétrica es la división en tres momentos retrospectivos que el mismo protagonista-narrador propone: capítulo primero, donde el muchacho de catorce años, a orillas del arroyo, evoca su infancia; capítulo décimo, donde evoca, a orilla de un río, los cinco años de vida común con Don Segundo Sombra; y capítulo XXVII, donde evoca, a orilla de una laguna, sus tres años como patrón de estancia. Hay otros elementos estructurales en la novela: la aparición y desaparición de Don Segundo Sombra (capítulos II y XXVII), ambos en un crepúsculo y descrita casi con las mismas palabras ("Me pareció haber visto un fantasma, una sombra, algo que pasa y es más una idea que un ser"; "Aquello que se alejaba era más una idea que un hombre"); la experiencia de anticipación del futuro del narrador al salir de su desmayo —encuadrada en otro episodio sobrenatural, el de Don Sixto, el diablo invisible y la muerte de su hijo— y la repetición de la escena nueve capítulos después; el misterio familiar del narrador que abre la novela, y su aclaración final. Pero no exagerar: *Don Segundo Sombra* no es novela de compleja y armónica arquitectura. El orden es más bien el de un coleccionista de escenas y paisajes que quiere completar un álbum de páginas yuxtapuestas linealmente. La acción cambia de paso, se hace lenta, se precipita y aun salta en el tiempo para después completarse con una retrospección (como la separación de los amantes en el capítulo VI, que cierra el relato de la escena amorosa iniciada en el capítulo V), pero no alcanza nunca la fluidez de la vida psíquica del narrador. "Gradualmente mis recuerdos habíanme llevado a los momentos entonces presentes", dice Fabio en su primera retrospección (cap. I). ¡Qué casualidad que los recuerdos se organicen en una marcha tan lógica! Son memorias escritas como un claro y coherente soliloquio que va arreglando los episodios con el objeto de conmover al lector urbano con una estilización del campo. No hay monólogos interiores que revelen directamente la vida profunda del narrador. "Breves palabras caían como cenizas de pensamientos internos", nos dice Fabio; pero o no las oímos o, si las oímos, ya han perdido su fugaz intimidad. Sin embargo, el mayor acierto de la novela está en la unidad del punto de vista. "Encerrado en un personaje que no me permitía volcarme en él sino con mucha prudencia —explicó Güiraldes a Valery Larbaud—, me he visto refrenado en mis deseos de perfeccionar la expresión." Y, en efecto, qué elegante sobriedad en el contenerse para no ceder a la tentación de desplegar sus fuerzas de escritor culto. "No quiero hablar de todo eso —dice el narrador al referirse a su educación y viajes a la metrópoli— en estas líneas de alma sencilla." Evitó disonancias entre el estilo y el tema; y su energía trabajó disimulándose pero haciéndose sutil. Y así como elaboró las comparaciones habituales del gaucho hasta transformarlas en novedosas imágenes, adelgazó también el habla cazurra, maliciosa hasta darle sutileza literaria (como el "he perdido una sortija entre el maíz", de la muchacha, capítulo IV, en que sortija —como en Chaucer— significa virginidad). Pero el cambio de posición social del protagonista —con su educación literaria subsiguiente— resuelve hábilmente el problema que desde las primeras páginas intriga al

lector: ¿qué pasará más adelante —se pregunta éste?—
para que el gauchito que nos está contando sus memorias haya podido adquirir una perspectiva sobre la propia
vida tan literaria, tan sabia en procedimientos metafóricos? Porque la perspectiva con que el protagonista
contempla el campo, sus hombres y sus propias peripecias es siempre idealizadora, poética. A veces se contempla desde el sol: "la primera mirada del sol me
encontró barriendo"; más normalmente, se contempla
desde una luna, alta y remota, iluminada de literatura
cosmopolita. Ya se ha dicho que entre los muchos
refinamientos que Güiraldes pone en el alma de su
protagonista —metáforas, sensaciones raras, sinestesia,
etcétera— no falta esa literatura que ofrecía casos de
metapsíquica, telepatía y paramnesias. Es verdad que
el gauchito Fabián siempre tuvo una organización ner-
viosa delicada (con deleites estéticos, estremecimientos
supersticiosos, propensiones al llanto y fantasías de go-
zador de cuentos, que Don Segundo educó con sus
pláticas de fogón), pero sin el salto de peón a patrón
—y, por lo tanto, sin la distancia entre el tiempo de
las aventuras vividas y el tiempo de las memorias evocadoras— el libro no sería convincente. En su vuelo
evocador el protagonista ve como hazañas lo que, para
Don Segundo, no lo eran: enlazar, domar, arrear son
hazañas para quien, por educación posterior, sabe que
el público culto de las ciudades, con mucha literatura,
las estimará así. Un análisis estilístico probará las
complicadas operaciones inventivas con que se creó
Don Segundo Sombra. Operaciones muy sutiles, muy
líricas, muy cultas; pero una de ellas se propuso obje-
tivar el alma colectiva de la Argentina criolla tradicional, y este logro de diafanidad descriptiva fue lo que
ganó a la novela un favor internacional. Se creyó que
era novela realista, casi novela telúrica... Nada de esto.
Güiraldes, hombre rico, patrón de estancia, educado en
las últimas corrientes de la literatura francesa, no expresó el punto de vista auténtico de los reseros: al hacer

hablar a Fabio Cáceres le puso en la boca símbolos de lejanía ("para aquella gente"), juicios extemporáneos, reflexiones filosóficas ajenas al mundo gaucho y, sobre todo en el capítulo XXVII, desprecios a la riqueza y a la comodidad que falsificaron la realidad social del campo argentino. Pero, a pesar de esta falsificación social, la novela tiene una admirable veracidad estilística. Fabio Cáceres, ya hombre y escritor, revive sus años campesinos y los describe con un lenguaje de refinada dignidad expresiva y, sin embargo, recortado dentro de los límites del campo. La visión es la de un poeta lírico, pero las cosas que ve son las que sólo están allí. Sus metáforas, por originales que sean, no escapan nunca del horizonte de pampa: funden y transmutan cosas familiares a los reseros. Aun los detalles más realistas son doblemente artísticos: porque están seleccionados por su desnudez y porque tienen fuerza evocativa. Güiraldes amalgamó la lengua tal como nace de la boca de los criollos y tal como se atavía en la boca de un criollista educado en los moldes europeos del impresionismo, el expresionismo y el ultraísmo. A pesar de sus diálogos realistas, de su folklore, de sus comparaciones campesinas, de su dialecto rioplatense de peones y dueños de estancia, *Don Segundo Sombra* es novela artística. Cáceres, sin salirse de su pampa, ambiciona un estilo de imágenes brillantes y raras.

Antes de desembocar en el realismo recordemos las narraciones fantásticas de SANTIAGO DABOVE (1889-1951). Amigo de Macedonio Fernández y de Borges, lector de Horacio Quiroga y de Leopoldo Lugones, escribió unos pocos cuentos de horror, neurastenia, locura, alcohol y metamorfosis, con temas seudocientíficos y personajes obsesos por la muerte.

b) *Narradores más objetivos que subjetivos*

Sea que reaccionaran contra el modernismo, que lo ignoraran o que, respetándolo, no lo sintieran como viable para lo que tenían que decir, lo cierto es que hubo una familia de narradores de insobornables almas realistas. Unos observaron la vida en las ciudades, pero en su mayoría trabajaron con materiales regionales y costumbristas. Y los más de ellos se beneficiaron con el interés que el lector tenía en esos temas: el lector solía ilusionarse. El desaliño literario le hacía creer que el autor era sincero; la morosa descripción de costumbres le hacía creer que lo que el autor decía tenía el valor de la realidad; palabras indígenas usadas profusamente le hacían creer que lo indio estaba bien visto. Muchos novelistas, en vez de crear personas, solían proponer nombres y nos decían que quienes llevaban esos nombres estaban conviviendo y moviéndose en un pedazo de nuestra tierra. Agregaban desde fuera un "problema" y cuando llegaban a cierto número de páginas ya estaba la novela. El lector se ilusionaba y creía que esos hombres existían como personas, que esos "problemas" convertían a las novelas en alegatos vigorosos. Al estudiar la novela y el cuento el crítico, acometido por un súbito mareo —son centenares de autores, millares de títulos—, busca un apoyo donde sujetarse y no caer. Uno de esos apoyos podría ser el ordenamiento temático: relatos de la ciudad, del campo, de la selva, de la montaña, de las costas; o del trabajo en la mina, en el obraje, en el trapiche; o del indio, del mestizo, del negro, del criollo, del gringo; o de la historia, la etnografía, la sociología, la política, el antiimperialismo, la psicología, etc. Recordemos que lo que vale en literatura no son los temas, sino el uso que los novelistas hacen de ellos. Por eso en estas páginas quedan separados autores que aparentemente novelaron la misma realidad: *v. gr.*, los argentinos Güiraldes y Lynch o los colombianos Rivera y Uribe Piedrahita; pero aun a los narradores que usaron de la misma técnica realista no podremos agruparlos por temas. Si lo hiciéramos los mismos autores figurarían varias veces con rótulos diferentes, pues solían cambiar de tema.

i) *México*

La Revolución de 1910 en México —una de las pocas revoluciones hispanoamericanas que realmente cambiaron la estructura económica y social— suscitó todo un ciclo novelístico. Ahora bien: cae en la jurisdicción de la novela describir las anécdotas reales, no juzgar los propósitos ideales. Los propósitos de la Revolución eran nobles; sus anécdotas, tremebundas. Y así el ciclo novelístico de la Revolución, por su valiente realismo, pareció antirrevolucionario. Paradoja fácil de resolver: el anhelo de justicia es también anhelo de verdad, y por ser revolucionarios esos escritores denunciaron sin hipocresías las brutalidades de un pueblo en armas. Abrió el ciclo Mariano Azuela, a quien ya estudiamos. Unos narraron las luchas mismas; otros, sus consecuencias. Novelistas de ambas fases de la revolución, en este período, fueron Guzmán, López y Fuentes, Romero, Muñoz, Mancisidor, Icaza (en el período siguiente se les sumarán Urquizo, Campobello, Iduarte, Rojas González, Magdaleno, Ferretis, etc.). A Azuela siguió JOSÉ RUBÉN ROMERO (1890-1952) con *Apuntes de un lugareño* (1932) y *Desbandada* (1934). Por debajo de la comicidad de sus tipos, de las situaciones en que los pone y del lenguaje en que los hace hablar hay en Rubén Romero una subcorriente amarga. En *Anticipación a la muerte* (1939) ese soterrado río de amargura sube más a la superficie que en sus novelas anteriores: *La vida inútil de Pito Pérez* (1938), novela de picardías en que se comentan los resultados de la Revolución, y la maliciosa novela *Mi caballo, mi perro y mi rifle* (1936), tal vez la mejor. Sólo por el tema común de la Revolución Mexicana traeremos a colación aquí a MARTÍN LUIS GUZMÁN (1887), pues por su estilo más artístico debería ir aparte. Ha publicado la biografía de *Mina el mozo, héroe de Navarra* (1932), las imaginarias *Memorias de Pancho Villa*, iniciadas en 1938 y *Muertes históricas*. Para entonces ya era famoso por *El águila y la serpiente* (1928) y *La sombra del caudillo* (1930). *El águila y la serpiente* no es novela sino un racimo de relatos, todos ellos brotados de las experiencias revolucionarias del autor. La prosa es vigorosa, y resiste con vigor las tentaciones, tan peligrosas, de ese tipo de literatura próxima a la crónica política. Vigor estilístico, pues, que es el único que cuenta en una historia de la literatura. El impresionismo, notable sobre todo en su técnica pictórica, no estorba la rapidez de la acción. Guzmán levanta su tema con los músculos de un estilo bien entrenado. *La sombra del caudillo* aventaja a este libro por lo pronto en su mayor ambición literaria, en su organización como obra de arte. Pero, puesto que es una novela, y no un ensamble de crónicas —como *El águila y la serpiente*—, uno exige más. Y a causa de esa exigencia artística —exigencia que suele quedar insatisfecha—, por momentos el gusto del lector vacila y no sabe cuál de los dos libros mide mejor el real talento del autor. Comienza *La sombra del caudillo* con frases artísticas, ricas en cromatismos impresionistas. Pero el torbellino de la acción arrebata la prosa y acaba por hundirla en una crónica de infamias, traiciones, ignominias, crímenes, abusos, vicios que transcurren en la época de las intrigas políticas de Obregón y Calles, a fines de 1927, en la ciudad de México y sus alrededores. La Revolución Mexicana aparece aquí en plena farsa electoral. No hay una sola figura noble: ni siquiera Axkaná convence, pues si bien con más escrúpulos, también está complicado en las turbias intrigas de los demás. Y da horror la fría precisión con que Guzmán describe el pistolerismo de la política mexicana. No ha creado ningún carácter memorable porque su interés fue más bien sociológico. La novela no tiene unidad. Los primeros capítulos insinúan una situación (Rosario-Aguirre) que luego no tiene desenvolvimiento ni importancia. Tampoco tiene unidad estilística: preciosismo impresionista en los primeros capítulos, prosa objetiva después. Lo más interesante, con tono de novela, está en la intriga, la conspiración, la violencia, etc., al final. Buena novela, con todo.

Poco a poco la novela de la Revolución perdió parte de su violencia y atendió más los problemas sociales. A veces se iluminaba la condición de los indios o los altibajos de la política o los colazos revolucionarios en la vida provinciana. Y hasta el alzamiento de los católicos contra la Revolución, como en *La Virgen de los Cristeros* (1934) de FERNANDO ROBLES (1897). JORGE FERRETIS (1902), de *Tierra Caliente* (1935) a *El coronel que asesinó un palomo y otros cuentos* (1952), fue un observador agudo del conflicto entre los ideales civilizadores y la degradación cívica en nuestros países; no se queda en la mera descripción de la vida rural, sino que plantea problemas sociales, con propósitos de reforma. Una de las buenas novelas de este período es *Se llevaron el cañón para Bachimba*, de RAFAEL F. MUÑOZ (1899), que cuenta en episodios sueltos pero sucesivos el aprendizaje revolucionario de un chico de trece años, en las filas de los "colorados" que luchaban contra el gobierno de Madero en 1912. Recuerda algo a *Don Segundo Sombra* no sólo por la devoción del muchacho hacia Marcos Ruiz, el general orozquista, sino también por la idealización del paisaje y de las proezas y por la riqueza de imágenes. Pero, claro, la novela de Muñoz tiene una violencia ajena a la de Güiraldes. Aquí se cuenta la guerra civil en medio de la revolución. El personaje Marcos Ruiz sería más auténtico si Muñoz no hubiera puesto en su boca (sobre todo al final) discursos morales, políticos, revolucionarios. La acción novelesca es rápida, como la guerra, aunque el autor no renuncia nunca a la demorada descripción de cosas, escenas, campos y aldeas. Y lo cierto es que en la descripción está lo mejor de esta prosa, notable por la precisión y energía de sus imágenes. No son adornos, sino impresiones de todos los sentidos, vividas por el autor y eficazmente usadas a lo largo del relato. De modo que junto con la acción militar se nos da siempre la visión imaginativa del protagonista-narrador. El equilibrio entre la acción novelesca y la contemplación poética está bien realizado. José Mancisidor (1895-1956) sacrificó a su política marxista el arte de sus mejores obras. *La asonada* (1931) interpreta la Revolución desde el punto de vista comunista: sus denuncias del imperialismo, el militarismo y el fanatismo religioso responden a un propósito de propaganda política. Su novela *Frontera junto al mar* (1953) desemboca en la lucha del pueblo de Veracruz contra la invasión norteamericana. Los personajes, con toda intención del autor, están apenas individualizados. Después publicó *El alba en las simas* y *Me lo dijo María Kainlová* (1956). Gregorio López y Fuentes (1897) ha escrito varias novelas sobre la realidad mexicana; esta realidad —política, antropológica, folklórica, social— suele ser más interesante que las novelas mismas. A veces sus novelas estudian psicológicamente a los personajes: *¡Mi general!*, *Huasteca*, *Acomodaticio*, *Entresuelo*. Pero es más visible su preferencia por el estudio social: *Campamento*, *Tierra*, *El indio*, *Arrieros* y, últimamente, *Milpa, potrero y monte* (1951), donde denuncia los sufrimientos del labrador, el criador de ganados y el cazador de venados en las personas de tres hermanos. *El indio* (1935) son escenas sueltas —hilvanadas con un tenue hilo argumental, que es la historia del lisiado— sobre la vida de una tribu indígena de México, en los años de la revolución. Etnografía (supersticiones, costumbres), sociología (formas de la sociabilidad, del trabajo, de la propiedad, de la lucha de clases) y sobre todo política (la explotación de los indios, sus reivindicaciones y el juego de los intereses). Actitud tan abstracta que quita relieve individual a los personajes: ni siquiera tienen nombre propio (el cazador, el viejo, el maestro, la muchacha, etc.). Pero tampoco es la abstracción que realizaría un hombre de ciencia, puesto que todo está construido con la forma de un alegato político en que se protesta —con reflexiones amargas o con el mero modo de armar los episodios— contra la injusticia. La sustancia revolucionaria, social, de esta clase de novelas alimentó también el cuento y el teatro. A su hora nos referiremos al teatro de Magdaleno y Bustillo Oro. Señalemos, mientras tanto, que entre los cuentistas de asunto social el más destacado fue FRANCISCO ROJAS GONZÁLEZ (1905-1951). También escribió novelas: *La negra Angustias*, *Lola Casanova*. Pero sus colecciones de cuentos —la última, póstuma, fue *El diosero*, 1952— se prestaron mejor a su talento, más apto para observar que para construir. Comenzó escribiéndolos de ambiente citadino, pero sus mejores son los de la vida campesina. Pesa sobre ellos mucho material etnográfico no artísticamente asimilado.

La Revolución dio tal sacudida a la vida intelectual que muchos de los que hubieran preferido seguir en las azoteas, oteando a lo lejos las modas europeas, tuvieron que bajar rápidamente, pisar firme en la tierra, viajar por todo el territorio, enterarse de lo que estaba pasando, comprender al pueblo, sus costumbres, su folklore... Pero entre esos intelectuales que redescubrían México los había con almas de historiadores. Al margen, pues, de la literatura revolucionaria e indigenista hubo hacia 1917 quienes volvieron los ojos a la Colonia. Se les llama "los colonialistas": Genaro Estrada, Francisco Monterde, Artemio de Valle-Arizpe, Julio Jiménez Rueda, Ermilio Abreu Gómez. El satírico del grupo fue GENARO ESTRADA (1887-1937), autor de cuatro libros de versos, muy mexicanos en su pulida transparencia —si bien el cristal tiene colores de Góngora y García Lorca—, publicados de 1928 a 1934, y de una novela —*Pero Galín*, 1926—, donosa, inteligente en su enfrentamiento de anticuarismos y modernidades. Estrada, coleccionista, bibliógrafo, colonialista, parece haberse caricaturizado en su personaje, maniático de lo arcaico, olvidado de lo presente, que de pronto se casa con una joven archimoderna, irrumpe en el mundo del cine y se cura de su anacronismo. Lo novelesco es mínimo: la prosa ensayística, aguda y de buen humor, es lo más divertido. ARTEMIO DE VALLE-ARIZPE (1888) no se desvió nunca de su rumbo: pintar bellos cuadros artísticos con el polvo de los archivos, los museos y las bibliotecas de la época colonial. De sus muchos libros acaso el más vital sea su novela *El Canillitas* (1942). FRANCISCO MONTERDE (1894) es poeta, dramaturgo, novelista. El estudioso que lleva dentro lo empuja hacia la crítica, y aun su literatura personal se tuerce hacia la historia. Su teatro, importante, ha representado temas políticos, sociales, psicológicos, de ambiente rural y de finas intuiciones líricas. Como novelista comenzó con temas revolucionarios; después escribió novelas virreinales (*El madrigal de Cetina* y *El secreto de la "Escala"*). Es uno de los mejores cultores de la novela histórica en esta generación: *Moctezuma el de la silla de oro, Moctezuma II, señor del Anáhuac*; las narraciones de *El temor de Hernán Cortés* acusan estudio serio, voluntad de revisión crítica del pasado y fresca imaginación. ERMILO ABREU GÓMEZ (1894) se inició en el teatro con temas del México colonial: *Viva el rey* (1921), *Humanidades* (1924), *Romances de reyes* (1926). Después sin abandonar el teatro— *Un juego de escarnio*, 1943; *Un loro y tres golondrinas* 1945— extendió a otros temas y géneros su prosa alerta y movediza. Relatos poemáticos de la vida de héroes mayas: *Canek* (1940). Cuentos para niños: *Juan Pirulero* (1939) y *Tres nuevos cuentos de Juan Pirulero* (1944). De más aliento son *Quetzalcóatl, sueño y vigilia* (1947), relatos de la vida del dios indígena. Una de sus mejores obras es *Naufragio de indios* (1951), novela de un pueblito mexicano que protesta contra la invasión francesa. Los emisarios de Maximiliano llegan para reclutar tropas. Ricos que ceden, pobres que resisten, jóvenes que conspiran, mujeres que rezan. El relato avanza en sabrosa lengua. Los episodios se recortan como acuarelas de incisivas líneas y matizados volúmenes de color. El título de la primera página alude a la tragedia de la última página: el barco francés se hunde con su cargamento de prisioneros indios. En *Tata Lobo* (1952) ha creado, con estilo gracioso de sabor arcaico y popular, si no uno de aquellos antihéroes de la literatura picaresca, en todo caso un pícaro-héroe perdido en el caos de la vida mexicana; se arrastra de aventura en aventura pero a veces da saltos que parecen vuelos. En forma de carta-novela ha iniciado, en *La del alba sería...* (1954), sus memorias. En *La conjura de Xinum* (1958) novela la violencia de los levantamientos indígenas en la península de Yucatán.

ii) *Centroamérica*

Guatemala. CARLOS SAMAYOA CHINCHILLA (1898), autor de *Madre Milpa* y *Cuatro suertes. Cuentos y leyendas* (1936) penetra en la realidad guatemalteca por varias sendas: la leyenda maya, el folklore todavía vivo, la historia nacional, la observación directa de las costumbres, sus propias experiencias. Por cualquiera de esas sendas Samayoa Chinchilla anda con paso digno y culto, sin concesiones a la vulgaridad. No es, sin embargo, original: su literatura, no en la materia elaborada, sino en el estilo, es la que se cultiva en muchos otros países.

Honduras. CARLOS IZAGUIRRE (1894-1956) aprovechó su novela *Bajo el chubasco* para comunicar su pensamiento político.

El Salvador. ALBERTO RIVAS BONILLA (1891) escribe narraciones costumbristas, de ambiente rural: *Andanzas y malandanzas, Me monto en un potro.*

Nicaragua. HERNÁN ROBLETO (1895) nos dio en *Sangre en el trópico. La novela de la intervención yanqui en Nicaragua* (1930) la crónica de la guerra civil entre liberales y conservadores, en 1926. Sandino está ausente de estas páginas. Los Estados Unidos aparecen como fuerza invasora, del lado de los conservadores. Robleto, que participó en esa guerra del lado liberal, no disimula su parcialidad. Hace propaganda, no contra el pueblo de los Estados Unidos, sino contra la influencia que Wall Street ejerce sobre la política exterior del Departamento de Estado. Los Estados Unidos aparecen como un gigante que se interpone entre dos enanos en riña (liberales y conservadores) para proteger a uno de ellos. Robleto parece admirar a los norteamericanos, y hasta querer ganarse su voluntad. La novela se cierra con un episodio sentimental: el sargento Clifford Williams, que había violado a una criollita, al terminar la guerra la busca y se casa con ella. Con marco político, esta crónica —pues es crónica novelesca, más que novela— documenta los sufrimientos de los hombres, la violencia de la lucha y —lo más impresionante— la acción devastadora de la naturaleza con sus enfermedades sociales. Prosa sin imaginación: comunicativa, objetiva, descriptiva. En *Los estranguladores, El imperialismo yanqui en Nicaragua* (1933) acentuó más su postura.

Costa Rica. Quien se distinguió más por la observación directa de la realidad local y por el aprovechamiento del folklore fue María Isabel Carvajal, que firmaba sus libros con el nombre de CARMEN LYRA (1888-1949). Fue maestra de escuela y militante en movimientos políticos en favor de las clases populares. Con amor a los niños y al pueblo escribió sus libros: *Las fantasías de Juan Silvestre* y *En una silla de ruedas,* ambos de 1918, y *Los cuentos de mi Tía Panchita,* de 1920. Este último es el libro que más fama le ha dado. Es una colección de cuentos tradicionales, tomados de fuentes escritas y orales y vertidos en la lengua popular costarricense. Merecen recordarse también GONZALO SÁNCHEZ BONILLA (1884), ANÍBAL RENI (1897), GONZALO CHACÓN TREJOS (1896). Y aparte, por la estilización artística de la realidad costarricense, LUIS DOBLES SEGREDA (1891-1956), autor de *Por el amor de Dios, Rosa mística* y *Caña brava.*

Panamá. Se cultivó primero el cuento y sólo después del año 1930 surgirá un grupo de novelistas. En el lado realista figuran JOSÉ MARÍA NÚÑEZ (1894), con sus *Cuentos criollos,* y JOSÉ E. HUERTA (1899), con los relatos costumbristas de *Alma campesina.* Menos significativo: MANUEL DE JESÚS QUIJANO (1884-1950).

iii) *Antillas*

Cuba. La preocupación política, el espíritu de documentación social, la voluntad de reforma y de protesta inspiró toda una novelística. LUIS FELIPE RODRÍGUEZ (1888-1947) metió en sus cuentos y novelas las raíces de la vida campesina con su encanto pero, sobre todo, con sus sufrimientos e injusticias: más que en la novela —*Cómo opinaba Damián Paredes,* 1916, *Ciénaga,* 1937— acertó en los cuentos de *La pascua de la tierra natal,* 1923, y *Marcos Antilla,* 1932, su mejor libro. Tampoco es creador de caracteres, sino recortador de secciones de vida colectiva. Su defensa de los campesinos, sus ataques al latifundismo o a la expoliación imperialista, sus desenlaces cruentos, su gusto por el documento, sus tesis, dan a sus páginas una agitación más propia del ensayista que del artista. Tuvo influencia sobre los más jóvenes. FEDERICO DE IBARZÁBAL (1894-1953), poeta de los temas del puerto, en sus narraciones también prefirió temas del mar. Un mar literario, pero evocado con sobria eficacia y con sentido de la aventura y el exotismo. Otros realistas: JOSÉ ANTONIO RAMOS (1885-1946), precupado por la realidad cubana: *Coaybay, Caniquí;* CARLOS FERNÁNDEZ CABRERA (1889), MIGUEL DE MARCOS (1894).

Santo Domingo. Notable por sus evocaciones históricas es MAX HENRÍQUEZ UREÑA (1885), autor de una sobria serie de *Episodios dominicanos* (1951). Es también ensayista y poeta: ha recogido sus versos en *Garra de luz* (1958). MIGUEL ÁNGEL JIMÉNEZ (1885), novelista en *La hija de una cualquiera* (1927). Só-

CRATES NOLASCO (1884) cultivó el cuento criollo, de raíz folklórica, de costumbres rurales: *Cuentos del sur* (1939)y su edición de *Cuentos cimarrones* (1958), recogidos directamente de la tradición oral. FRANCISCO MOSCOSO PUELLO (1885) documentó en *Cañas y bueyes* (1936) el duro trabajo en los cañaverales de azúcar. Más que novela es una sucesión de cuadros objetivos que siguen paso a paso el proceso industrial, desde la tala de bosques, para allanar los campos, hasta las fases más injustas de la explotación. RAMÓN EMILIO JIMÉNEZ (1886), poeta y narrador, de jovial acento. JOSÉ MARÍA PICHARDO, "Nino" (1888) cultivó el cuento nacional (*Pan de Flor*) y la novela (*Tierra adentro*, 1917). ENRIQUE AGUIAR (1890) cultivó la novela histórica indianista (*Don Cristóbal*, 1939) y también la de paisajes nacionales (*Eusebio Sapote*, 1938) MIGUEL ÁNGEL MONCLUS (1893), narrador de *Cosas criollas* (1929), *Escenas criollas* (1941) y novelista en *Cachón* (1958).

iv) Venezuela

Las novelas de JOSÉ RAFAEL POCATERRA (1889-1955) fueron declaraciones de guerra al modernismo. Era consciente de su fuerza: novelar —decía— "gentes observadas en la calle, en las esquinas, en la iglesia, en el vivir íntimo, desde la acera de enfrente". Fue también consciente de su debilidad: admitió sus "defectos de forma y composición". ¿Fue consciente de que, por proponerse no "retratar personas, sino fijar tipos", sus novelas le fallaban? *El doctor Bebé* (1917), por ejemplo, presenta una familia burguesa elevada por el caudillo Bebé y por él arrastrada en una caída en el deshonor y la miseria. Pero lo que vemos son tipos: Bebé, el caudillo político, sensual, inescrupuloso, abusador; el cobarde, intrigante y servil Pepito; las pobres mujeres ambiciosas pero temerosas del escándalo, enamoradas pero vencidas (Josefina, con su hija natural,

es la que más conmueve). A esta sociedad corrompida
la oímos también en lenguas típicas, no con voces personales. La prosa es dura y opaca: sólo en los momentos
de ironía cruenta adquiere vigor expresivo, y entonces
es cuando más choca. Naturalista, Pocaterra muestra
lo animal, instintivo y sórdido de la vida. En su ira-
cundo y agresivo criollismo las novelas —*Vidas oscuras*,
Tierra del sol amada— no se dejan leer tan bien como
sus *Cuentos grotescos* (1922). Otros: José Antonio Ramos Sucre (1890-1930), Enrique Bernardo
Núñez.

v) *Colombia*

Al volverse hacia la tierra —en parte por el ejemplo de *La vorágine* de Rivera— muchos narradores se
convirtieron en espejos que reflejaban los escenarios y
las costumbres locales. Cuando intervenían en la realidad era para denunciar los males sociales y reivindicar
a las masas humildes. El optimismo de su voluntad de
mejorar las cosas se revestía con preferencias aparentemente pesimistas por las miserias, dolores y pestilencias.
El sociologismo de este tipo de novela enfocaba en
sórdidos grupos humanos y en tipos triviales. El deseo
de propaganda elegía como público a las mayorías, y la
exaltación de lo mediocre llevaba a una lengua sin relieves. Sólo cabe aquí citar las novelas más erguidas.
Eduardo Arias Suárez (1897) ha dividido *Envejecer
y cuentos de selección* en dos porciones: "sentimiento" y "humorismo". Su humorismo recuerda el de los
cuadros de costumbres, algo sarcástico y hasta con intenciones críticas. Entre los cuentos agrupados en la
categoría de "sentimiento" ha puesto el autor su novelita "Envejecer". También aquí hay humorismo, en la
reflexión sobre cada detalle de la vida. Arias Suárez
observa y después comenta sus observaciones con inteligencia, imaginación y gracia. César Uribe Piedrahita
(1897-1951) nos dio con *Toá* (1933), más que novela,

una crónica de la vida de los caucheros en la cuenca amazónica de Colombia. Ningún personaje cobra relieves suficientes, ni siquiera el protagonista Antonio. Y la doble acción —las luchas entre los caucheros colombianos y los intrusos de Perú más los amores entre Antonio y Toá— tampoco es suficiente. Lo que debía ser fondo —la selva, sus enfermedades, sus bestias, sus indios— pasa al primer plano. El libro adquiere valor como documento para las ciencias naturales, la etnografía y un poco, muy poco, la sociología; pero el valor novelesco es mínimo. La intención, parece, fue novelar, no las crueldades de la naturaleza, sino las crueldades de los hombres, que vejan la naturaleza misma: "el hombre blanco, lascivo y codicioso, violaba bestialmente la Naturaleza y pensaba dominarla así". Pero sólo se queda en intención. El interés de *Toá* deriva de la realidad natural, social, etnográfica que describe, no del arte de novelar. La prosa es sencilla, comunicativa, realista, a veces de crónica o informe científico. Su otra novela, *Mancha de aceite* (1935), se encara con los intereses del imperialismo en la industria del petróleo.

vi) *Ecuador*

BENJAMÍN CARRIÓN (1898) publicó en 1926 una novela sobre el fracaso de un intelectual, *El desencanto de Miguel García*, pero después se orientó definitivamente hacia el ensayo y la crítica.

vii) *Perú*

Ya nos hemos referido a Abraham Valdelomar. AUGUSTO AGUIRRE MORALES (1890) reconstruyó, con experiencias arqueológicas, la vida de los Incas (*El pueblo del sol*).

viii) *Bolivia*

Antonio Díaz Villamil (1897-1948) amasó el barro popular en cuentos, leyendas folklóricas, teatro y novela. En *La niña de sus ojos* (1948) noveló una situación social, en La Paz: la señorita, de origen cholo, que al medrar en su posición provoca prejuicios de raza y resentimientos de clase. Alfredo Guillén Pinto (1895-1950) escribió novelas naturalistas en defensa del indio y del proletariado de campos y minas: *Lágrimas indias* (1920); *Utama* (1945); *Mina* (1953). También indigenistas, pero más convencionales, son las narraciones de Saturnino Rodrigo (1894). De intención pedagógica es la novela *El sentido vital* o *La vida de Jorge Esteban* (1931) de Rigoberto Villarroel Claure (1890). Gustavo A. Navarro (1898), que firmó "Tristán Marof", gozó de un fugaz éxito —en parte por su personalidad de luchador político— con *Suetonio Pimienta. Memorias de un diplomático de la República de Zanahoria* (1924). La ironía, el sarcasmo, el cinismo corren en grifo abierto, demasiado fáciles y superficiales. Como las burlas se deslizan sobre cosas corrientes (el tema: cinco años en la vida de hispanoamericanos en París) la novela aburre. Marof tiene humor, pero no ingenio. Hay intenciones de crítica social y de reforma política, pero sin originalidad ni agudeza. Las frases son cortas, rápidas, pero desgraciadamente, por quedarse en cronista de lo que ha visto o vivido, Marof no ha desplegado facultades de invención. Los signos de renovación se muestran en el pensamiento político, no en el quehacer literario: denuncias de la vanidad, prostitución, mentiras, fiestas, hipocresías diplomáticas, el rastacuerismo, etc.

ix) *Chile*

Los narradores "más subjetivos que objetivos" —conforme los hemos llamado— a veces eran bastante realistas, como Barrios en *Un perdido*. Y los que ahora calificamos de "más objetivos" muestran a veces mucho interés en lo psicológico, como Edwards Bello y Maluenda. Tampoco las categorías geográficas de "campo" y "ciudad" o las categorías económico-políticas de "clases bajas" y "clases altas" resuelven la dificultad de una clasificación, pues hay narradores que pertenecen a todas las categorías. Uno tendría la tentación de agruparlos según que se especialicen en la descripción del paisaje (criollistas como Latorre), en las peculiaridades psicológicas (como Manuel Rojas) o en las circunstancias sociales, con todas sus implicaciones económicas y políticas. Lo malo es que estos anillos, por demasiado abstractos, no ajustan a ningún dedo. El único ordenamiento crítico defendible es el que señale el mérito artístico de cada quien, y esto lo intentaremos en los comentarios individuales. Hagamos, pues, lo que se pueda.

Los regionalistas salían al aire libre y allí veían al hombre menos libre que en ningún otro sitio: el hombre se les aparecía determinado, moldeado o vencido por la naturaleza. Esto no vale exactamente para RAFAEL MALUENDA (1885), que tiene ojos para las almas, y hasta lentes de aumento para las averías psicológicas. Va y viene del cuento a la novela (acierta cuando, a mitad de camino, escribe cuentos largos o novelas cortas) y siempre observa a sus personajes bien por adentro. Ha creado una rica galería de caracteres. Abundan allí los excéntricos, los raros, los complicados. Es notable sobre todo en el dibujo de figuras femeninas (*La señorita Ana, Confesiones de una profesora*). Comenzó con *Escenas de la vida campesina* (1909), pero noveló asimismo escenas de la vida urbana (*Colmena urbana*, 1937?). También es variada la escala social donde sitúa sus narraciones: desde las clases humildes hasta las pudientes. Buen espécimen de su ironía, de su agudeza y de su arte es el cuento "La Pachacha", cuyos personajes son gallinas. Sus obras teatrales no desmerecen

su talento narrativo. Otro gran narrador es FERNANDO
SANTIVÁN (1886). Santibáñez es su nombre real. Acom-
pañó a D'Halmar, Prado y Magallanes Moure en la
fundación de una colonia tolstoiana (véanse sus *Memorias de un tolstoyano*, 1955; y también las *Confesiones de Enrique Samaniego*, 1933, que, a vueltas entre
la novela y la autobiografía, iluminan de paso la historia literaria). Santiván no inventa cosas extraordinarias ni elige de la vida campestre casos extraordinarios;
toma un "pedazo de vida" y su esfuerzo literario consiste en conservarle sus palpitaciones. *Palpitaciones de
vida* (1909) se llama precisamente una de sus primeras
colecciones de cuentos (una de las últimas: *El bosque
emprende su marcha*, 1946). Como novelista hizo incursiones a la ciudad, a la clase media, a los círculos
de artistas y escritores; pero se distinguió más en ia
interpretación de la vida rural, con *La hechizada*
(1916). Es novela de ambiente campestre. Un joven de
ciudad visita el campo, se enamora de una muchacha,
pelea con su rival y lo vence (en hazaña campera, no
en duelo). Pero al final descubre que ella está "hechizada": ama, a pesar de todo, al mal hombre. Romántica la concepción del héroe Baltasar y su contraste con
el villano Saúl; romántico el "caso" de la muchacha
Humilde... Y hasta las descripciones del paisaje serían
románticas si no fuera que ciertas metáforas decorativas
nos recuerdan que Santiván, al escribir *La hechizada*, ha
dejado atrás, no el romanticismo, sino el modernismo.
Sin embargo, a pesar de ese romanticismo y modernismo, *La hechizada* puede considerarse como de un mitigado realismo. Las novelas y cuentos chilenos que, con
modalidad realista, describieron la vida del campo, fueron los más abundantes. Eran realistas, pero conser-
vaban algo de las maneras descriptivas del modernismo.
Por admirar excesivamente el paisaje, la fauna y la flora
de cada región estos narradores solían olvidarse de sus
personajes y de sus conflictos. Formaron una escuela,
regionalista, criollista. El jefe de esa escuela fue MA-

RIANO LATORRE (1886-1955). Observa, enumera, documenta; pocas veces hace nacer en su literatura caracteres que tengan vitalidad de verdaderos hombres. Aunque ha escrito buenas novelas, como *Zurzulita* (1920), sombría, trágica historia de amor que pinta al huaso de las cordilleras de la costa, sus colecciones de cuentos son más estimables: *Ully* (1923), *On Panta* (1936), *Hombres y zorros* (1937), *Mapu* (1942), *Viento de mallines* (1944) y otros más. Su larga serie de volúmenes es como si quisiera, infatigablemente, agotar la descripción del suelo de Chile, palmo a palmo: el paisaje de Chiloé aparece en su último libro, *La isla de los pájaros*. En la escuela criollista de la que Latorre fue maestro encontramos a LUIS DURAND (1895-1954). Sus personajes son campesinos. Los rodea de paisaje. Cuando los oye hablar reproduce sus rústicas voces al natural. Fue cuentista algo descuidado en el arte de componer, pero prolífico: véanse sus antológicos *Sietecuentos* (1955). También tuvo éxito como novelista: *Frontera* (1949). No es fácil de situar ERNESTO MONTENEGRO (1885). Elaboró el folklore de su tierra sin retocar con literatura lo recogido de la tradición: *Mi tío Ventura. Cuentos populares de Chile* (segunda edición, aumentada, de 1938). A diferencia de criollistas, costumbristas, regionalistas hubo quienes, sin renunciar al realismo, trajeron a la novela una mayor complejidad: la complejidad de las grandes ciudades, de las agitaciones políticas, de la vida espiritual, de los temas poco comunes, de las nuevas técnicas en el arte de contar, de la ironía y la imaginación. Las dos figuras sobresalientes son, al principio de este período, Edwards Bello, y, al final, Manuel Rojas. JOAQUÍN EDWARDS BELLO (1886) es novelista psicólogo, si bien no tan artista como Barrios. Está siempre atento a tipos humanos anormales, desequilibrados por impulsivos o por abúlicos, exaltados por la acción o por el delirio. La observación de la conducta social de sus personajes, sin embargo, combina las perspectivas de la psicología y la sociología. Después de algunos tanteos obtuvo su primer éxito con *El roto* (1920), "novela experimental" sobre los lupanares y el hampa de Santiago de Chile. Más tarde Edwards Bello noveló sus experiencias de viajero: *El chileno en Madrid* (1928) y *Criollos en París* (1933). En las novelas de ambiente chileno el ataque a los vicios nacionales es despiadado. Hay, en el fondo, amor al país, y al pueblo, pero en la superficie lo que se ve es su ánimo descontento y reformador. Sea que evoque recuerdos de su propia vida (*En el viejo Almendral: Valparaíso, ciudad del viento*, 1931), sea que muestre la vida de falso lujo a través de una mujer (*La chica del Crillon*, 1935), Edwards Bello asombra por la facilidad de sus procedimientos narrativos. Así y todo no fue gran novelista. Los descuidos que cometía al escribir aprisa dejaban turbios a sus personajes y desarmadas las piezas del relato, sin contar lo que caía fuera del centro artístico de la novela misma: tesis sociales, cuadros de costumbres, materiales periodísticos. Hemos dejado para el final a Manuel Rojas (1896) porque en todo es singular. Nació en Argentina y fue a Chile cuando era ya adolescente. En esa época dominaba el costumbrismo de Santibáñez y su generación. Ahora bien: aunque de padres chilenos, a Rojas no se le consideró chileno. Sus experiencias no eran puramente chilenas. Quedó, pues, fuera del círculo de escritores costumbristas. Él hablaba de cosas argentinas, mezcladas con cosas chilenas. Rojas no se preocupó por su atipicidad. No tenía interés en hacerse costumbrista. Al contrario. La misión del cuento o de la novela no debía ser, para él, aplastar con el paisaje a hombres insignificantes. Lo que él quería era mostrar lo que el hombre siente, piensa y es. Y para describirlo no recurría al naturalismo lingüístico. Claro que sus personajes hablaban con naturalidad, pero él no se empeñaba en poner en sus bocas palabras tomadas de los rincones de la sociedad. Aspiraba a ser leído fuera de la región que describía. Su materia narrativa eran los hombres en lo que son y las situaciones en que están. La naturaleza entra solamente cuando está en relación con sus personajes. La descripción de la naturaleza debe ser narrativamente necesaria, no decoración, lujo o virtuosismo. Pero a los hombres los ve en grupos en marcha. No busca la creación de un gran carácter. Casi no han influido sobre él escritores hispanoamericanos (Horacio Quiroga es el que admiró más). En cambio, influyen sobre Rojas algunos norteamericanos: Hemingway y, sobre todo, Faulkner. Aprendió en Faulkner a evitar la pesadez de los recursos novelísticos del siglo XIX, en que toda acción queda explícitamente descrita: Rojas prefiere, con monólogos interiores y saltos en los planos temporales del relato, hacer patente la acción sin que sea necesario explicarla al lector. Hábil narrador en todos los escenarios —mar, campo, ciudad—, ha creado todo un pueblo de personajes en sus innumerables cuentos, coleccionados en varios libros que van de *Hombres del sur* (1927) a *El bonete maulino* (1943), y en varias novelas, desde *Lanchas en la bahía* (1932) hasta *Hijo de ladrón* (1951), considerada esta última —en tono de memorias— como una de las mejores de toda América. *Hijo de ladrón* es la primera novela de una trilogía. La tercera —*Mejor que el vino*, 1958— cuenta en tercera persona (¿por pudor?) los lances de amor del protagonista; la segunda será sobre su formación intelectual y política (Rojas se hizo anarquista junto con González Vera). *Hijo de ladrón* cuenta —en primera persona— la vida de un muchacho, desde sus primeros recuerdos hasta los diecisiete años: su pobreza, su orfandad, sus sufrimientos, su viaje a Chile, su hambre, su participación en un motín popular, su encarcelamiento injusto, sus rudos trabajos, sus amistades. Toda la materia contada es real (aun con escenas de inmundicia), pero el modo de contar no es el típico del realismo. La simpatía por las vidas raras lo lleva a pintar, con tintas muy imaginativas, toda una galería de excentricidades.

El gusto por personajes raros —en situaciones raras— hace que el narrador se desvíe de la línea de sus memorias. Pero, además, toda la novela está dislocada por dentro. No hay secuencia narrativa. El narrador sigue el flujo de sus evocaciones. La acción se adelanta o se atrasa, caprichosamente. Esta ruptura del orden de los acontecimientos acrecienta el interés del lector, sobre todo si para el lector el procedimiento es novedoso. Si, en cambio, el lector ya conoce el uso de ese dislocamiento de planos en los maestros James Joyce, Aldous Huxley, William Faulkner y otros, es posible que observe la gran diferencia: en Rojas la técnica de asomarse a una vida desde diferentes alturas del tiempo no forma parte de una visión poética y original del mundo, sino que es un recurso fácil para componer una novela en la postura más cómoda y descansada. Los monólogos interiores, el estilo indirecto libre, el flujo de la conciencia no alcanzan, en Rojas, a penetrar profundamente en la intimidad de su personaje. Entre los escritores más complejos que los criollistas —acabamos de nombrar a Edwards Bello y Rojas— se distingue una tendencia de realismo sociológico. Venía de Baldomero Lillo, en estos años la encabeza Edwards Bello, la veremos inmediatamente continuar en González Vera y, en los próximos capítulos, seguirá con Godoy, Guzmán y otros. José Santos González Vera (1897) es de obra escasa, sobria, delicada, con virtudes de escritor para minorías, a pesar de que sus temas se hunden en las masas humildes y desposeídas. Vidas mínimas (1923) trae un relato sobre un conventillo; Alhué (1928) son sencillos relatos de aldea campesina; Cuando era muchacho (1951) es la autobiografía de su pobreza. Alberto Romero (1896) observó, con tenacidad naturalista, una realidad parecida a la de El roto de Edwards Bello: esto es, los bajos fondos de Santiago (La viuda del conventillo, 1930). En otras novelas su tema preferido fue la vida de la clase media. Otros, agitados por las conmociones sociales y políticas: Juan

Modesto Castro (1896-1943), autor de *Aguas estancadas*, y Waldo Urzúa Álvarez (1891-1944), autor de *Un hombre y un río*. De los narradores chilenos que por su edad caben aquí baste mencionar a Edgardo Garrido Merino (1888), cuya novela *El hombre de la montaña* lo incorporó a la literatura española; Victoriano Lillo (1889), con sus inclinaciones a lo psicológico y aun a lo fantástico; Daniel de la Vega (1892), etc.

x) *Paraguay*

Sobresale aquí Natalicio González (1897). Inició en su país una poesía de reivindicación del indio. Su actitud fue más nacionalista que estética. Sus poesías, desde *Baladas guaraníes* (1925) hasta *Elegías de Tenochtitlán* (1953), pasando por *Motivos de la tierra escarlata* (1952) donde incluyó sus baladas guaraníes junto con otras composiciones políticas y personales, quedaron escondidas, sin embargo, bajo una mayor producción en prosa. Como prosista —ensayo, narración— fue más vigoroso. Es autor de *Cuentos y parábolas* (1922), inspirados en leyendas indígenas, y *La raíz errante* (1953), novela que transcurre en la selva, con el tema sociológico del despojo de la tierra a sus dueños tradicionales. Prosa mechada de lengua guaraní. Juan Stefanich (1889) noveló en *Aurora* (1920) la lucha de la juventud universitaria contra un tiranuelo, con la vida burguesa de Asunción al fondo. Otros narradores: Lucio Mendonça (1896) y Justo Pastor Benítez (1895).

xi) *Uruguay*

Adolfo Montiel Ballesteros (1888) es uno de los más complejos. Complejo en géneros, temas, intenciones y estados de ánimo. Sobresalió en su pintura de la vida del terruño con narraciones veraces, sí, pero también ricas en imaginación y lirismo. ALBERTO LAS-PLACES (1887) es buen cuentista de asuntos vernáculos.

xii) *Argentina*

Novelas de todas las regiones, con urbanidad a la europea o rusticidad a la criolla, evocadoras del pasado o beligerantes en el presente, dulces y amargas, escritas con rebuscado arte o con displicencia. Veamos algunos de sus autores. Primero, los que narran la vida de la ciudad. VÍCTOR JUAN GUILLOT (1886-1940), en *Historias sin importancia, Terror* y *El alma en el pozo*. GUILLERMO ESTRELLA (1891-1943), en *Los egoístas y otros cuentos* (1923) y *El dueño del incendio* (1929), captó irónicamente las situaciones de la vida porteña. Otros narradores de este tipo: SAMUEL GLUSBERG (1898), JOSÉ GABRIEL (1898), HÉCTOR OLIVERA LAVIÉ (1893), ERNESTO MARIO BARREDA (1889). Humorismo frío, disimulado y sutil fue el de ARTURO CANCELA (1892), en sus *Tres relatos porteños* (1922). Cancela no se ríe mientras escribe: toda la eficacia de sus páginas se debe a su impasibilidad. El estilo parece sencillo; y sin duda lo es; por momentos parece escrito al correr de la pluma y en tono de conversación; pero pronto uno advierte que ha habido un esfuerzo: el esfuerzo de ponerse serio y contar sin reprobaciones, sin amarguras ni chistes. El primero de los relatos, "El cocobacilo de Herrlin", es una caricatura de la burocracia argentina. El segundo, "Una semana de holgorio", es mejor porque la sátira es menos obvia y el relato en primera persona y en tiempo presente crea un ambiente de fantasía y aun de poesía. La sátira existe, sin embargo: alude a los hechos de la "semana trágica de enero" (1919), cuando jóvenes patrioteros aprovecharon la agitación obrera que siguió a la Revolución rusa para asesinar judíos e identificar los ideales de la Argentina con los del Jockey Club. Pero las observaciones satíricas aparecen como huesecillos de un airoso cuerpo literario que marcha con

la gracia y vivacidad de relatos parecidos de Chesterton,
a quien, dicho sea de paso, Cancela leyó en inglés y no
sería difícil que hubiera imitado. El tercer relato, "El
culto de los héroes", está más en el camino de la novela; acaso por ser promesa de novela satisface menos
como cuento. Algunos de los narradores de la ciudad,
por su preferencia por las vidas humildes y las situaciones de la pobreza, forman el "grupo de Boedo", o
sea, de la calle entonces proletaria, así llamada. Su órgano fue *Los Pensadores* (más tarde *Claridad*) y, su función, dignificar literariamente la clase trabajadora. A
esta generación (hubo otros más jóvenes que nos espe-
ran en el próximo capítulo) pertenecieron Yunque, Mariani y Castelnuovo, tres lectores de literatura rusa: el
primero de Tolstoi, el segundo de Chejov y el tercero
de Dostoeivsky. ÁLVARO YUNQUE (1893) cree que el
dolor de un solo hombre hace ya injusta la sociedad.
Su literatura es una larga queja. En esos años a esos
quejidos se les llamaba "fervor social". De mente anarquista y de sentimientos apostólicos, habló a los hombres con las palabras más sencillas. Su ternura hacia la
vida triste de los niños pobres fue lo más conmovedor:
Bichofeo. Otros títulos: *Espantapájaros*, *Zancadilla*.
ROBERTO MARIANI (1893-1946) también escribió al servicio del hombre y anheló la bondad y la justicia, pero
fue más complejo. En *Cuentos de la oficina* observó
las capas más bajas y grises de la burguesía, pero su
preocupación por la muerte dio a sus páginas una dimensión profunda: en *El amor agresivo*, *La frecuenta-
ción de la muerte*, *En la penumbra*, *Regreso a Dios*
(escribió también para el teatro: *Un niño juega con la
muerte* y *Veinte años después*) sondeó en sus personajes, aun en los más atrapados por las circunstancias.
ELÍAS CASTELNUOVO (1893) fue el más naturalista del
grupo. No sólo denunció la desigualdad social, sino
también la maldición que cae sobre locos, leprosos y
otros pingajos humanos: *Tinieblas* (1923), *Malditos*
(1924), *Entre los muertos* (1925), *Carne de cañón*

(1926), *Calvario* (1929), *Larvas* (1931) son sus alegres títulos. Pasemos ahora a los narradores que describen la vida en campos, pueblos y ciudades provincianas. Algunos no paran en un solo lugar. ALBERTO GERCHUNOFF (1884-1950), que en *Los gauchos judíos* describió con gracia poética la vida campesina en una provincia argentina, en la novela *El hombre importante* describió con gracia satírica la vida de un caudillo político contemporáneo: Hipólito Irigoyen. La pluma amena y rápida de BERNARDO GONZÁLEZ ARRILI (1892) ha evocado en novelas y colecciones de cuentos una Argentina de ancho escenario, de larga historia y de rica variedad de temas. La politiquería *(Protasio Lucero)*, las costumbres de las provincias del norte (*La Venus calchaquí*), los conflictos entre el trabajo y el capital en los frigoríficos de Barracas (*Los charcos rojos*), episodios históricos *(La invasión de los herejes)*, la devoción criolla *(La Virgen de Luján)*, memorias de infancia en Buenos Aires (*Calle Corrientes entre Esmeraldas y Suipacha*). JULIO VIGNOLA MANSILLA (1891) reelaboró en una serie de relatos materia folklórica de varias provincias. De raro don de frase es la *Historia de una pasión absurda* de CARMELO M. BONET (1886). De la región montañosa del norte salieron algunos buenos libros narrativos. *El viento blanco* de JUAN CARLOS DÁVALOS (1887); *Los regionales* de FAUSTO BURGOS (1888-1952), *La raza sufrida* de CARLOS B. QUIROGA (1890); *El buscador de oro y otros cuentos* de JULIO ARAMBURU (1898); *Baguales* de JUSTO P. SÁENZ (1892); *El patio de la noche* de PABLO ROJAS PAZ (1896); *El pozo de balde* de ROSA BAZÁN DE CÁMARA (1892). Del litoral y la pampa: *Errantes y Hombres capaces* de HÉCTOR I. EANDI (1895); *Pampa gringa* de ALCIDES GRECA (1896). Destaquemos al mayor de todos, en esta categoría: Lynch.

Uno de los pocos novelistas populares fue BENITO LYNCH (1885-1952). Recorta un pedazo de campo, lo puebla de hombres y mujeres, inventa una acción rica

en conflictos vitales y psicológicos y luego nos hace
creer que eso que está contando es real. Los personajes hablan como en la vida, en el dialecto rioplatense; y, si son extranjeros, en sus medias lenguas. El
paisaje, los personajes y la situación desde la que se
lanzan a vivir forman una recia unidad. En ningún
momento se recarga un aspecto a expensas del otro.
Lynch no cederá a la tentación de entretenerse en poe-
tizaciones de la naturaleza, en densos estudios de caracteres o en tesis sociales. Sus virtudes de paisajista,
de psicólogo o de conocedor se manifiestan con notable
concisión: en metáforas evocadoras, en detalles que
revelan los adentros de las almas, en rápidas alusiones
a los males de la sociedad rural argentina. Toques
mínimos, en fin, que invitan al lector a que colabore
imaginativamente en la marcha de la novela. La marcha de la novela: he aquí lo que preocupa a Lynch.
Aun los paisajes descriptivos —la admirable descripción
del incendio en *Raquela*, por ejemplo— están en función del relato. Las sacudidas interiores de las almas
ayudan a la acción y crean desenlaces sorpresivos, como
en *Palo verde*: un hombre mata a otro; la ley lo protege;
con una sola palabra podría salvarse ante la justicia; pero,
ofuscado, no la pronuncia y se condena. Todo lo reduce
Lynch a líneas dinámicas. De aquí su preferencia por
los efectos truculentos y brutales que aceleran la acción
y se llevan en vilo al lector. Tenía garra de novelista
campestre: cuando intentó novelas urbanas no fue tan
feliz. Su aparición definitiva en las letras debe contarse
desde *Los caranchos de la Florida* (1916), historia de
violentos odios y amores. *Raquela* (1918) mostró la
otra vena de Lynch: la de comediante. Después de
La evasión (1922) y *Las mal calladas* (1923) Lynch
escribió su obra maestra: *El inglés de los güesos* (1924).
Es un antropólogo inglés que llega a la pampa a excavar
huesos de indios; se aloja en el humilde rancho de un
peón; Balbina, la hija del peón, se enamora de él y, por
momentos, parece que también el inglés va a ceder

al amor; pero al terminar su investigación el caballeresco, bondadoso, frío y egoísta Míster Gray se despide y parte; la muchacha se ahorca. La trama, así empobrecida, no da idea de la complejidad interior de la novela: el color local, las pinceladas costumbristas, la sabrosa lengua rural, el hábil tejido de circunstancias y acontecimientos, están al servicio de una fina observación del despertar del amor. En los dos novelines siguientes —*El antojo de la patrona, Palo verde*, 1925— Lynch creó caracteres de más vida interior y, por lo tanto, pudo lucir mejor sus dotes de psicólogo. Trece cuentos aparecieron en 1931 con el título de *De los campos porteños*. Dos años después Lynch cerró toda su obra con *El romance de un gaucho*. No tiene la energía narrativa de *Los caranchos de la Florida* ni de *El inglés de los güesos*. No obstante, fue su novela más ambiciosa. La historia del amor entre el gaucho y la refinada mujer casada se prestó a un tratamiento psicológico lento, hondo, amplio. Lynch cedió la palabra a un gaucho auténtico; y es el relato del gaucho casi letrado lo que leemos. Sólo Lynch ha sido capaz, en la novelística argentina, de esa perfecta superchería lingüística: el dialecto vernáculo en que se cuenta *El romance del gaucho* es genuino y, sin embargo, tiene la dignidad estética de la mejor prosa narrativa. El autor, en un rapto de simpatía y de imaginación, se hace gaucho y cuenta con su voz y su dialecto.

2. Teatro

Del centenar de autores bien conocidos en la historia de la escena unos pocos entran también en una historia de la literatura. Los veremos, de norte a sur. Naturalmente, algunos de ellos no figurarán acá porque ya fueron mencionados al estudiar otros géneros.

En México, después de una larga declinación, resurgió el teatro en las obras de JULIO JIMÉNEZ RUEDA (1896-1960) y FRANCISCO MONTERDE (1894), a quienes hemos situado entre los "colonialistas". Agreguemos los nombres de Carlos Noriega Hope (1896-1934), Catalina D'Erzell (1897-1950), y Víctor Manuel Díez Barroso (1890-1930): este último, en *Véncete a ti mismo*, jugó con la realidad y la imaginación de modo ingenioso y efectivo.

En Centroamérica, J. Emilio Aragón (El Salvador; 1887-1938) y H. Alfredo Castro (Costa Rica; 1889).

En las Antillas los nombres más eminentes son cubanos. Por encima de Sánchez Galárraga, de Sánchez Varona, de Luis A. Baralt, de Marcelo Salinas y de Montes López, se destacó el recio José Antonio Ramos (1885-1946) con su teatro de ideas. La preocupación ideológica de polemista y de reformador ahogaba al dramaturgo: pieza tras pieza combatió los prejuicios contra los derechos de la mujer, supersticiones de la gente pacata, corrupciones políticas, cobardías, hipocresías, tonterías... Teatro de formas descuidadas. Hasta que dio la obra maestra: *Tembladera* (1917). Planteó un serio problema cubano: la venta a extranjeros de los ingenios azucareros y el despilfarro del dinero así obtenido. Suicidio económico, pérdida de la soberanía, indolencia, irresponsabilidad y parasitismo de las familias que viven en palacetes de la ciudad, sin amor a la tierra. De los diálogos y las situaciones surge la tesis; y también la esperanza de una solución, simbolizada en Joaquín e Isolina. La preferencia por los símbolos se acusó más en el atrevido drama *En las manos de Dios* (1932). Más fino, psicológicamente, fue su paso de comedia *La leyenda de las estrellas* (1935), algo pirandeliano en su relativismo gnoseológico.

En Colombia el más importante es Antonio Álvarez Lleras (1892), autor de *Víboras sociales* (1911). Para él el teatro es espectáculo y también literatura, es una escuela que debe cumplir la misión social de analizar conflictos y proponer tesis.

En Perú, Felipe Sassone (1884).

En Bolivia, Antonio Díaz Villamil (1897-1948)

y ADOLFO COSTA DU RELS (1891). Este, narrador y autor teatral, ha escrito en castellano, y por eso va aquí, pero obtuvo sus éxitos mayores con piezas en francés.

De Chile es ARMANDO L. MOOCK (1894-1943). Ya había estrenado varias comedias en Chile cuando decidió trasladarse a Buenos Aires. De sus doscientas piezas algunas tuvieron éxito internacional, como *La serpiente* (1920) —la serpiente es una mujer, Luciana, que aprieta su presa hasta que la destruye y entonces busca otra víctima— que fue llevada al cine, en los Estados Unidos.

En Uruguay, después de Florencio Sánchez se destacaron JOSÉ PEDRO BELLÁN (1889-1930) y, sobre todo, ERNESTO HERRERA (1886-1917). Herrera está en la dirección naturalista del drama rural. *El león ciego* (1911) presenta en tres actos la vida fracasada de un caudillo de las guerras civiles uruguayas, viejo, ciego, escarnecido por sus propios correligionarios. Herrera, con su filosofía anarquista, no podía simpatizar con las brutales costumbres y pasiones que describía; al contrario, nos comunica su repugnancia. Pero, desgraciadamente, no simpatizó artísticamente con su león sanguinario y por eso Gumersindo quedó psicológicamente empequeñecido. El diálogo —realista y vivaz— interesa más al filólogo que el drama al crítico. *La moral de Misia Paca* fue estrenada, en su versión definitiva de tres actos, en 1912 (antes sólo se conocieron el embrión en un acto y su refundición en dos actos). Drama de ideas pero sin espíritu revolucionario sobre las mal casadas en la burguesía criolla. El argumento no es original (una joven casada con un viejo enfermizo, etc.), pero Herrera opera su "caso" con instrumentos de cirujano. Se dice que su mejor pieza fue *El pan nuestro* (1913?) sobre una desmoronada familia madrileña de clase media. Sería imposible referirse aquí separadamente a los autores más significativos; por otra parte, es injusto citarlos promiscuamente.

En Argentina la lista es larga. También en estos años el mundo de la farándula se asienta, con singu-

lar bullicio, actividad, brillo y abundancia, en Buenos
Aires: VICENTE MARTÍNEZ CUITIÑO (1887), ROBERTO
GACHE (1892), FRANCISCO DEFILIPPIS NOVOA (1891-
1930), JOSÉ GONZÁLEZ CASTILLO (1885-1937), FEDE-
RICO MERTENS (1886), CLAUDIO MARTÍNEZ PAIVA
(1887), IVO PELAY (1893), RODOLFO GONZÁLEZ PA-
CHECO (1886-1949). El dramaturgo más importante
del teatro profesional fue SAMUEL EICHELBAUM (1894).
Su familia —su familia literaria— viene de Rusia y
de Europa septentrional: Dostoievsky, Chejov, Ibsen,
Strindberg... Su estilo teatral es realista. El realismo
de Eichelbaum, sin embargo, no consiste en reproducir
sobre las tablas un pedazo de vida real, sino más bien
en mostrar cómo los personajes, de repente, se hacen
conscientes de una situación dramática en que estaban
metidos sin hasta entonces darse cuenta. Las perspectivas con que los personajes se ven unos a otros se
convierten en el espectáculo mismo de los dramas de
Eichelbaum. Las mejores escenas suelen ser de diálogos
con densas pausas entre dos personajes. La vida familiar
es su materia preferida. Ha creado, pues, un teatro de
conflictos de conciencia, con buceos en la subconsciencia. Eichelbaum es serio, analítico, concentrado, cere-
bral, inquisitivo, sombrío. No pesimista, pues sus piezas
tienen un nervio ético que reacciona vivamente en defensa de la libertad espiritual. ¿Profundo? Más que
profundizar, sutiliza. Escoge algunos móviles de la conducta, cuanto más curiosos mejor, y promueve una
discusión sobre ellos. A veces rebusca situaciones excepcionales para sondear sentimientos también excepcionales, como en *Pájaro de barro* (1940): Felipa, una
pobre peona, se entrega al escultor Juan Antonio; nace
una criatura; cuando doña Pilar quiere obligar a su hijo
—Juan Antonio— a casarse con Felipa, ésta, por orgullo, niega su paternidad; el padre engendró sin amor, el
niño, pues, nació "güérfano". Felipa es digna, pero
Eichelbaum, empeñado en presentarla como incom-
prendida, la ha pintado con sombras de difícil compren-

sión. En *Un guapo del* 900 (1940) el resorte moral es también sorprendente: Ecuménico, un matón profesional, ha puesto su cuchillo al servicio de un caudillo de comité; al tal caudillo la mujer le pone los cuernos nada menos que con su rival político; Ecuménico mata a este rival porque él no puede servir a un hombre deshonrado por una mujer. Todo esto mitificando al asesino como héroe. En *Dos brasas* el artificio es aún mayor. Dos brasas del infierno, dos avaros, marido y mujer, sacrifican la vida al culto de Mammon. La estructura dramática es floja; el ambiente norteamericano, falso; la situación, absurda; las psicologías, abstractas; los diálogos, verbosos; el desenlace —el marido que estrangula a la mujer— fútilmente efectista.

3. Ensayo

A lo largo de este capítulo nos hemos ocupado ya de escritores que, de paso, dieron al ensayo categoría literaria. Predominantemente ensayistas son los que ahora vamos a ver. Ya hemos advertido que el verso, la prosa, son como dos pisos de la misma casa: los escritores que la habitan suelen subir y bajar las escaleras y tan pronto escriben un poema como una novela. Y hay casas, no de dos, sino de diez pisos, donde viven los polígrafos, como Alfonso Reyes.

Alfonso Reyes (México; 1889-1959) —como Prado, Güiraldes, Rivera, Arévalo Martínez— desbordó del verso a la prosa. Nadie mejor que él para enlazar las primeras páginas de este capítulo que se referían a la poesía con éstas sobre la prosa, pues en cualquiera de las dos secciones es insigne y da lo mismo situarlo aquí como allá: sólo que no sería lícito partir su obra para estudiarla separadamente, pues, como en ningún otro escritor, sus versos y sus prosas forman cristalina unidad. Sus libros poéticos aparecieron tan espaciadamente, tan abrumados por su mayor producción en prosa, en ediciones de acceso tan difícil, con tanta veleidad en estilo, temas y tonalidad que muy pocos lectores se forman del poeta Reyes una imagen clara. Cuando al fin publicó su obra poética, en la que recogió aquellos libros y agregó poesías inéditas, fue evidente para todos, no ya para una minoría, que Reyes era excelente. Agrupa sus poesías en los siguientes períodos: 1906-1913; 1913-1924; 1925-1937; 1938-1952. Las primeras fueron parnasianas. Aprendida allí la lección de respeto a las formas del verso Reyes se independizó y no ha temido andar solo por los caminos más peligrosos: por ejemplo, por el camino prosaico (por si lo asaltaban llevaba al cinto su arma: véase su "Teoría prosaica", donde declara "yo prefiero promiscuar / en literatura", "el romance paladino / del vecino / con la quintaesencia rara / de Góngora y Mallarmé"). Hermético o sencillo, siempre exige del lector atención, pues él, antes, se ha exigido a sí mismo y sólo da esencias. En Alfonso Reyes se integran, en haz de graciosa y leve luz, las virtudes de la inteligencia y de la estimación que suelen darse por separado. Es erudito en el campo filológico y chispeante en la ocurrencia divertida; escribe poemas y penetrantes glosas críticas; su prosa es atisbona y su verso va y viene del laboratorio donde maceraba los suyos Góngora a la llanura clara por donde transita el pueblo. La pluralidad de vocaciones de Reyes —hombre del Renacimiento— no se mide tan sólo por el vasto repertorio de sus motivos, sino también por la riqueza estilística de cada giro. La inquietud de Reyes comunica a su estilo una marcha zigzagueante, saltarina, traviesa y sensual. Sus ensayos son siempre líricos, aun los de tema lógico o didáctico —recuérdese El suicida, Simpatías y diferencias, La experiencia literaria, Los siete sobre Deva—, pues la dirección con que ataca su objeto es personal, no pública. En Reloj de sol (1926) Reyes había confesado: "No me deja desperdiciar un solo dato, un solo documento, el historiador que llevo en el bolsillo." Pero no es tanto un afán de recuperar el pasado público como de reconstruir el diario íntimo que

se le ha ido deshojando en el camino. Como Eco, la
ninfa despedazada, ese diario que Reyes enterró aquí
y allá a lo largo de su obra se sobrevive en un rumor
constante. Por impersonal que parezca el tema que
Reyes se ha impuesto siempre se le percibe la vibración
de una confidencia a punto de revelarse. Reyes, con ser
uno de nuestros escritores más exquisitos, más originales, más sorprendentes, fundó su obra en la salud humana. Otros quisieran olvidarse de la postura del hombre para ver si al sesgo el mundo les dice algo; se
mutilan o hacen valer sus mutilaciones; se entregan al
frenesí sofístico o al sopor; corroen la honra, niegan
la luz, traicionan al corazón... No Reyes. Alfonso Reyes es un escritor clásico por la integridad humana de
su vocación, por su serena fe en la inteligencia, en la
caridad, en los valores eternos del alma. La peculiaridad
del universo poético de Reyes no es extravagancia, sino
afinamiento de las direcciones normales del hombre.
Cada uno de sus volúmenes es una colección de páginas
insuperables. Nosotros preferimos: *Las vísperas de España* (1937). Hasta ahora el Fondo de Cultura Económica ha publicado una docena de recios volúmenes de
Obras Completas. Al contemplar ese grandioso monu-
mento el crítico se plantea un haz de temas que habría
que estudiar con cuidado: el tema del fracaso de un
escritor extraordinariamente dotado para triunfar; el de
la secreta esterilidad que se disimula en una incesante
labor; el de una inteligencia que, por querer dialogar
demasiado, se quedó con la cara vuelta hacia los mejores espíritus de su tiempo, pero de espaldas a su propia
obra; el de un clásico de nuestra historia literaria que,
sin embargo, no dejó grandes libros orgánicos. ¿Hay en
nuestro aire americano algo letal para la creación literaria? ¿Por qué el autor de *El testimonio de Juan Peña*
nos nos dio la novela que prometía? ¿Por qué el autor de
"La cena" no nos dio la colección de cuentos que prometía? ¿Por qué el autor de *Ifigenia cruel*, de *Huellas*,
no nos dio el drama, el poemario que prometía? Esos

frutos son suficientes, sí. Pero para quienes tuvimos el privilegio de ser sus amigos era evidente que Alfonso Reyes podía dar mucho, mucho más que eso en los grandes géneros de la literatura. En lo que sí acertó, siempre, fue en el ensayo. Alfonso Reyes es, sin ninguna duda, el más agudo, brillante, versátil, culto y profundo de los ensayistas de hoy, en toda nuestra lengua.

Otros ensayistas

PEDRO HENRÍQUEZ UREÑA (Santo Domingo; 1884-1946) comenzó como crítico —*Ensayos críticos*, 1905, *Horas de estudio*, 1910—, y ése es el sello más visible de su obra, tan medulosa en la investigación filológica, en la historia literaria, en la disquisición y en la síntesis de cuestiones generales, en antologías y bibliografías. Pero era también un escritor de imaginación y sensibilidad: versos de sabor modernista, prosas poemáticas, descripción de viajes, *El nacimiento de Dionisos* (1916), "ensayo de tragedia a la manera antigua", hermosos cuentos. . . No escribió en esta vena lo bastante para incorporarse a una historia puramente literaria. Sin embargo, su sentido de la forma artística se estampó en todo lo que escribió, aun en sus trabajos de rigor técnico. Tenía una prosa magistral en su economía, precisión y arquitectura. Fue un humanista formado en todas las literaturas, en todas las filosofías; y en su curiosidad por lo humano no descuidó ni siquiera las ciencias. Su obra escrita, con ser importante, apenas refleja el valor de su talento. Dio lo mejor a los amigos, en la conversación, en la enseñanza. Donde viviera, allí creó ambientes, familias intelectuales, discípulos. Tenía preferencias racionalistas, clásicas; y aun en sus ideas socialistas en favor de un nuevo orden social basado en la igualdad económica y en la libertad de las personas y los pueblos, aparecían esas preferencias por el pensamiento claro y constructivo. De los otros ensayistas de este período detengámonos en VICTORIA OCAMPO (Argentina;

1893). Se complace en confesar sus limitaciones; pero hay, en esa confesión, una rápida sonrisa de orgullo: "Si hubiese tenido menos memoria habría tenido quizás menos pereza, y hoy les podría hablar a ustedes de cosas aprendidas a través del estudio, no de todos esos detalles que descubro cuando saco a la superficie de mi conciencia —como el pescador su red, llena de peces— lo que perdura, vivo aún, en el fondo mal explorado de mis recuerdos." Pero el lector sabe que eso no es pereza. Contar recuerdos personales cuesta a veces más esfuerzo que retransmitir nociones aprendidas. Y son los recuerdos personales de Victoria Ocampo lo que más se admira en su serie de *Testimonios*. Todo su mundo intelectual, amplio y claro como un gran sombrero de verano, está prendido a su cabeza con anécdotas. ¿Sería justo apartar de los poetas y en cambio sentarlo entre los ensayistas a EZEQUIEL MARTÍNEZ ESTRADA (Argentina; 1895)? Sus libros de poesía —desde *Oro y piedra*, 1918, hasta *Humoresca* y *Títeres de pies ligeros*, ambos de 1929— son de lo mejor que dio América en su generación. Más: acaso, después de Lugones, sea Martínez Estrada el más complejo poeta argentino. Poesía de sombrío humor pero capaz de humorismo, muy imaginativa pero con rigor filosófico, nacida de una original hiperestesia pero referida al mundo de la cultura. El tono intelectual de Martínez Estrada no tiene pedantería: dialoga con sencillez. Lo que ocurre es que dialoga con un lector que es, también, muy intelectual. Humor, imaginación, sensibilidad, inteligencia golpean con dureza: el lector que sepa devolver esos golpes gozará de un masculino deporte inventado por Martínez Estrada. El reconocimiento público a su talento vino tarde, cuando ya había abandonado la poesía y sólo escribía ensayos. Su reputación es, pues, de ensayista, aunque su talento sea de poeta. En 1933 publicó *Radiografía de la Pampa*, interpretación de la realidad argentina tan profunda como la de *Facundo*, pero sin el optimismo de Sarmiento. Sin duda hay mucho de temperamental —y también de trato con las corrientes pesimistas de la literatura— en la visión desesperanzada de Martínez Estrada. Pero lo que su libro tiene de justo se debe a la crisis moral en que cayó la Argentina en 1930. Ni las masas ni la oligarquía ayudaban al país. Surgió entonces la *Radiografía,* que es el libro más amargo que se haya escrito en la Argentina. Con una prosa magníficamente barroca, llena de metáforas e ingeniosidades que mantienen al lector en constante sobresalto, Martínez Estrada trazó el cuadro de nuestras miserias. No hay nada en la Argentina que se salve. El pormenor y la rápida reflexión filosófica que le sigue como una sombra dan al libro una calidad poética extraordinaria. La fuerza aforística alza al lector en vilo y —si el lector es argentino— lo arroja al aire en una pirueta grotesca, para dejarlo caer en un pantano en que ya no se puede hacer otra cosa que llorar de humillación. Libro triste, entristecedor. Libro de humor trágico, taciturno, severo, sin perdón. Ensayos desconectados entre sí, pero ligados por el tema único de la "microscopia de Buenos Aires'", son los de *La cabeza de Goliath* (1940). Cuando intentó el teatro, fracasó. "Lo que no vemos morir" (1941), "Sombras" (1941) y "Cazadores" —publicados en el volumen *Tres dramas,* 1957— son verbosos, confusos, enfermizos. Aunque envueltos en una penumbra escandinava, muy siglo XIX, carecen del trágico sentido de la vida de Ibsen o de Strindberg. Como en Ibsen, cuando se levanta el telón ya el drama ha ocurrido y sólo presenciaremos su revelación a lo largo del diálogo y la crisis final. Pero este método retrospectivo (y alguna situación preferida por Ibsen, como la del hombre que vacila entre dos hermanas de carácter muy diferente y fracasa al equivocarse en su casamiento) es todo lo ibseniano que puede advertirse. Sus diálogos no tienen fuerza dramática. Las palabras borbotan de la neurastenia del autor, no de la conciencia atormentada de los personajes. En "Lo que no vemos morir" nos enteramos

del fracaso de Pablo (fracaso en el arte, en los nego-
cios, en el matrimonio) y asistimos a la catástrofe:
Marta, la mujer de Pablo, se suicida; y Pablo, humi-
llado, huye del hogar deshecho. Pero las confesiones
torturadas, lúgubres de esas conciencias no obedecen a
un profundo análisis de la vida, sino a pura morbosidad.
En "Sombras" y en "Cazadores" el mismo tema del
fracaso matrimonial queda también malogrado. Ha publicado en estos últimos años una serie de relatos: *Tres
historias sin amor, Sábado de gloria, Marta Riquelme.*
Y, con tono de profeta bíblico, se ha lanzado a la
discusión de los candentes problemas políticos de su
tiempo. Son importantes sus contribuciones de crítica
literaria: *Sarmiento, Muerte y transfiguración de Martín Fierro, El mundo maravilloso de Guillermo Enrique
Hudson, El hermano Quiroga,* etc.

Críticos —con su haber de creación literaria, en
cuento, en teatro o en poesía— son los argentinos
ROBERTO F. GIUSTI (1887), JOSÉ MARÍA MONNER SANS
(1896) y BERNARDO CANAL FEIJOO (1897); HERNÁN
DÍAZ ARRIETA, "Alone" (Chile; 1891), ALBERTO ZUM
FELDE (Uruguay; 1888), JOSÉ MARÍA CHACÓN Y CALVO
(Cuba; 1893), CARLOS GONZÁLEZ PEÑA (México; 1885-
1955), ARMANDO DONOSO (Chile; 1887), ARTURO TO-
RRES-RIOSECO (1897), FÉLIX LIZASO (Cuba; 1891),
MANUEL ANDINO (El Salvador; 1892-1958).

Menos atentos a la literatura pura están los ensa-
yistas OCTAVIO MÉNDEZ PEREIRA (Panamá; 1887-1954),
GUSTAVO ADOLFO OTERO (Bolivia; 1896), MANUEL DO-
MÍNGUEZ (Paraguay; 1896-1935), ANTONIO S. PEDREIRA
(Puerto Rico; 1898-1939), los salvadoreños JUAN RA-
MÓN URIARTE (1884-1934) y NAPOLEÓN VIERA ALTA-
MIRANO (1894), el mexicano SAMUEL RAMOS (1897-
1959), MEDARDO VITIER (Cuba; 1886) y FRANCISCO
ROMERO (Argentina; 1891), elegante prosista, filósofo
de formación alemana, preocupado por el problema de
la vida espiritual como sumo grado de trascendencia
hacia la verdad y el valor (*Teoría del hombre,* 1952).

CAPÍTULO XIII

1925-1940

[Nacidos de 1900 a 1915]

Marco histórico: Consecuencias políticas y económicas de la primera Guerra Mundial: por un lado una mayor participación de las masas en el poder político, con propagandas comunistas y conspiraciones fascistas; y, por otro, "gobiernos fuertes" que defienden las oligarquías, sobre todo durante la crisis financiera que comienza en 1929. También afectan la vida hispanoamericana la caída de la República Española, los triunfos del fascismo internacional y el estallido de la segunda Guerra Mundial.

Tendencias culturales: Después de la primera Guerra Mundial aparecen "literaturas de vanguardia", con una "nueva sensibilidad". Agotado el modernismo los estilos, ahora, son violentos y herméticos. Predominan en ellos la voluntad de romper con todas las normas literarias del pasado. El Ultraísmo y su disolución. La perdida generación de los nacidos alrededor de 1910. Poesía pura y superrealismo.

Uno de los temas, aquí, es la disolución de la llamada "literatura de posguerra", la literatura que después de 1918 se llamaba a sí misma de vanguardia. En el capítulo anterior ya reseñamos la teoría, la historia y el programa de esa literatura. Pero, como dijimos, los escritores más escandalosos se apaciguaron después de sus primeros libros y poco a poco se hicieron más serios en la ambición de expresar su verdadera originalidad.

No digamos la crítica, pero aun la crónica de esta actividad literaria es difícil de hacer no sólo por su falta de seriedad, por su alocado desorden, por el corto tiempo que duró, sino porque había otras tendencias y todas se mezclaban. Ultraístas hasta la muerte, renegados del ultraísmo, enemigos del ultraísmo. Pero no se crea que el ultraísmo da la clave de estos años. Hubo excelentes poetas que crecieron como si el ultraísmo no existiera. Los prosistas complican aún más el panorama porque en cuentos y novelas se dan estilos con lindos afeites, estilos a la pata la llana y —como má-

xima novedad— estilos "feístas", es decir, de deliberada
poetización de lo feo, asombrosos cuajos de metáforas
esperpénticas, tránsito de lo calológico a lo cacológico.
Los escritores vivieron, de 1925 a 1940, como si formaran parte de opuestos grupos. Nadie insistirá hoy en
la razón de ser de esos grupos. Como ejemplo de cómo
esos grupos se disolvieron, de cómo los escritores cambiaron de signo bastaría recordar, en México, las dos
calles de los "estridentistas" y de los "contemporáneos";
y en Argentina las dos calles, Florida (con su revista
Martín Fierro) y Boedo (con su revista *Los pensadores*,
después llamada *Claridad*).

Lo que decimos de la Argentina y de México podríamos extenderlo a los países intermediarios: en todas partes hervía la literatura a borbotones. Sería vano trazar
el perfil, la duración de cada borbotón. Interesantes
desde el punto de vista de las historias nacionales, esas
actividades son insignificantes desde el punto de vista
de una historia como ésta, que mira a toda la América
española y sólo puede detenerse en las figuras mayores
A la vanguardia de posguerra ya la hemos caracterizado
en el capítulo anterior, al referirnos al "escándalo". Por
equidad, caractericemos ahora a los escritores cuyas obras
empezaron a aparecer después de 1930. Los inmediatamente anteriores se habían jactado de una "nueva sensibilidad"; éstos se jactaron de una "novísima". ¿Qué era
esa sensibilidad? Nadie pudo diferenciarla, mucho menos definirla. Pero ya entonces Ortega y Gasset había
impuesto su idea de "la sensibilidad vital de cada generación" y los nacidos alrededor de 1910 decidieron a
toda costa pertenecer a una generación. ¿Generación
del Centenario de la Independencia? ¿Generación de la
visita del cometa Halley? El acontecimiento, histórico
o sideral, era lo de menos. Lo que importaba era ser
generación, novísima generación. Y el prurito fue tal
que desde entonces no se ha cesado de inventar generaciones: del 40, del 45, del 50, del 55. Más generaciones
de las que humanamente pueden caber en lapso tan

corto. Los muchachos que aparecen en la décaca de 1930 no traían los consabidos "anti" con que toda generación suele presentarse a la palestra. No fueron antimodernistas porque Rubén Darío era ya un tema bibliográfico, muerto y enterrado en los programas de literatura de los colegios secundarios. El modernismo era un presente en las clases, es decir, un pasado clásico. Tampoco fueron antivanguardistas porque no tomaban en serio la orgía de "ismos" de posguerra. Esa literatura se había negado a sí misma: no era posible negarla más. Los ultraístas más serios estaban prometiendo enmendar sus primeras bromas con una obra firmemente construida: los muchachos que empezaron a publicar desde 1930 no podían estar contra esas promesas. Sea, pues, porque el pasado se hubiera hecho inexpugnablemente clásico o porque se hubiera desintegrado solo hasta no ofrecer resistencias o porque hubiera pedido una moratoria, lo cierto es que en 1930 había que lanzarse a la literatura sin el trampolín de los "anti". A lo más se estaba contra los de la generación posmodernista, en parte porque se los veía al frente, sentados en las cátedras de literatura de los colegios y universidades. Tal vez porque los nacidos alrededor de 1910 se aparecen allá por el año 1930 sin hacer ruido, sin declarar la guerra a nadie, no fueron notados. Sin embargo, su obra silenciosa, lenta, segura, seria, sin las cursilerías del modernismo y sin las puerilidades de los ultraístas podría ser visible si se la mirara. Tenían la sensación de que los otros, los "anteriores", habían pasado las escobas y limpiado la casa. Buenos sirvientes. Se les agradecía. Pero no iban a empuñar las mismas escobas. ¡Para qué! Limpia la casa había que ponerse a estudiar y a producir. Desgraciadamente, estudiaron más de lo que produjeron. Había mucho que estudiar. El fingido desprecio a la cultura de los niños terribles de la "pre" y de la "post" guerra ya no convencía a nadie. Nuevas disciplinas filológicas, nuevas teorías literarias, nuevas filosofías, nuevas literaturas. Todo les interesaba. Nun-

ca hubo en nuestra América un grupo tan bien informado sobre tan vastas actividades culturales como éste
que apareció después de 1930. Y cuanto más estudiaban, menos escribían. No fue muy injusto, pues, que
no se les considerara como un grupo productivo de
literatura. Por otra parte, los escritores de 1930, al
hacerse maduros, prefirieron acercarse a los más jóvenes; sólo que estos, alrededor de 1940, se apretaron
atenta, en cambio, al pasado mediato, al de los ex ultraís-
en generación propia, desatenta al pasado inmediato,
tas. Se tendió un puente entre el irracionalismo de la
posguerra de 1914 y el irracionalismo de la posguerra
de 1939; y los hombres de 1930 quedaron debajo. Ellos
no eran irracionalistas. Y cuando lo eran no les placía
el grito desarticulado, sino que querían comprender las
razones de la vida. Estaban más cerca de Ortega y
Gasset que de Unamuno, más cerca de los constructores de literatura que de los destructores, más cerca de
la originalidad que de la novedad. No olvidar, si que-
remos explicar por qué a este grupo no se lo distinguió
claramente, que de 1930 en adelante los tiempos no
estaban para literatura. Los escritores que habían bro-
tado después de la primera Guerra Mundial imitaron
las muecas desilusionadas de los europeos, pero lo cierto
es que no se sentían desilusionados. Fingían ser una
generación sacrificada, pero nada catastrófico les ame-
nazaba. Desde 1930, en cambio, el cielo se fue car-
gando con nubes de tormenta. El primer signo fue la
crisis económica que convulsionó al mundo entero. Y
concomitante, la crisis del liberalismo. En Argentina,
pongamos por caso, la revolución militar de ese año
dio fuerzas al nacionalismo antidemocrático. La Acción Católica, estimulada por el Congreso Eucarístico
de 1933, adoptó fórmulas del fascismo italiano. Los
éxitos crecientes de Hitler, desde 1934, ponían los pe-
los de punta. La guerra civil en España y el fracaso
de la República probaron que la causa de la libertad en
el mundo estaba perdida y que comenzaba una nueva

época de violencia, tiranía y estupidez. Luego, la guerra en 1939. No hubo vida literaria. Las gentes no leían libros sino que buscaban las terribles noticias de los periódicos. En 1943 otra revolución militar puso a las derechas en el poder: intentos teocráticos primero, demagógicos después, en todo caso triunfó el fascismo y terminó la libertad intelectual. Esta serie de golpes —en toda nuestra América, no sólo en Argentina— hizo difícil la creación literaria; una vez creada, la literatura tampoco conseguía hacerse oír. Tal era el estrépito del mundo. Hagamos que todos los nacidos alrededor de 1910 se prendan de las manos y formen una línea: ¿no parece una línea divisoria? Y aunque no señalara una división de etapas estéticas por lo menos señala esta división: de aquí en adelante todo lo que digamos ya no es historia. En realidad, aquí deberíamos dar por terminado nuestro cuadro histórico de la literatura hispanoamericana. Con esta salvedad, de que nuestra historia literaria ha terminado y lo que sigue es sólo una reunión de amigos —con exclusiones e inclusiones que no siempre tienen valor crítico—, prosigamos en la crónica de los últimos años. No vamos a describir abstractamente a ningún "ismo", sino como fuerza concreta en cada poeta individual. Que el lector de esta historia haga su propia síntesis. Por otra parte, no sería honrado simplificar, nada más que por comodidad, el torbellino literario de esta década. Sólo seguiremos una línea muy tenue (tan tenue que a veces se nos pierde): la de los escritores que escriben principalmente en verso y la de los que escriben principalmente en prosa, escalonados en el mapa, de México a Argentina. A los prosadores los repartiremos en los tres géneros preferidos: narrativo, teatral y ensayístico. Dentro del género narrativo, seguiremos la línea que va del antirrealismo al realismo. Ya se verá que ni siquiera este simple esquema podremos trazar con firmeza.

A. PRINCIPALMENTE VERSO

El historiador que quiere configurar la poesía de estos años se ve ante la ingrata tarea de tener que formar un rompecabezas con piezas sueltas que vienen de distintos juegos. Todavía están activos algunos de los poetas modernistas y posmodernistas. Unos siguen su invariable camino; otros quieren pasarse a las filas de la vanguardia. No siempre son viejos: también los hay jóvenes. Lo mismo ocurre con los vanguardistas. Los hay consecuentes hasta la muerte y los hay que abandonan el ultraísmo sea para retornar a modos tradicionales y clásicos, sea para adelantarse hacia los nuevos movimientos neorrománticos y existencialistas. Y, al final de este período, alrededor de 1930, cuando sólo quedan en el aire unos pocos ecos del ultraísmo, hay jóvenes, nacidos alrededor de 1910, que se ponen a hablar de sí mismos y de sus circunstancias nacionales con una voz sentimental, grave, sólo que en el lenguaje de la poesía pura o del superrealismo. Que estas piezas de rompecabezas vienen de distintos juegos se puede comprobar si se observa bien el uso de las metáforas. En los poetas modernistas las metáforas son como palomas enjauladas en alegorías, en apólogos, en figuras bellas y claras. Los poetas ultraístas sueltan las palomas metafóricas para cazarlas a escopetazos, y nos quedamos sin saber cuál era el sentido final de su vuelo. Los poetas neorrománticos y existencialistas empezaron a ver que la gracia estaba en criar palomas mensajeras, capaces de volver vivas al palomar íntimo de donde procedieron. Hemos mencionado el rótulo "neorromanticismo". Quizá este rótulo no quede, por su vaguedad. Pero podemos comprender por qué algunos poetas se llamaron "neorrománticos". El romanticismo no cesó nunca: se transformó en simbolismo, en superrealismo, en existencialismo. El intento de transfigurar en poesía un estado de ánimo (evidente desde 1930) fue común a España y los países hispanoamericanos. La coinciden-

cia del acontecimiento de la República Española con
este interés por las literaturas hispánicas de tono popular y efusivo no fue casual. El español García Lorca
y el chileno Pablo Neruda serán los poetas de mayor
influencia sobre los poetas que aparecen en los años
treinta y tantos. Curioso es ver, en todas partes, este
esfuerzo para restaurar formas clásicas de la literatura
española (romances, décimas, sonetos) con las espontáneas imágenes superrealistas. Lo que hacen los nacidos en 1910 también lo están haciendo los nacidos en
1900, muchos de los cuales, ya lo dijimos, desertaron
de los batallones del ultraísmo y aceptaron el rigor de
la estrofa y aun de la rima. Algunas palabras, antes
de pasar revista a los aportes líricos de cada país, sobre
la poesía pura y la poesía superrealista de estos años, las
más necesitadas de aclaración pues las otras, las circuns-
tanciales, descriptivas, civiles, folklóricas y épicas, que
también se dan en estos años, son consabidas. Ya parnasianos y simbolistas habían hablado de la poesía pura,
y Valéry, en 1920, disertó sobre ella con más talento
que nadie. Pero Henri Bremond eligió el término
"poésie pure" para exponer su teoría personal y así,
entre 1925 y 1930, se libró en Francia un debate que
también tuvo repercusiones en Hispanoamérica. La pre-
misa era ésta: la razón no puede explicar la poesía.
Podemos gozar un poema sin comprenderlo lógicamente. La experiencia poética es análoga a la de los místicos
en religión. En este sentido, la poesía es fuente de
conocimiento. Lo que permanece de un poema cuando
lo despojamos de lo que no es poesía es una realidad
sobrenatural, misteriosa: llamémosla "poesía pura". Con
todo, es más fácil definir lo impuro que hablar de lo
puro. Impuro es lo superficial, el contenido humano de
un poema: pensar, sentir, querer, imaginar, enseñar,
conmover, es decir, ideas, temas, elocuciones, formas,
intenciones morales, descripción de lo real. Las palabras
no son poéticas, pero pueden conducir un fluido misterioso de poesía pura. Un poema azuza nuestro yo

profundo y adormece nuestro yo superficial: es la acción, el choque, de la corriente que pasa por el poema y nos electriza antes de que nos lleguen los elementos impuros de nuestras actividades humanas ordinarias. El poema buen conductor de poesía entrega su esencia aun antes de que el lector lo comprenda (y aun antes de que lo termine de leer). Lo que la poesía nos entrega no es mero placer ante la belleza, sino un conocimiento de lo sobrenatural. El estado místico, de unión con Dios, es el conocimiento de mayor jerarquía. Después viene el estado poético, con el cual se nos comunica una experiencia original a través de un poema. Más abajo, los estados poéticos menores, malogrados o superficiales. Y abajo del todo, el conocimiento de las cosas físicas, que obtenemos mejor contemplando un paisaje que leyendo un poema descriptivo sobre ese mismo paisaje. La poesía pura aspira, pues, al silencio. Otros teóricos antirracionalistas hablaban en los mismos años de una poesía vuelta, no hacia lo sobrenatural, sino hacia lo superreal. El superrealismo vio el universo como desorden y para comunicarlo forjó un estilo tan desordenado como el universo. André Breton y sus compañeros se proponían, mediante el automatismo psíquico, un conocimiento hondo de los abismos del hombre y del cosmos. Recogieron frases asombrosas, totalmente destituidas de sentido lógico, pero poéticas por el misterio subconsciente de donde subían. No negaban la realidad: la profundizaban tratando de asir el funcionamiento espontáneo de la vida mental. De 1919 a 1925 el superrealismo fue un movimiento escandaloso, nihilista y polémico. A partir de 1925 el superrealismo se orientó, con cierta seriedad, hacia la filosofía y la política. Hubo convergencias con el marxismo, que atraía por sus promesas de violencia y subversión. Las dos utopías: la del comunismo económico y la del comunismo psíquico. Al comunismo, sin embargo, le interesaba más la condición social común (el hambre) que la condición humana común (la subconsciencia). Algunos

superrealistas siguieron en la política de masas del comunismo; otros, más fieles a su estética individualista,
rompieron con el Partido. A partir de 1930 el superrealismo florece sometiéndose al dominio de formas
literarias. Su técnica es la de una composición que deje
en libertad la asociación de palabras. No hay que preocuparse por la lengua en sí. Después que se baje a
los subterráneos de la conciencia la lengua vendrá de
todos modos, y como convenga. La sintaxis gramatical
es un estorbo a la libre afirmación de las cosas maravi-
llosamente aprehendidas en su desconexión. Las palabras del superrealismo corrigen, pues, la falsa estructura
lógica de la realidad. Junto con el descoyuntamiento
de la gramática se descoyunta también la musicalidad
y, en verdad, toda forma tradicional. En cambio, crecen y se multiplican imágenes a las que sólo la emoción
puede asimilar. Las metáforas se independizan de las
cosas reconocibles por nuestro pensamiento racional, se
destierran del mundo y nos revelan una realidad interior, totalmente creada por el poeta. Estos dos ideales
de poesía —la poesía pura, la poesía superrealista— mezclados con otros menos irracionales pero también difíciles, contribuyeron a crear en Hispanoamérica un arte tan
hermético que ni el crítico puede comprender. Muchos
poetas, por admirar demasiado ciertos automatismos superrealistas —abolición de los signos de puntuación,
renunciamiento al valor semántico de la palabra, ruptura
de la sintaxis, segregación de imágenes sueltas—, se ador-
mecieron en una irresponsabilidad expresiva: cada lector
interpreta lo que quiere porque el poeta no ha colmado
sus versos con visiones precisas de sí mismo, sino con
un humo vago, difuso. Es decir, que el lector debe reac-
cionar ante lo invisible. Es natural que desconfíe.
Todos recordamos el cuento de aquellos ladrones que
dijeron que habían tejido con oro una tela que sólo los
bien nacidos verían. No nos atrevemos a decir "no
vemos nada", no sea que nos tomen por incapaces. Pero
tampoco estamos seguros de que haya quienes de veras

vean esa invisible belleza. Durante la generación ultraísta hubo engaño. Se mofaron del lector. Hoy el
lector está sobreaviso. Con todo, hay lectores que sincera y confiadamente gustan de lo invisible. ¿Qué es
lo que ven? Los definidores de la "poesía pura" nos
han dado siempre tautologías: poesía es lo que queda
cuando la depuramos de sus impurezas... Pues bien:
en la poesía hermética de estos años a veces, en los
mejores casos, no vemos impurezas: y este no ver
lo que no es poesía nos sobrecoge como si estuviéramos
viendo la poesía misma. El lector siente una emoción
parecida a la de la fe. Fe en una realidad poética absoluta pero invisible. Hay que adivinarla, hay que apre-
henderla por la vía purgativa, la iluminativa y la unitiva
de ascetas y místicos. El lector admira, así, una poesía
críptica. Algunas imágenes hermosas, algunos adjetivos
sabiamente inesperados, algunas alusiones que, por afinidad, cazamos al vuelo, nos prueban que, detrás del
poema, hay un poeta que merece nuestro respeto. Y nos
basta, aunque sólo intermitentemente podamos disfrutar
de lo que nos dice. Además, admiramos la valentía de
ese poeta que juega su poesía a una sola carta. Después de todo ese poeta, de tan hermético, está arries-
gando el sentido de lo que escribe. Sin timidez, sin
pensar en las consecuencias, sin conciliaciones con la
razón, ciego y delirante, marcha hacia el suicidio. Y así,
muchos de los poetas que vamos a mencionar (como
otros que hemos mencionado) acaso no dejen en la
historia sino el testimonio de la admiración que sintieron por ellos sus contemporáneos. La tarea más ingrata
de un crítico literario es tener que encararse con esta
poesía de los últimos años. Son demasiados poetas, y
muy pocos de ellos han logrado una expresión cabal.
Nos falta perspectiva para distinguir los valores que
pueden quedar. A veces el crítico se pone impaciente
y tiende a disminuir la significación de esta poesía, menos vital, al parecer, que los otros géneros literarios.

i) *México*

En México los "ismos" de la posguerra prendieron como en todo el resto del mundo. Sólo que los mexicanos —a diferencia de los rioplatenses— no negaron el pasado. Cada poeta respetaba a sus mayores, y la estima por el hilo Othón-Díaz Mirón-Gutiérrez Nájera-Tablada-González Martínez-López Velarde-Villaurrutia-Paz, etc., va enhebrando las generaciones con una rara continuidad. Ya se vio, en el capítulo precedente, cuando hablamos del "escándalo", lo poco que dejó el estridentismo de ARQUELES VELA (1899), GERMÁN LIST ARZUBIDE (1898) y LUIS QUINTANILLA (1900). Su figura principal fue MANUEL MAPLES ARCE (1900). Desde *Andamios interiores* (1922) se propuso rimar, no el presente, sino la acción por venir, y creyó que eso se hacía con un paisaje de máquinas, productos industriales y nomenclaturas técnicas: motores, hélices, aeroplanos, cines, automóviles, cables, arcos voltaicos, triángulos, vértices, cables. Todo esto con llamadas a la acción sindical y política. Maples Arce fue perdiendo sus juguetes mecánicos y en *Memorial de la sangre* (1947) intentó una poesía más humana. El estridentismo fue una aventura pasajera. De más vitalidad, en la intención y en el fruto, fueron los amigos que acabaron por agruparse en la revista *Contemporáneos* (1928-1931): Villaurrutia, Gorostiza, Torres Bodet, Ortiz de Montellano, Jorge Cuesta, Owen, Novo, González Rojo, Barreda... Aunque no formaran parte del grupo, también hay que asociar a ellos los nombres de Pellicer y Nandino. En comparación con los estridentistas, los de *Contemporáneos* tenían más decoro artístico, más seguro instinto para apreciar los valores de la literatura europea y elegir los modelos. Eran cultos, mesurados, disciplinados. No permitían que la agitación social adulterara su arte. Para ellos la poesía era un juego de imágenes y abstracciones movido por la intuición, la inteligencia y la ironía. Pasados los primeros años, de

gracia juvenil, se recogieron en sí mismos y en el fondo
de su soledad bebieron una amarga hez. Los poetas
más importantes fueron Pellicer, Gorostiza y Villaurrutia. Con la excepción de Pellicer, el tema dominante
en el grupo fue el de la muerte (la *Nostalgia de la
muerte* de Villaurrutia, la *Muerte sin fin* de Gorostiza,
la *Muerte de cielo azul* de Ortiz de Montellano, *Espejo
de mi muerte* de Nandino, etc.). Más interesante que
estudiar el movimiento en conjunto es señalar algunas
trayectorias individuales, de las más brillantes en toda
la literatura continental de este período.

El poeta que en valía vino después de López Velarde fue CARLOS PELLICER (1899). A pesar de que
por la edad pertenecen a grupos diferentes, ambos hicieron conocer sus poesías sueltas por los mismos años. Los
libros que Pellicer más estima, sin embargo, son los últimos: *Hora de junio* (1937), *Recinto* (1941), *Subordi-
naciones* (1948), *Práctica de vuelo* (1956). Al leer a
Pellicer uno tiene la impresión de que se estuviera es-
forzando en limitarse; su buena salud, su resonante voz,
su sensibilidad, su tropicalismo suntuoso, su interés en
el mundo y en los hombres se someten a un esforzado
adelgazamiento. El poeta pone a dieta su lirismo porque admira la silueta deshumanizada —imposible para
él— de otros de su generación (en "Deseos" suplica al
trópico: "Déjame un solo instante / dejar de ser grito
y color"). Describe con tal objetividad su percepción
del paisaje que a veces parece que fueran descripciones
fieles, no a sí mismo, sino a algo exterior a él. Goza
ante la naturaleza como un ebrio agradecido, con buen
humor. Alegría de estar vivo, alegría de vivir; y por
encima de este amor a la luz y al aire que lo envuelven en el mundo natural, amor al cielo sobrenatural.
La fe religiosa es otra de sus fuentes de alegría. Es
ocurrente, ágil. Músico de la palabra; y su palabra siempre música de los sentidos. Pero no sólo músico: trae
el color brillante de la pintura, el volumen grandioso
de la escultura y aun el gesto elocuente de quien

hace de su rincón una tribuna y habla a todos los hombres de su tiempo. Constructor sólido, con sus materiales líricos ha levantado una bella ciudad de grandes monumentos y de delicadas miniaturas. Sus escrúpulos de buen artesano del verso nunca le quitaron espontaneidad. Sus metáforas dan brillo, velocidad, magia, alegría, sorpresa, como pájaros que, sobre el mar, se lanzan al sol. Vuelo lírico en que se alaba la vida y, en la vida, a Dios. En los sonetos religiosos de *Práctica de vuelo* la religión no es un mero tema, sino un batir de alas y un itinerario celeste. Quizá no tanto, porque Pellicer es hombre, no ángel; ni siquiera es hombre ascético. Su sentimiento religioso es el de un hombre que sólo puede abrir los brazos, en forma de cruz, sin volar con las alas desplegadas del misticismo: "¡Alzara el viento de mis hombros vuelo! / Yo vivo todo en tierra. Tú eres cielo. / Tú azul, y yo en el hueco de mí mismo." Muy pocas veces los ojos del poeta parecen enceguecerse en el éxtasis. Más que una unión mística con Dios, esta poesía nos da las imágenes del amor a Dios. Los ojos, no encandilados en el arrobo, sino abiertos y perceptivos, ven en la vida los rosados y los celestes de un Fra Angélico o las sombras de los tenebristas barrocos. La intensidad de la fe no lleva, pues, al silencio, como en los místicos, sino a la elocuencia: una elocuencia de lírico, sin conceptos, sin escolástica, pero activa en el deseo de gracia. Cada imagen es concreta y sorprendente, como detalles de una cartografía del alma. XAVIER VILLAURRUTIA (1903-1950) pareció en sus primeros poemas que iba a continuar por el camino de López Velarde. En *Reflejos* (1926), sin embargo, ya descubrió un espíritu más gracioso y ocurrente. Había repentinas invocaciones religiosas o reflexiones melancólicas, pero en general sus imágenes eran flamantes y alegres. Sin las alharacas de los ultraístas ofrecía también insólitas metáforas. Después se acercó más a los imaginativos inteligentes: Proust, Gide, Cocteau, Giraudoux. De su variada gama de temas —el paisaje, el amor, el misterio, la bondad, el arte, el viaje, etc.— eligió entonces, para analizarla lúcidamente, la franja de color más triste. La inteligencia observa, escoge y ordena las emociones que han de entrar en su poesía. Emociones que le vienen al contemplar las cosas y comprender sus gestos secretos. Su mejor obra: *Nostalgia de la muerte* (1939-46). Fue espléndida. Villaurrutia presentía que la vida es un sueño y que la muerte será un despertar: "¡Y dudo! Y no me atrevo a preguntarme si es / el despertar de un sueño o es un sueño mi vida." Nada, le dice la Muerte, es "el sueño en que quisieras creer que vives / sin mí, cuando yo misma lo dibujo y borro". Y el poeta, en otro poema: "La noche vierte sobre nosotros su misterio, / y algo nos dice que morir es despertar." Pero en vez de quedarse paralizado de miedo, como un hombre que de pronto descubre que es sólo un fantasma en la noche, Villaurrutia parte de esa intuición fundamental y con la fantasía y la inteligencia va creando hipótesis metafísicas. Hay innumerables juegos de palabras y sonidos. Pero esos juegos se convierten en juegos de conceptos. Son los temas de la literatura fantástica que, en otro tono menos angustiado, también otros están ensayando en los mismos años (Borges, por ejemplo). Temas del hombre doble y de los desdoblamientos de la conciencia, de los espejos enfrentados que repiten sus imágenes hasta el infinito, del de los cuerpos vacíos que reciben visitas misteriosas, de autónomas sombras humanas, de dioses que sueñan a hombres que a su vez están soñando a otros, del absurdo miedo a no existir, de universos solipsistas, de ángeles corrompidos, de la muerte que nos habita sigilosamente, de que todos los hombres son un solo hombre y somos y no somos simultáneamente, de metamorfosis y laberintos... Villaurrutia desintegra las cosas reales, cae en la soledad de ese vacío, se pone a inventar allí otro mundo y se angustia porque no sólo lo sabe irreal, sino porque duda aun de su propia existencia personal.

Sus hipótesis están flotando sobre el humor con que el poeta piensa en la Muerte. Las diez décimas de "Décima muerte", que están en ese libro, son clásicas en la construcción, barrocas en las agudezas de concepto y existencialistas en la idea de que la muerte es una prueba de la existencia y a fin de cuentas vivimos para la muerte propia. Villaurrutia, tan calculador y frío cuando se trataba de componer sus ideas y sus estrofas, estaba agitado por la presencia de la muerte. En sus últimos años —*Canto a la primavera y otros poemas*, 1948— las emociones no obedecieron más la brida y sencillamente se desbocaron. En su teatro no hay pasión sino sentimiento; y, el sentimiento, visto por ese lado en que limita con la inteligencia. Brillos irónicos van indicando el diseño de la trama. No nos presenta una realidad, sino un mundo de artificio. Sus *Autos profanos* (1943) son cinco esquemas dramáticos, tan tensos que bien se ve que están dirigidos a una minoría intelectual, no al público común. En sus piezas en tres actos —*La hiedra, La mujer legítima, Invitación a la muerte, El yerro candente, El pobre Barba Azul, Juego peligroso*— los diálogos son más ricos y en todas las bocas de los personajes la inteligencia muestra la misma sonrisa. JOSÉ GOROSTIZA (1901) es uno de los mejores cristalizadores de poesía en esta generación: *Canciones para cantar en las barcas* (1925), *Muerte sin fin* (1939). En sus versos claros y de esquemas rítmicos populares hay tal hondura y complejidad líricas que el lector, al tropezar más tarde con las dificultades de la mitad oscura de su poesía, sigue adelante, confiado en que no lo están engañando con falsas complicaciones —según era costumbre en los prestidigitadores de esa generación— y en que al cabo llegará a una zona del espíritu, sutil y auténtica. Así es. Gorostiza toca con sus alas el folklore, la poesía culta de Garcilaso a Góngora y la pura de Juan Ramón Jiménez, pero esas alas nos interesan por su vuelo, no por sus roces. Vuela Gorostiza hasta un aire desde donde se vea iluminado lo que al ras del suelo es invisible, por demasiado sutil. *Muerte sin fin* fue el poema mexicano más importante que hasta entonces había aparecido en su generación. Es sólo un momento en una larga agonía. El poeta sufre su soledad, perdido en un mundo cuyo sentido se le escapa. No sabe si está rodeado por Dios o por nada. Al contemplarse —"mi torpe andar a tientas por el lodo"— el poeta se reconoce a sí mismo en la imagen del agua; aunque esa agua adquiera forma en el rigor del vaso, esa forma tampoco le da ni saber ni consuelo. Al contrario, la vida, así envasada en la conciencia, es una muerte sin fin. Todo el universo se disgrega en este poema, que corre como un río, en oleadas de soledad y tiempo, libertad y muerte, vida e inteligencia, impulso y forma, Dios y caos. El vaso, que es inteligencia y palabra, amolda y estrangula el agua de la vida. Desilusionado, el poeta termina (prosaicamente, como corresponde a la desilusión) con un desafío a la muerte que lo está acechando desde los ojos insomnes: "Anda, putilla del rubor helado, / vámonos al diablo."

Jaime Torres Bodet (1902) entró en la literatura con un libro de versos: *Fervor*, 1918, prologado por González Martínez. Sus gustos eran todavía convencionales, respetuosos del simbolismo francés y del modernismo hispánico. Poco a poco, en diálogos con los "contemporáneos", y hojeando la *Revista de Occidente* y la *Nouvelle Revue Française,* fue entendiendo la algarabía de su tiempo: Gide, Proust, Joyce, Antonio Machado, Dostoievsky, Cocteau, Juan Ramón Jiménez, Giraudoux, Ortega y Gasset, Morand, Soupault, Girard, Lacretelle, Jouhandeau, Jarnés... De 1922 a 1925 había publicado siete volúmenes de versos: de ellos seleccionó los mejores en *Poesías* (1926). De pronto, sin abandonar el verso, se entusiasmó por la prosa. Escribió ensayos (*Contemporáneos,* 1928), pero sus pasajes de mayor empeño los encontramos con formas de narración: *Margarita de Niebla* (1927), en la que un mínimo de argumento sostenía juegos de sensibilidad y fantasía entre dos muchachas y un joven profesor, que es quien cuenta; *Proserpina rescatada* (1931), también "arte deshumanizado", donde los personajes andan como bengalas y arden en frases chisporroteantes; y *Nacimiento de Venus y otros relatos* (entre 1928 y 1931, pero publicados en 1941), cuyas primeras páginas —sobre la náufraga Lidia— tienen la fría y bella luz de una vidriera en una elegante tienda, en la avenida más lujosa de la ciudad. Después Torres Bodet viajó por todo el mundo, con importantes cargos oficiales. Siguió escribiendo libros de versos (*Sin tregua*, 1957, *Trébol de cuatro hojas*, 1958), de ensayos (*Tres inventores de realidad*, 1955), de memorias (*Tiempo de arena*, 1955). Pero cada vez parece más opaco. Sus mejores momentos fueron aquellos en que se despeinaba la imaginación; sólo que lo hacía con la misma elegancia que otros ponen en peinársela. Cabellera de imágenes revuelta por un viento de locura. ¿De locura? Observémolas, una por una. Tienen sentido. Sorprenden porque nunca habíamos oído que "las damas / extraían de sus estuches enciclopédicos / —con los dedos que faltan aun a la Venus de Milo— / una sonrisa articulada / ¿para la cabeza de qué Victoria de Samotracia?" Son imágenes a contrapelo de la inteligencia, con alusiones a una cultura artística de buena reputación, humorísticamente frívolas, irónicamente líricas, referidas a estados muy agudos del espíritu. Esta poesía de tono menor, antielocuente, más europea que mexicana, sin contaminaciones de la política o de la moral, pasa triunfalmente del verso a la prosa. BERNARDO ORTIZ DE MONTELLANO (1899-1949) ha escrito poemas en prosa (*Red*), relatos (*Cinco horas sin corazón*), diálogos (*El sombrerón*) y, naturalmente, versos: la edición *Sueño y poesía*, 1952, recoge sus libros y agrega nuevos poemas. Comenzó con voz asordinada, pero poco a poco se atrevió a hablar con más firmeza de lo impuro, de la soledad, de la tiniebla, del sueño y la muerte. Se embarcó al turbio país de sus *Sueños* (1933): no llegó a él, por lo menos no llegó a las últimas islas de los superrealistas, pero nos comunicó la sensación de mareo que tienen los que navegan por ese mar. Sus mejores composiciones son de entonación grave y desesperanzada, como los sonetos de *Muerte de cielo azul* (1937). Exploraba, no tanto los sueños como su asombro ante los sueños que recordaba en la vigilia: "Himno a Hipnos." SALVADOR NOVO (1904) es el poeta circunstancial y humorístico del grupo. Como sus compañeros, nació a las letras para volar con metáforas. Se puso, sin embargo, al borde de lo prosaico y se inclinó hasta que se le desmoronaron algunos versos bajo los pies. La hazaña está en que no cayó en ese abismo. En *Poesía* (1955) se advierten ráfagas de ironía, lirismo, ímpetu apasionado y amarga desolación. Ha escrito también relatos y piezas teatrales. ELÍAS NANDINO (1903) reunió sus versos en *Poesía* (dos volúmenes: 1947-48) y, sin detenerse, siguió publicando los que le vinieron después. Descuella con sus sonetos; y el tono —monótono— es de desaliento. Sus temas: el amor, la soledad, la muerte. El atormentado JORGE CUESTA (1903-1942) y el escéptico GILBERTO OWEN (1905-1952) cierran este grupo mexicano. CONCHA URQUIZA (1910-1945), cuya voz, humildemente, busca el diálogo con Fray Luis de León y San Juan de la Cruz, vino después.

ii) *Centroamérica*

Guatemala. LUIS CARDOZA Y ARAGÓN (1904) ocupa, con Asturias, el sitio de más prestigio en las letras de su país. Mientras vivía en Francia se familiarizó con el superrealismo, experiencia que dejó huellas en obras como *Luna Park* (1943), *La torre de Babel* (1930), *Maelstrom* (1926) *El sonámbulo* (1937), *Pequeña sinfonía del Nuevo Mundo* (1949). Es poeta difícil, por sus vertiginosas imágenes y sus exploraciones por mundos fugitivos, pero la conciencia de vivir en uno de los momentos críticos de la historia y su preocupación por el destino del hombre lo iluminan. Es también brillante ensayista, como se ve en *Guatemala. Las líneas de su mano* (1955). Otro poeta: CÉSAR BRAÑAS, autor de una de las más bellas elegías de esta generación: *Viento negro.*

Honduras. Los tres mejores poetas de esta generación son Barrera, Cárcamo y Laínez. CLAUDIO BARRERA (1912), por el camino que abrieron Vallejo y Neruda se metió en la poesía de tono político, de tema americano, según se aprecia en su poema "La doble canción". JACOBO CÁRCAMO (1914-1959), también con libertad de metros, cantó a los "Pinos de Honduras" y "Al ahuehuete" de México. DANIEL LAÍNEZ (1914-1959) fue el más espontáneo, el más popular. Otros poetas: MARCO ANTONIO PONCE (1908-1932), RAMÓN PADILLA COELLO (1904-1931), JOSÉ R. CASTRO (1909) y ALEJANDRO VALLADARES (1910).

El Salvador. Una de las presencias más líricas es la de CLAUDIA LARS (1899), seudónimo de Carmen Brannon. Se inició con los poemas de *Estrellas en el pozo* (1934), a los que siguieron otros libros. Se advirtió por un tiempo la influencia de García Lorca —por ejemplo, en los *Romances de Norte y Sur*, 1946— pero desde los sonetos de *Donde llegan los pasos*, 1953, su originalidad canta con voz propia: la inteligencia, con insinuaciones, afina la puntería, y la metáfora da en el blanco lírico. Otros poetas destacables: ALFREDO ESPINO (1900-1928), paisajista en *Jícaras tristes*; SERAFÍN QUITEÑO (1906), el vehemente poeta de *Corasón con S*; el sencillo PEDRO GEOFFROY RIVAS (1908).

Nicaragua. Hubo poetas que, aunque pertenecen a este capítulo por las fechas de su nacimiento, mantienen una tónica del pasado modernista (como AGENOR ARGÜELLO, 1902, incorporado a las letras salvadoreñas, o LEÓN AGUILERA, 1901) o se acercan cautamente a la vanguardia (HORACIO ESPINOSA ALTAMIRANO, 1903-1945; ABSALÓN BALDOVINOS, 1903-1938; SANTOS CERMEÑO, 1903; ISRAEL PANIAGUA PRADO, 1905-1950; ALÍ

Vanegas, 1905; José Francisco Borgen, 1908). Nicaragua es la patria de Rubén Darío. El grupo de jóvenes que ahora vamos a reseñar ya no sentía reverencia por Rubén Darío. "Nuestro amado enemigo", lo llamaban. Presidió el grupo José Coronel Urtecho y lo acompañaron en sus campañas de vanguardia Pablo Antonio Cuadra y Joaquín Pasos. Antes de detenernos en ellos tratemos de componer el cuadro. En el orden literario, volcaron los sentimientos humanos de siempre, la sensibilidad para lo telúrico, las experiencias nativas, la arrogancia personal, en versos amétricos y ricos en su verbosa materia. En el orden político fueron católicos, antiliberales, antidemocráticos. Primero, Luis Alberto Cabrales (1902) y Coronel Urtecho; después Cuadra, Edgardo Prado (1912), Alberto Ordóñez Argüello (1914), Joaquín Pasos y los que veremos en el próximo capítulo. En busca de una expresión nacional, cultivaron el folklore, recogiendo la tradición hispánica y elaborándola con las propias creaciones. Algunos de ellos diseminaron su labor poética en revistas, y figuran en antologías sin haber publicado libro. De 1928 fue "Vanguardia". Otros poetas de estos años: Napoleón Román (1906), Aura Rostand (1908), Carmen Sobalbarro (1908). Ahora destaquemos a los más valiosos. Ante todo, a José Coronel Urtecho (1906). Es uno de los temperamentos poéticos más versátiles de Hispanoamérica. Bien informado de las últimas tendencias en todas las literaturas, y decidido a escandalizar los gustos consagrados, comenzó saludando burlonamente a Rubén Darío: "En fin, Rubén, / paisano inevitable, te saludo / con mi bombín / que se comieron los ratones en / 1920 y cin- / co. Amén." La poesía de Coronel Urtecho es desconcertante por su incesante renovación y cambio de direcciones. Lo único permanente es su fe católica: en lo demás es un experimentador de todas las formas y modalidades. Es sencillo o hermético, claro o superrealista, severo o humorista. En busca de una expresión popular cultivó el folklore y adoptó ritmos y asuntos de canciones y cuentos tradicionales. La "Pequeña oda a Tío Coyote", por ejemplo, se basa en un "cuento de camino" (o sea, un cuento infantil): Tío Coyote es un animal que roba frutos de los huertos. Cuando le dicen que la luna, reflejada en el agua, es un queso, va a comerla y se ahoga. Sobre este bastidor folklórico Coronel Urtecho borda una figura cómico-lírica: Tío Coyote será un ilusionado, como Don Quijote, como el poeta chino Li-Tai-Po. PABLO ANTONIO CUADRA (1912) es el más activo, el más productivo: *Poemas nicaragüenses* (1933), *Canto temporal* (1934), *Corona de jilgueros* (1949), sin contar su teatro, casi todo representado: una pieza de éxito fue *Por los caminos van los campesinos*, de intención política. JOAQUÍN PASOS (1915-1947), de frase dura, esquemática: *Breve suma* es póstumo.

Costa Rica. El denso ALFONSO ULLOA ZAMORA (1914); el sencillo FRANCISCO AMIGHETTI (1907); el cordial FERNANDO LUJÁN (1912); el paisajista GONZALO DOBLES (1904); ARTURO AGÜERO CHAVES, el más notable regionalista; FERNANDO CENTENO GÜELL (1908), alejado de los temas nacionales; RAFAEL ESTRADA (1901-1934), que murió como una bella promesa; y ARTURO ECHEVERRÍA LORÍA (1909), MANUEL PICADO CHACÓN (1910).

Panamá. DEMETRIO KORSI (1899-1957), que acechó la inquietud literaria de posguerra, sacó sus temas de la vida de ciudad y los trató con ironía y desenfado. Su producción poética —iniciada en 1920 con *Los poemas extraños*— lo hacen merecedor de un primer puesto en su patria. Sin embargo, mucho de lo que escribió, al principio y al fin de su carrera, tenía algo de ejercicio de imitaciones. Su labor intermedia —digamos, después de cumplir los treinta años y antes de cumplir los cincuenta— es más espontánea en su canto al barrio, a los tipos humanos familiares, a los aspectos de la vida popular de la ciudad. Poetas del campo fueron MOISÉS CASTILLO (1899), SANTIAGO ANGUIZOLA D.

(1899?) y en menor medida LUCAS BÁRCENA (1906).
A partir de 1929 hay evidencias de que la corriente de
vanguardia se ha asentado en Panamá: Rogelio Simán
—a quien el lector debe buscar entre los prosistas—
fue el que produjo en esa corriente la primera onda:
Onda fue su poemario, de 1929. La poesía vanguardista
panameña, más pura, más universal que la hasta entonces cultivada, corrió en las plumas de ROQUE JAVIER
LAURENZA (1910), el más docto en escuelas de posguerra; DEMETRIO HERRERA SEVILLANO (1902-1950),
con la libertad de los ultraístas dio ritmos populares a
su musa arrabalera; RICARDO J. BERMÚDEZ (1914), más
ambicioso en sus temas, con imágenes líricas y declamatorias a la vez, consciente de la dignidad de su canto.

iii) *Antillas*

A la literatura de vanguardia se le llama en Cuba
"de avance" porque uno de sus voceros, en 1927, fue la
Revista de Avance. Los jóvenes se sentían agobiados
por la inercia mental y la bajeza moral del país, y reac-
cionaron con vehemencia. Aun las formas aparentemente juguetonas tenían un sentido de rebelión social.
En palabras de Jorge Mañach, uno de los fundadores de
Avance: "Las minúsculas, las imágenes desaforadas, las
jitanjáforas, el encabritamiento tipográfico, la deformación plástica no eran sino la expresión concreta de
aquel estado de ánimo"; "el vanguardismo sucumbió
entre nosotros como movimiento polémico tan pronto
como las conciencias creyeron hallar la oportunidad real
de expresión en lo político". Bajo este signo de la vanguardia —rebelde pero fútil— se forman dos grupos
de poetas: los poetas puros (Eugenio Florit) y los poetas sociales (Nicolás Guillén). Hay idas y venidas de
un grupo a otro (Ballagas). Y aun la poesía negra fluc-
túa entre el lirismo y la documentación. Al final de
este período aparece otro grupo: el trascendentalista
(Lezama, Lima).

Detengámonos, al rehacer el camino que acabamos de esquematizar, en algunos poetas representativos de cada grupo.

Del grupo de la poesía pura —Silverio Díaz de la Rionda, 1902; Rafael García Bárcena, 1907; Dulce María Loynaz, 1903— vamos a escoger a uno de los líricos más finos de su época: Eugenio Florit (1903). En las décimas de *Trópico* (1930) el pensamiento sintáctico, vagabundo pero rápido, va enhebrando imágenes del campo y del mar cubanos; imágenes que funden, también rápidamente, la percepción concreta y el concepto abstracto. Dejos de poesía gongorina, dejos de poesía popular. *Doble acento* (1937) —el acento frío, medido y clásico; el acento ardiente, desbordado y romántico— es libro complejo. A veces, como en "Martirio de San Sebastián", se junta lo descirptivo, lo narrativo, lo lírico y lo místico: se describe al santo en la postura de recibir la inminente tortura y se narra su lírico monólogo desde la invitación a las flechas —"Sí, venid a mis brazos, palomitas de hierro", "venid, sí, duros ángeles de fuego, / pequeños querubines de alas tensas"— hasta la flecha final, la de la muerte, la que lo unirá místicamente a Dios —"Ya sé que llega mi última paloma". . . / "¡Ay! ¡Ya está bien, Señor, que te la llevo / hundida en un rincón de las entrañas!". En *Reino* (1938) la impresión del paisaje —sea íntimo o natural— el poeta quiere rendirla exacta, en su pura esencia, y para ello la perfila en esquemas breves, limpios y tensos. En los poemas nuevos de su antología *Poema mío* (1947) el verso se hace más sencillo y sentimental: recuerdos de infancia, la unción religiosa, la soledad, meditaciones ante el mar. *Asonante final y otros poemas* (1956) es una conversación, también sobre recuerdos y meditaciones. Sólo que ahora Florit, puesto que está conversando —"Conversación a mi padre"—, allana el verso y, ya sin cauce estricto, el pensamiento vaga con sencillez y aun con humor. Pero este verso, aunque coloquial, no es prosaico. En

"Asonante final" —donde el poeta deja fluir las imágenes sueltas de su conciencia y, como en un espejo, se ve a sí mismo en el acto de escribir— a las frases ordinarias va prendida firmemente la poesía. Poesía de ternura, bondad, sonrisa atristada, resignación y confianza en Dios. Poesía que toca con un dardo de luz lo pequeño, lo vulgar, lo cotidiano (las cosas, así tocadas, se encienden maravilladas). Su *Antología poética: 1930-1955* (publicada en 1956) dibuja los rasgos más acentuados de su arte.

La poesía negra —a la que después nos referiremos en especial— tuvo a veces modalidades puramente estéticas, pero otras veces, al denunciar las condiciones en que vivían los cubanos de raza africana, se hizo social y aun política. El representante mejor de esta poesía de combate es NICOLÁS GUILLÉN (1902). Comenzó en los *Motivos de son* (1930) con ritmos de danza negra, pinceladas de cuadro costumbrista y una estilización irónica de la lengua popular. Una circunstancia, un hecho, un sentimiento son comentados en pocas palabras, mientras el esquema musical del *son* va acompasando la risa y la alegría. En *Sóngoro cosongo* (1931) el folklore negro integrado con la tradición hispánica pero, por encima de eso, poesía: creación verbal, seriedad, metáforas líricas. *West Indies, Ltd.* (1934) intensificó la nota cívica, polémica, antimperialista que antes era ocasional: aquí están algunos de sus buenos poemas, vividos desde el hondón mismo de la sensibilidad mulata, solidarizada con el negro oprimido. Los *Cantos para soldados y sones para turistas* (1937) dan salida, en las formas sencillas con que hablan las gentes humildes, y con el ritmo del *son*, a las aspiraciones de la clase desposeída. Como Neruda, como Vallejo, también Guillén tomó partido por la República, durante la Guerra Civil española, y de esa posición de lucha —que lo llevará al comunismo— salieron los poemas de *España* (1937). Y su maestría se afirma en 1947-1948 con las dos *Elegías* (a Jacques Roumain, a Jesús

Menéndez). El libro que mejor redondea a Guillén es *El son entero* (1947), de acento popular, pocas veces político, más nacional que racial, con una fruición rítmica sin la comicidad de sus primeros *sones*. Aquí se ofrece una madura síntesis de la personalidad de Guillén, con todos sus rasgos de observador y de sentidor, de cantor tradicional y de lírico culto, de plástico y de músico, atento ya a la magia primitiva, ya a la reivindicación social. Después de años de silencio Guillén reapareció, sin sorpresas, en *La paloma de vuelo popular* (1958): otra vez, la doble faz de agitador político y de lírico tradicionalista. Preferimos el Guillén lírico, claro está. A pesar de su atención a los pobres y humillados, a pesar de su afanosa acogida al folklore, a pesar de sus temas de la vida cotidiana y elemental, del falso ritmo de canto popular y de sus mensajes políticos, Guillén es poeta aristocrático por la fina postura de perfil con que su lirismo corta el aire. Entre la poesía pura y la poesía social dijimos que se columpiaban algunos poetas. Los poetas de tema africano también se columpian del esteticismo a la protesta.

EMILIO BALLAGAS (1908-1954) es, de estos que pueden estudiarse tanto en un grupo como en otro, notabilísimo. *Júbilo y fuga* (1931) es poesía pura, angélica en su desasimiento de las cosas y capacidad de vuelo, retozona en sus sonidos sin significación, sensual pero con sensualidad de literatura pastoril. Después, en *Sabor eterno* (1939), la emoción es amatoria y elegíaca, como en los románticos. Y, estructurada clásicamente en sonetos, liras y décimas, *Nuestra señora del mar* (1943) es poesía religiosa. Al lado, junto con esta modalidad, cultivó Ballagas, sin ser negro, versos sobre la vida de los negros, sentidos desde fuera (*Cuaderno de poesía negra*, 1934). Hubo, pues, en Ballagas una poesía de sensualidad verbal, una poesía pura, una poesía de tema negro. Como otros poetas de su mismo país, de su misma tendencia, de su mismo tema, de su

misma generación, Ballagas, al hacer poesía negra, hace
sonar las pepitas de sus palabras-maracas o inventa
vocablos cascabeleros y al final, más que la poesía, oímos
balbuceos, interjecciones, repiques de tambor, ritmos,
onomatopeyas, estímulos melódicos a los reflejos condi-
cionados de una coreografía popular. Ballagas va a lo
pintoresco, a lo exterior, a lo lúdico; su simpatía por
los negros es una proyección, al medio social, de su
viejo deseo de llegar, por el camino de la poesía, a una
realidad candorosa, primitiva y pura. También RAMÓN
GUIRAO (1908-1949) escribió poesía pura y algo superrealista (*Poemas*, 1947), pero su puesto, en la historia
literaria, es de iniciador de la poesía afrocubana ("La
bailadora de rumba" es de 1928). Sin embargo, no
tuvo ni la fuerza vital interior de Guillén ni la fuerza
descriptiva exterior de Ballagas: su libro de poemas
negros, *Bongó* (1934). Otros poetas deberían mencio-
narse en la poesía cubana de estos años: el lirismo
volcado a lo social de MIRTA AGUIRRE (1912), el erotismo un tanto nerudiano de JOSÉ ÁNGEL BUESA (1910),
FÉLIX PITA RODRÍGUEZ (1909), que pasó por la iniciación en el superrealismo francés, español e hispanoamericano; y, sobre todo, a Feijoo, que por ser una
figura solitaria, tanto da ponerlo en este capítulo o en
el siguiente, pues ningún grupo lo atrae, y a Lezama
Lima, que por su edad viene aquí pero por su influencia
podría ir con los que nacieron después de 1915. SA-
MUEL FEIJOO (1914) es un neorromántico, de sentimientos íntimos o de paisajes cubanos. Poesía para
adentro o para fuera, pero con jardines a los dos lados,
y a veces no sabemos si estas flores son del espíritu o
son vegetales. Narcisismo que se contempla en el espejo de la naturaleza, o mimosos árboles, cerros, mar,
cielo que andan pidiendo caricias al poeta. La isla de
Feijoo está ornamentada primorosamente, y un velo la
suaviza para hacerla aún más encantadora: véanse sus
libros, de *Camarada celeste* (1944) a *Faz* y *La hoja
del poeta* (1956). El poeta se interna por el paisaje

y va anotando sus impresiones, en poemas y prosas poemáticas de diario íntimo; y, en efecto, ha publicado sus *Diarios de viajes* (1958). José LEZAMA LIMA (1912) fue promotor de revistas —*v. gr., Orígenes*—, de cenáculos, de una nueva manera poética. Se apartó de cuanto se había hecho y se estaba haciendo en la generación cubana que acabamos de reseñar, pero su soledad duró muy poco tiempo: apenas aparecieron sus poemarios —*Muerte de Narciso*, 1937 y, sobre todo, *Enemigo rumor*, 1941— sedujo a los más jóvenes y desde entonces es el maestro. La ascendencia que ejerce sobre otros escritores parece deberse al ejemplo de una vida monstruosamente consagrada a la literatura. Más: de una vida hecha de letras, libresca, literaturizada. Su vasta biblioteca queda fichada en sus ensayos: *Analecta del reloj* (1953), *La expresión americana* (1957), *Tratados en La Habana* (1958). Pero aun por las entrelíneas de sus versos se divisan al fondo anaqueles de libros, con unos volúmenes más manoseados que otros: barrocos españoles (en especial Góngora y Quevedo), simbolistas (Valéry, Rilke), católicos (Chesterton, T. S. Eliot, Claudel), superrealistas (Neruda). Su poesía —hermética— es vital en el impulso, pero como esa vitalidad, ya dijimos, está totalmente identificada con la literatura, los versos surgen más literarios que poéticos. Atropella las cosas, para ver lo que se esconde detrás, y se niega a aclararnos su visión. Su visión es metafísica, teológica más bien. El hombre, por el pecado original, está exiliado de la realidad absoluta: quiere regresar, y ve, inalcanzable, la poesía, "enemigo rumor". Hay algo sagrado, pues, en el acto de tomar la pluma. Poeta verdadero —cree Lezama— no es el que se contenta con las apariencias de las cosas ni con la efusión sentimental, sino el que, a pesar de las resistencias, avanza hacia la Poesía que nos mira de lejos, siempre desde lejos, como criatura absoluta y despiadada que es. *La fijeza* (1949) —su libro más complejo y difícil— alude con el título a ese carácter fijo, trascendente de la poesía. Interrogamos a la poesía: la respuesta que nos da se pierde mientras el poeta trata de anotarla. Su lenguaje es duro en el ritmo, agrietado en la sintaxis, abrupto en la metáfora, con estelas sobre el hielo. Sus poemas quieren ser órganos de conocimiento metafísico, pero no se dejan conocer; quieren ser objetivos, pero están tan licuados en la subjetividad que ya no les vemos perfil. De tan agudo, Lezama se debilita, pierde autoridad y entonces las palabras se entregan por su cuenta a la locura cavilosa. Otros: MERCEDES GARCÍA TUDURÍ (1904); GUILLERMO VILLARRONDA (1912), ÁNGEL I. AUGIER (1910).

Santo Domingo. Entre el postumismo de Moreno Jimenes (que vimos en el capítulo anterior) y la revista *La Poesía Sorprendida,* 1943 (que veremos en el próximo capítulo), surgen los primeros poetas novedosos, imaginativos, complejos, generalmente antirrealistas y educados, si no en Góngora, por lo menos en el gongorismo de García Lorca. Quien recibe y junta, en una reunión cordial, a los poetas de la generación de Moreno Jiménez con los de la generación de Fernández Spencer, es el lírico FRANKLIN MIESES BURGOS (1907). Sea con versos libres o con las formas rigurosas del soneto, nos seduce con una música insinuante que se desenvuelve en metáforas. Su mundo poético es tan límpido como un sueño feliz, con muchachas, rosas, fulgores de luna, cristales, ángeles y misterios. A veces, sin embargo, su voz crece con la emoción y declama. Es una emoción elegiaca, como la de *Sin mundo ya y herido por el cielo* (1944), que busca por la muerte a la sombra amada. Otros títulos: *Clima de eternidad* (1947), *Presencia de los días* (1949), *El héroe* (1954), RAFAEL AMÉRICO HENRÍQUEZ (1899) —autor de "Rosa de tierra"— recoge materiales del paisaje, se los lleva a su taller de cerámica y quiere contornearlos, colorearlos y abrillantarlos. Su barroquismo gramatical afea a veces las imágenes. Así y todo son sus abundantes imágenes el índice de su originalidad. TOMÁS HERNÁNdez Franco (1904-1952), que captó en *Canciones del litoral alegre* (1936) la vida marinera, se destacó por "Yelidá" (1942), poema expresionista, entre narrativo y alegórico: es la historia de una mulata, hija de un noruego y una antillana. Su imaginación poética se va amonedando en frases, extrañamente brillantes. Su dinamismo lo llevó al cuento —*Cibao*, 1951—, donde siguió siendo un poeta impresionista. Manuel del Cabral (1907) canta con inconfundible voz antillana: *Trópico negro* (1942), *Sangre mayor* (1945), *De este lado del mar* (1948), *Los huéspedes secretos* (1951), *Pedrada planetaria* (1958). Uno de sus libros más famosos es *Compadre Mon* (1943), poema épico-lírico en el que crea el mito de un héroe popular. Sus dos antologías —*Antología tierra*, 1959, y *Antología clave*, 1957— revelan una vasta gama de temas y tonos. Manuel del Cabral ha cultivado también la prosa poética: *Chinchina busca el tiempo* (1945) y *30 parábolas* (1956). Es un desorbitado. Se pierde y vuelve a encontrar su camino para perderse y encontrarse una y otra vez. La fuerza creadora de su vena lírica popular acaba siempre por levantarlo después de sus caídas. Es importante su poesía negrista, pero, ambiciosamente, canta también a hombres de otras razas y, en *Pedrada planetaria* (1958), su voz americana grita a los espacios ("Monólogo del Sputnik I"). Otro de los buenos poetas de estos años fue el exaltado Héctor Incháustegui Cabral (1912). Sale al mundo y saluda con potente voz los paisajes patrios y, sobre todo, al hombre, al hermano hombre. Se lamenta de las penurias humanas y clama por un orden social más justo. Tiene una filosofía de la vida, con un activo espolón moral, y en su voluntad de comunicarla suele obligar a su verso a que asuma funciones de prosa. Versos elocuentes, más sonoros que musicales. Su ímpetu expresivo, sin embargo, lo salva. El detalle viene a tiempo para matizar lo que estaba destiñéndose en una idea abstracta. Como otros poetas de vanguardia despreció los moldes tradicionales: diez poemarios, de *Poemas de una sola angustia*, (1940), a *Rebelión vegetal y otros poemas menos amar gos* (1956). También asociados a ese movimiento, al que nos referiremos con más detalles en el próximo capítulo, estuvieron el vanguardista PEDRO RENÉ CONTÍN AYBAR (1910) y PEDRO MIR (1913), de acento social.

Puerto Rico. Hay algo, en la atmósfera intelectual y artística de esta isla, que frena, modera y redondea los avances que le van llegando de la literatura mundial. Ejemplo de ello es JOSÉ AGUSTÍN BALSEIRO (1900): en *La pureza cautiva, Saudades de Puerto Rico* y *Vísperas de sombra* la unidad está dada por el amor a la isla nativa, en canto claro, de sentimientos contemplados a la luz de una conciencia serena a pesar de sus preocupaciones. En general el ánimo poético no siguió la ventolera de las modas. Sin embargo, proliferaron los "ismos" de vanguardia. Primero, en 1921, el *diepalismo* de JOSÉ I. DE DIEGO PADRÓ (1899) y Luis Palés Matos, movimiento que proponía un lenguaje poético onomatopéyico. Después, en 1923, el *euforismo* de VICENTE PALÉS MATOS (1903). En 1925, el *noísmo* (de "no"), también iniciado por Vicente Palés Matos. En 1928, el *atalayismo* de GRACIANY MIRANDA ARCHILLA (1910), FERNANDO GONZÁLEZ ALBERTY (1908) e iconoclastas e individualistas que constituyeron un cenáculo con algo de la hermética bohemia de Dadá y algo de la poesía pura. Más tarde LUIS HERNÁNDEZ AQUINO (1907) fundó el *integralismo*, tendencia hacia lo vernacular, lo autóctono. Su poesía es sencilla, honda, de raíces hispánicas: comienza con *Niebla lírica* (1931) y culmina con *Isla para la angustia* (1943). En la tendencia criollista están SAMUEL LUGO (1905), FRANCISCO HERNÁNDEZ VARGAS (1914), anecdótico en *La vereda* (1937); FRANCISCO MANRIQUE CABRERA (1908), más original, más ágil, más profundo en los modos libres de captar lo esencial puertorriqueño: véanse sus *Poemas de mi tierra, tierra* (1936) y *Huella-sombra y cantar* (1943). Uno de los mayores poetas es JUAN ANTONIO CORRETJER

(1908). Siguió también la línea del *integralismo*, en *Amor de Puerto Rico* (1937). Sus ideales nacionalistas se expresan en afectos sencillos, humanos, familiares. La patria es para él como una mujer amada, y en su lirismo el ensueño, el efluvio de la tierra, el impulso vital se dan en admirable unidad, de *Agüeybana* (1932) a *Don Diego en el cariño* (1956). La poesía femenina fue conspicua. Ante todo, JULIA DE BURGOS (1914-1953), conmovedora en su insatisfecha pasión por la vida, honda hasta tocar temas metafísicos, con agudo sentido para la naturaleza y la belleza del amor: de *Poema en veinte surcos* (1938) al póstumo *El mar y tú*. CLARA LAIR fue la más erótica, la más apasionada, la más atrevida en sus confidencias sobre la entrega al varón y la soledad en medio de esos fuegos: *Trópico amargo*. En cambio CARMEN ALICIA CADILLA (1908) fue recatada en la revelación de su intimidad —*Canciones en flauta blanca*, 1934— y en CARMELINA VIZCARRONDO (1906) el amor a la patria es por lo menos tan poderoso como el otro. El último "ismo", en estos años, fue el *transcendentalismo*, piloteado a partir de 1948 por FÉLIX FRANCO OPPENHEIMER (1912), autor de *El hombre y su angustia* (1950). El propósito es "elevar al hombre a un plano de alta espiritualidad, sin olvidar su realidad humana". A los compañeros más jóvenes en esta tendencia los veremos en el próximo capítulo. Entre todos estos movimientos andan FRANCISCO RENTAS LUCAS (1910), OBDULIO BAUZÁ Y GONZÁLEZ (1907), DIONISIO TRUJILLO (1912), PEDRO JUAN LABARTHE (1906), MANUEL JOGLAR CACHO (1898) y varios más. Pero quien, junto con Lloréns Torres, Dávila y Ribera Chevremont, es una fundamental columna de la poesía puertorriqueña es Luis Palés Matos.

LUIS PALÉS MATOS (Puerto Rico; 1898-1959) es uno de los poetas más originales de esta época. Comenzó escribiendo poesías modernistas —*Azaleas*, 1915—, pero buscó su propio camino y, desde 1926, empezó a publicar con modalidades que lo pusieron inmediatamen-

te en la vanguardia de la literatura hispanoamericana.
Eran poesías de tema negro, anteriores o, en todo
caso, independientes de las que florecían en Cuba. Sólo
que Palés Matos recogió esas poesías en libro muchos
años después de haberlas mostrado en los periódicos.
Su primer libro de poesía negroide fue *Tuntún de pasa
y grifería* (1937) y bastó para su consagración definitiva. Si lo negro de esta literatura es o no es auténtico
o si tiene o no tiene significación nacional es un problema de etnografía y sociología ajeno a la crítica literaria. Lo que importa es señalar su altísimo mérito
poético. Con eximia capacidad rítmica Palés Matos hace
oír a todo un pueblo, real o no. Es como una imitación
verbal de los movimientos de las danzas negras, con
sus compases, síncopas, repeticiones, marcados con onomatopeyas o rimas agudas. El vocabulario recoge voces
oídas, leídas o inventadas; y los nombres propios, los
términos geográficos, las menciones mitológicas, las descripciones de creencias, costumbres y ritos afroantillanos acaban por fundar una realidad mágica. La sensualidad vive por todos los órganos de percepción, y todo
va a mezclarse y fundirse en metáforas que no son
ornamentos de papel, sino hondas intuiciones líricas.
En su gran orquesta se oye un contracanto irónico; porque Palés Matos no es negro, sino blanco, y se sonríe
ante los contrastes de ambas culturas, en ninguna de
las cuales cree. En esta nota de ironía, escepticismo
y refinada melancolía de hombre culto se diferencia,
precisamente, de otros cultores del mismo género de
poesía. No copia una realidad popular tal como existe
en tal o cual país, sino que interpreta lo negro desde
su posición de poeta imaginativo, con todo el artificio
de un lejano discípulo de los barrocos. Los poemas que
se inspiran en el negro de las Antillas, aunque son los
que le han valido más fama, constituyen sólo un aspecto
de su obra total. La lectura de su libro *Poesía, 1915-
1956* —publicado en 1957— muestra al lector un Palés
Matos completo que no se queda en la superficie del

tema negro, sino que se hunde en una poesía más esencial, profunda, compleja y perdurable. Entonces se comprende que aquellos poemas negros (*v. gr.* "Danza negra") son meros episodios en la expresión de un triste vistazo a la vida elemental y a la dispersión en la nada (*v. gr.* "El llamado").

Antes de dejar por ahora las Antillas reparemos en que lo más diferente fue la poesía negra, mulata. El folklore es riquísimo en viejos ritmos y temas afroantillanos, pero sólo de 1925 en adelante todo eso adquirió valiosa significación estética. El estímulo vino de Europa. Las investigaciones afrológicas de Leo Frobenius; la negrofilia de París en la pintura de los "fauves", expresionistas y dadaístas, en la literatura, en el ballet; algunos ejemplos de arte negrista en los Estados Unidos; el uso de lo gitano, lo afro, lo folklórico, que en España hicieron García Lorca y otros, indican que el tema negro era una moda en los años del ultraísmo. La realidad racial y culturalmente negra de las Antillas favoreció la moda. Más aún: en las Antillas fue menos una moda que un autodescubrimiento. Pero que el estímulo viniera de la literatura europea explica la sorprendente calidad poética de Nicolás Guillén, Palés Matos, Ramón Guirao, Emilio Ballagas, para sólo mencionar los maestros de una escuela cada vez más concurrida.

iv) *Venezuela*

En estos años se destacó primero Jacinto Fombona Pachano (1901-1951). *Virajes*, de 1932, fue un poemario notable por su frescura y lirismo, de tono francamente criollista. Años después compuso su obra de más aliento, *Las torres desprevenidas* (1940), en la que refleja las inquietudes y problemas de una humanidad atormentada por la guerra que no se sufre directamente pero se siente alrededor. Otros poetas de su promoción: Enrique Planchart (1901-1953), Pedro Sotillo (1902), Enriqueta Arvelo Larriva, Manuel Fe-

LIPE RUGELES (1904). Hacia 1930 se oyen las voces de vanguardia (Arraiz, Otero Silva) y hacia 1936 las del grupo de la revista *Viernes*, encabezado por ÁNGEL MIGUEL QUEREMEL (1900-1939), quien volvió de España con los incentivos "ultraístas" que le dejaron Gerardo Diego, Alberti, García Lorca. (Antes, los españoles influyentes habían sido Antonio Machado y Juan Ramón Jiménez). La revista *Viernes* fue laboratorio de estéticas contradictorias, pero todas experimentales. VICENTE GERBASI (1913), OTTO D'SOLA (1912), PASCUAL VENEGAS FILARDO (1911), JOSÉ RAMÓN HEREDIA (1900), PABLO ROJAS GUARDIA (1909): lirismo hermético y algo superrealista, fiebre metafísica, renovación. Hubo otros que se opusieron a esta poesía toda encerrada en símbolos oscuros. La oposición venía de varios frentes. Uno, el de los partidarios de las formas regulares y aun clásicas (JUAN BEROES, LUIS BELTRÁN GUERRERO, 1914); otro, el de los partidarios de una poesía objetiva, de temas normales (ANA ENRIQUETA TERÁN, ALBERTO ARVELO TORREALBA, 1904); otro, el de los terruñistas, partidarios del folklore y de los temas regionales (JUAN LISCANO, 1915). Y voces aisladas, algunas de ellas de las provincias: HÉCTOR GUILLERMO VILLALOBOS (1911), J. A. DE ARMAS CHITTY (1908), LUISA DEL VALLE SILVA (1902), MANUEL RODRÍGUEZ CÁRDENAS (1912), MIGUEL RAMÓN UTRERA (1910).

v) *Colombia*

"Los Nuevos" —esto es, los poetas que se agruparon en la revista *Los Nuevos*, publicada por Jorge Zalamea y Alberto Lleras Camargo— se alejaron de los modernistas pero no mucho. En todo caso no rompieron con ellos, según hacían los jóvenes en otros países. Los colombianos han sido siempre muy cuidadosos en el uso de la lengua. El modernismo, en lo que tenía de culto a las buenas formas, había reforzado ese sentimiento tradicional por la gramática. El modernismo, pues, pasó a formar parte de la tradición, y el anhelo de perfección lingüística de los parnasianos siguió dominando hasta después de la primera Guerra Mundial. Los movimientos de vanguardia apenas alteraron el paso modernista, parnasiano, de "los nuevos". Uno de los ensayistas de esta generación, Jorge Zalamea, decía: "Suprimiendo los libros de Valencia y Silva quedaría suprimido el momento actual de la literatura colombiana." Saltaron, pues, sobre la generación inmediatamente precedente de los "centenaristas" sin reconocer su magisterio. José Eustasio Rivera, por ejemplo, les parecía que había puesto en *La vorágine* propósitos políticos, emociones nacionalistas y un vago humanitarismo, pero todo envuelto en una filosofía conservadora. En cuanto a sus sonetos de *Tierra de promisión* los encontraban excesivamente troquelados. Los centenaristas no se habían familiarizado con el curso de las letras, de Proust a Breton. Los "nuevos", en cambio, aunque también prolongaban el parnasismo, por lo menos oteaban las vanguardias lejanas (de Europa y de algunas ciudades sudamericanas). En general no se desembarazaron del pasado, pero basta que haya habido entre ellos unas pocas excepciones para que podamos diferenciarlos de los centenaristas. Estos pocos poetas excepcionales saltaron al futuro con jactancias, oscuridades, música e ideas retadoras. Algunos eran estetas puros, que con desparpajo juvenil jugaban a la literatura, deshumanizándola. Otros, ganados por las ideas socialistas, proclamaban belicosos programas de reivindicaciones políticas (Luis Vidales). Hubo un grupo de escépticos que se mantenían al margen de las ideologías. Y también un grupo de partidarios del orden y la autoridad (Silvio Villegas, Eliseo Arango, José Camacho Carreño, Augusto Ramírez Moreno). León de Greiff, al establecerse en Bogotá, prestó fuerzas a "los nuevos". Él era una personalidad única, inimitable en su juventud perpetua. Tuvo seguidores, sin embargo. Por ejemplo, Luis Vidales (1904), que en 1926 aturdió el ambiente con *Suenan timbres*, libro de poesías conectadas con la usina de imágenes eléctricas e inesperadas que funcionaban en todo Occidente, desde la primera Guerra Mundial. Vidales fue el que más se benefició del ingenio travieso, greguerístico, que desde Ramón Gómez de la Serna se cultivó en las letras castellanas. Pero la poesía colombiana no se dejó seducir por los "ismos" de posguerra. No ciertamente los dos mayores poetas de estos años: Maya y Pardo García. RAFAEL MAYA (1898), mesurado, inteligente, extendió los dominios de su poesía pero sin cambiar de índole. Sus sensaciones e imágenes se hicieron más vertiginosas; sus ritmos se desbandaron y hubo más libertad y espacio en sus versos. Pero todo esto sin exhibicionismos. La misma contemplación de la naturaleza, armoniosa, enternecida, sencilla, se ahondó con los años sin que tuviera necesidades de romper estruendosamente con las maneras de la literatura de anteguerra. Es de temperamento clásico, que reflexiona sobre sus emociones y las obliga a un equilibrio entre lo nuevo y lo tradicional. Sin ignorar a los franceses, Maya lee con gusto a los clásicos españoles. Su último libro: *Navegación nocturna* (1959), es un examen de conciencia. Maya rompe a pedazos su alma, como un cristal de tiempo, y en cada añico ve reflejada la luz de un recuerdo; después quiere reconstruirse, con esos fragmentos, y la imagen que recobra es de desolación. Pero en esa soledad el poeta se siente bajo el amparo de Dios y frente a la vocación de crear con palabras su propio mundo. La presencia de Dios da orden, unidad, armonía a lo creado, y el poeta admira la belleza de esa creación en los paisajes. Dolor por la espina que lleva en el corazón, agonía en la expresión, alegría en la contemplación del mundo: he ahí sus temples sentimentales. El alma del poeta fluye en el tiempo, indivisa y cambiante, y su voz se junta con la de todos los otros poetas para cantar las múltiples historias del hombre. Anhela la vieja claridad, no la moderna confusión. Voz confidencial y sencilla que a fuerza de reflexionar aclara aun

lo oscuro de su ser. Más que vivir, sentirse vivir. La
poesía es para él, no impresionismo, sino conocimiento
de esencias, recogida en el tiempo, preparada para la
muerte. Las imágenes, empujadas por la inteligencia,
suelen ordenarse en bellas alegorías expresionistas, cuentos, glosas literarias y fábulas; pero siempre de tono
lírico. GERMÁN PARDO GARCÍA (1902) ve tres etapas
en los catorce volúmenes que van de *Voluntad* (1930)
a *Lucero sin orillas* (1952). (Después publicó otros
cinco.) Fue de las formas ya prestigiadas en el pasado
a las audacias verbales. En el fondo de ellos se oye el
mismo canto desolado. Cuando no es claro es porque
ha abierto sus ojos en una zona de sombras, pero quiere
ver claramente y aun su congoja sale en versos regula-
dos. Hay en su tono algo romántico: su exaltación de
misterios y angustias es la de un Narciso que se siente
titán, y entonces suele gritar su protesta contra la injusticia y la guerra. Uno de sus últimos libros: *Hay
piedras como lágrimas* (1957). En el grupo de "los
nuevos" se destacaron también: JOSÉ UMAÑA BERNAL
(1899), JUAN LOZANO Y LOZANO (1902), CIRO MEN-
DÍA (1902), OCTAVIO AMÓRTEGUI (1901), RAFAEL VÁZ-
QUEZ (1899), CARLOS LÓPEZ NARVÁEZ (1897), ALBERTO
ÁNGEL-MONTOYA (1903), VÍCTOR AMAYA GONZÁLEZ
(1898). Al grupo de "los nuevos" sucedió, hacia 1935,
el de los "piedracelistas", así llamados por sus cuader-
nillos de poesía "Piedra y Cielo". Que tomaran como
nombre el título de ese libro de Juan Ramón Jiménez fue ya una definición. Sin embargo, no hay sólo
juanramonismo. Fue una generación que se había ori-
ginado más bien en los poetas españoles del 25 (Alberti,
Diego, Salinas, García Lorca) y también en los hispanoamericanos (Huidobro, Neruda). Formaban un grupo
con unidad de estilo: el vocabulario y la sintaxis, los
metros y las estrofas, las metáforas y aun los temas indican que, aunque cada uno con su acento singular, todos
partían de la misma posición poética. De allí la influencia en bloque que los piedracelistas tuvieron en la

historia literaria colombiana. Sus versos eran esbeltos
y se movían en el aire con leve y flexible gracia. Al
rehuir de la pompa y la elocuencia no fueron a desembocar en un lenguaje mágico, onírico o intelectual, sino
que cultivaban una poesía con dignidad y circunspec-
ción, más artística que vital.

Promotor del grupo "Piedra y Cielo" fue EDUARDO
CARRANZA (1913). En *Canciones para iniciar una fiesta* (la edición de Madrid es de 1953) dio una selección
de su obra poética, que había comenzado en 1936 con
un poemario del mismo título. Carranza es de los mejores poetas de estos años. Afirma jubilosamente las
cosas, y hasta las exalta por encima de su propia intimidad: "Todo está bien... / La creación entera, salvo
mi corazón, todo está bien." Parece que, desconfiando
de su propia voz, quisiera mover las cosas, alinearlas,
usarlas, para que ellas, así bien dispuestas, hablaran por
él. Canta la realidad que lo envuelve (el paisaje nativo, la historia patria), canta su intimidad (recuerdos,
amores), canta a Cristo. Tiene un aire de asombro
ante las esencias del hombre y del mundo; pero su expresión no es (afortunadamente) metafísica, sino poesía.
JORGE ROJAS (1911) es de los excelentes. Y sus sonetos, de los más impecables de su generación, con rigor
clásico y sentido misterioso. Su admiración a Juan
Ramón Jiménez la documentó en el título de su primer
poemario: *La forma de su huida* (1939). Al conjuro
de su verso se ponen de pie los grandes temas metafísicos. Poesía pura, de soledad y ensueño: *Rosa de agua*
(1941-48), *La doncella de agua* (1948), *Soledades*
(1948). De obra también duradera es ARTURO CA-
MACHO RAMÍREZ (1910). Completan la nómina de
"Piedra y Cielo" DARÍO SAMPER (1909), TOMÁS VAR-
GAS OSORIO (1911-1941), GERARDO VALENCIA (1911)
y CARLOS MARTÍN (1914). Todos estos piedracelistas
impusieron un arte de sutilezas verbales y de experiencias estéticas que hasta entonces había sido resistido
por el público. Su función renovadora fue, pues, impor-

tante. Hubo en esos años otros poetas colombianos que no pertenecían al grupo piedracelista o no eran típicos de él: JORGE ARTEL (1905), en la poesía negra; ANTONIO LLANOS (1905), de unción religiosa, que ha ejercido influencia por su finura y pureza poéticas; y, sobre todo, AURELIO ARTURO (1909), que canta los paisajes de su tierra y el acontecer de sus días y noches con tanta sencillez y sinceridad que su voz es, de todos estos años, la que más oyen los jóvenes.

vi) *Ecuador*

Dos altas voces: Carrera Andrade y Escudero. Nacido lejos de las rutas importantes del mundo, JORGE CARRERA ANDRADE (1902) dejó su rincón y recorrió el mundo entero: escribió la poesía del viaje y, claro, la poesía del regreso a su tierra. Educado en un pueblo campesino y primitivo, buscó libros difíciles y se disciplinó con la literatura francesa: Hugo, Baudelaire, Francis Jammes, Jules Renard. Románticos, simbolistas fueron sus maestros. No cedió al superrealismo de Breton o Éluard. Le interesaba la realidad inmediata, la de la conciencia y la de las cosas. Y, en efecto, su poesía es clara. Experimenta, cambia, se remoza, pero el hombre permanece claramente sentimental y así se lo ve en las distintas etapas recogidas en *Registro del Mundo*, (1940), antología de 1922 a 1939, y en *Lugar de origen*. Su impresionismo poético nos ha dado su visión del paisaje con viñetas sorprendentes. GONZALO ESCUDERO (1903) es poeta de gran aliento: de *Hélices de huracán y de sol* (1934) a *Estatua de aire* (1953) se advierten cambios tonales. Aquella grandilocuencia de imágenes y abstracciones (a veces fundidas en hipérboles) se ha hecho más lírica y medida. ALFREDO GANGOTENA (1904-1945), asociado con las tendencias de vanguardia, escribió en francés (de *Orogénie*, 1928, a *Nuit*, 1938) pero también nos mostró en castellano su *Tempestad secreta* (1940); JORGE RE-

YES (1905), espíritu juguetón y desenfadado, describió, en un clima de vanguardia, su *Quito, arrabal del cielo* (1930); el sosegado y triste AUGUSTO ARIAS (1903); los malogrados MIGUEL ÁNGEL LEÓN (1900-1942) e IGNACIO LASSO (1912-1943); el indianista G. HUMBERTO MATA (1904); el trágico AUGUSTO SACOTO (1910); el abundante CÉSAR ANDRADE CORDERO (1902); JOSÉ ALFREDO LLERENA (1912), también buen prosador.

vii) *Perú*

Cuando las tendencias de vanguardia se impusieron en Perú, nadie pudo subir tan alto ni ir tan lejos como lo había hecho Vallejo. Gran parte de la producción de los jóvenes que imitaban a dadaístas, creacionistas y superrealistas era más ingeniosa que poética. Se simulaba una sensibilidad nueva. La estridencia, de la que estaban tan orgullosos, se parecía a la de una gran fábrica de armamentos. Y lo era: fábrica de metáforas. Se hacía reventar con disparates las hormas de la expresión literaria. Hubo que morigerar tanto exceso. Siempre quedó algo de ese hábito del exceso. Algunas líneas poéticas estaban trazadas con más tinta que otras. Se las ve, pues, mejor: *a)* una línea de poetas puros; *b)* otra de poetas peruanistas; *c)* otra de poetas políticos. Aun estas líneas se cruzan, se acompañan, se confunden. No se culpe al crítico del embrollo. En la línea de la poesía pura el programa es personal, íntimo, desinteresado, gratuito, inactivo. Eguren había dado el ejemplo. CARLOS OQUENDO DE AMAT (1909-1936) lo siguió con sus *5 metros de poemas* (1927), notables por la sinceridad de su estética de vanguardia. Sus palabras se desprendían de las cosas reales y revoloteaban por el aire de la fantasía: "En tu sueño pastan elefantes con ojos de flor / y un ángel rodará los ríos como aros." MARTÍN ADÁN (1908) vigiló desde temprano sus licencias verbales y acabó regulándolas: *v. gr.*, *Travesía de extramares* (1950). Viejas formas del verso español

—sonetos, décimas, romances, etc.— fueron revestidas con metáforas vertiginosas, con impresiones simultáneas, con enumeraciones impares, con una nueva magia lírica, feliz de su poder creador. Aun en los momentos en que es más libre y parece escribir contra las formas —sus "antisonetos", por ejemplo— se advierte que sus tormentas verbales tienen también una gramática, un código. El más consciente de las técnicas europeas fue XAVIER ABRIL (1905), que no sólo las practicó, sino que las formuló. Era un raro. Por la calidad de su imaginación, por sus audacias, por su vitalidad sería un poeta efectivo de no ser que a veces afloja su esfuerzo y cae en una retórica vanguardista. Su poesía hermética, en ciertas ocasiones, abre uno que otro poro y por allí entra el oxígeno de una emoción social. Como es muy intelectual es capaz también de curiosear por el gran pasado de la literatura española, como en su "Elegía oscura en el viejo tono de Jorge Manrique". Obras: *Difícil trabajo* (1935), *Descubrimientos del alba* (1937). ENRIQUE PEÑA BARRENECHEA (1905), hermano del ya nombrado Ricardo, aprovechó las incitaciones a la libertad de las nuevas tendencias para ahondar en su expresión soñadora y neorromántica. Este "cerebro llagado", el de *El aroma en la sombra* (1926), *Cinema de los sentidos puros* (1931) y *Elegía a Bécquer* (1936) fue poeta onírico, pero no superrealista; y lo veremos cómodamente instalado en formas de versificación que vienen del siglo español. En la tendencia purista están JOSÉ ALFREDO HERNÁNDEZ (1910) y VICENTE AZAR (1913), seudónimo, éste último, de José Alvarado Sánchez, autor de *Arte de olvidar* (1942). Importantísimo, en el superrealismo peruano, es CÉSAR MORO (1904-1956). Su verdadero nombre es Alfredo Quíspez Asín. Por el lado de sus libros escritos en francés se nos escapa de esta historia, sin embargo. Moro vivió en ese hotel internacional de la poesía que fue el superrealismo. En otro cuarto estaba EMILIO ADOLFO WESTPHALEN (1911). Parece que sólo nos entregara

los añicos de poesías que se le han roto en el camino
mismo de escribirlas. Y mientras miramos cada añico
todavía nos dura en el oído el gran estrépito con que
las poesías estallaron. En *Las ínsulas extrañas* (1933),
menos aún que añicos: polvo, sólo polvo. No ha quedado, no digamos la estructura del verso, pero ni siquiera
la estructura de una simple frase. Sin puntuación, sin
sintaxis, sin imágenes. Polvo de palabras arrastrado por
un oscuro soplo de emoción. En *Abolición de la muerte* (1935) la poesía puede apoyarse más que en un
corpúsculo: la imagen ofrece una mayor superficie y
allí se refleja a veces el rostro del poeta, serio, con-
traído, preocupado por el tiempo, la existencia, el más
allá. Hubo poetas que se instalaron en otras casas. Ya
dijimos que había una calle de poesía peruanista. En
esta línea el tema que primero dominó, desde 1926,
fue el de la reivindicación del indio, que había comenzado con González Prada pero solamente ahora se
formuló con un estilo colectivo. En general, este estilo
era el de la vanguardia europea de posguerra. Ni qué
decir que los indios quedaban automáticamente exclui-
dos de esta hermética literatura indianista. El mejor
representante fue aquí ALEJANDRO PERALTA (1899),
autor de *Ande* (1926) y *El Kollao* (1934). Los indios
aparecen como esculpidos por metáforas visuales; pero
el poeta ve, además, la injusticia social. Otros: EMILIO
VÁZQUEZ (1903) y GUILLERMO MERCADO (1904), NI-
CANOR DE LA FUENTE (1904), LUIS DE RODRIGO (1904).
Esta exaltación del indio era en realidad falsa, limi-
tada, vacía. Más posibilidades tuvo la del mestizo o
cholo. LUIS FABIO XAMMAR (1911-1947) fue el mejor
representante de este cholismo. Nos dijo, sencillamente,
en lengua popular y sabrosa, su amor al campo y a sus
hombres, de *Pensativamente* (1930) a *La alta niebla*
(1947). La literatura cholista siguió al agotamiento de
la indianista, más o menos por 1930, y su marbete
no era ya el incoherente del vanguardismo europeo
sino más bien el de las formas hispánicas tradicionales

tocadas por el espíritu de vanguardia, como en España los romances de García Lorca. En la línea de la poesía política se toma partido por las clases oprimidas o, al menos, se expresan las emociones ante las luchas sociales a la vista. MAGDA PORTAL (1901) y SERAFÍN DELMAR [Reynaldo Bolaños] usaron de la poesía como de un instrumento: es decir, ellos estaban más acá de la poesía. Otros: LUIS NIETO (1910), JULIÁN PETROVICK (1901), RAFAEL MÉNDEZ DORICH. Con mensajes sociales, aunque no fueran políticos, escribieron LUIS VALLE GOICOCHEA (1908-1954), que ha revivido poéticamente sus emociones de infancia y de adolescencia, de circunstancias y paisajes provincianos, de cantos tradicionales, y lo ha hecho con lengua clara; MANUEL MORENO JIMENO (1913), cuya poesía está dramatizada por la compasión por el hombre, al verlo en las difíciles encrucijadas de nuestro tiempo; y AUGUSTO TAMAYO VARGAS (1914), que en "Ingreso lírico a la Geografía" anunciaba una "poesía no de yo, sino para nosotros". En suma, que la poesía peruanista centró en el mestizo, en el cholo, la originalidad nacional y prefirió las maneras tradicionales, a veces brillantes de imaginación, a veces en tonalidades deliberadamente apagadas. Y la poesía política sumó a las causas locales los temas de la Guerra Civil de España y los de la agresión fascista y nazi que desataron la segunda Guerra Mundial. Otros poetas: JULIO GARRIDO MALAVER (1909), JOSÉ VARALLANOS (1908), FELIPE ARIAS LARRETA (1910-1955), FRANCISCO XANDOVAL (1902).

viii) *Bolivia*

Después de los tres poetas bolivianos que destacamos —Jaimes Freyre, Tamayo y Reynolds—, vino una generación más numerosa. OCTAVIO CAMPERO ECHAZÚ (1900), con las formas populares y tradicionales de España y América, captó paisajes y amores de su región: *Amancayas* (1942), *Voces* (1950). GUILLERMO VIS-

CARRA FABRE (1901), que en *Clima* (1918) prefería
sugerir vagamente, en *Criatura del alba* (1949) dio claras imágenes de lo que veía en el paisaje y en el fondo
de su tristeza. Volcado al indianismo, el buen poeta
ANTONIO ÁVILA JIMÉNEZ (1900). Otros: JAVIER DEL
GRANADO (1913), LUIS MENDIZÁBAL SANTA CRUZ
(1907-1946), RAÚL OTERO REICHE (1905), LUCIO DÍEZ
DE MEDINA, AMELLER RAMALLO, los hermanos VILLA
GÓMEZ, JESÚS LARA, etc.

ix) *Chile*

La poesía tocó Chile y, desde Gabriela Mistral, no
cesaron de surgir poetas. Hemos visto a Huidobro y
Rokha. Y en este capítulo, el mayor lírico de todos, el
vibrante, famoso e influyente Pablo Neruda. Después
de los cuatro nombres citados —los más resonantes—,
siguen a respetuosa distancia Rosamel del Valle, Humberto Díaz Casanueva y otros.

PABLO NERUDA (Chile; 1904) ha marcado los pasos
de su poesía. El primero es el de *La canción de la
fiesta* (1921) y *Crepusculario* (1923). El segundo es
el de *Veinte poemas de amor y una canción desesperada* (1924) y *Tentativa del hombre infinito* (1925).
El tercero es el de *El hondero entusiasta* (1933), su
Residencia en la tierra (t. I, poesías de 1925 a 1931;
t. II, poesías de 1931 a 1935), *Las furias y las penas*
(escrito en 1934 pero publicado en 1939). El cuarto
es el de la *Tercera residencia* (1947), *Canto general*
(1950), *Odas elementales* (1954; el cuarto tomo de
odas, *Navegaciones y regresos*, es de 1959).

Intentemos una caracterización. *1)* El tono es todavía modernista. Lenguaje convencional, formas tradicionales. En *Crepusculario* se asoma el Neruda original,
pero todavía canta afinando la voz a otras voces del
coro literario que prefiere; más aún, a veces calla y
otras voces —la de su admirado Sabat Ercasty, sobre
todo— son las que cantan en sus versos. En "Final"

confiesa que "se mezclaron voces ajenas a las mías". 2) Los *Veinte poemas* continúan en muchos modos a *Crepusculario*; parecen anteriores a *El hondero*. Versos más regulares, sencillos, contemplativos; imágenes no en erupción sino enlazadas en estructuras de sentido lógico; el ímpetu, contenido por el respeto al gusto literario tradicional. Es el primer libro personal de Neruda: menos literatura, más sinceridad en sus confidencias de enamorado. *Tentativa del hombre infinito* acusa voluntad de romper con el pasado. Verso, sintaxis, ortografía libres; comienza el caos verborreico. 3) Ahora estamos frente al Neruda cabal. Nos mete en su volcán imaginativo. Poesía oscura porque el poeta no acaba de configurar sus intuiciones. Embriones, larvas, chispazos, gérmenes, conatos, amagos de expresión poética. Es inútil que el crítico quiera analizar las imágenes de Neruda, puesto que apenas están esbozadas; más vale que comprenda de dónde y cómo surgen. Neruda se zambulle en su mar de sentimiento: sale a respirar junto con nosotros, que lo miramos desde la orilla, y cada vez que sube trae una imagen-pez. Esas imágenes se hacen cada vez más monstruosas a medida que Neruda se hunde en sus profundidades: primero, imágenes que reconocemos por su valor literario (estrellas, luna, etc.); después imágenes "feas" o no-literarias (escobas, trapos, salivazos, calzoncillos). En *Residencia* se enfrenta a su existencia y deja que su emoción quede hermética. No objetiva, no exterioriza sus sentimientos en una estructura comprensible para todos. Su tono se corre de la tristeza a la angustia; y su angustia arranca de una visión desolada del mundo y de la vida: muerte, derrumbe, fracaso, caos, sinsentido, ceniza, pulverización, ruina incesante, disgregación infinita. No desintegra la realidad con greguerías literarias, sino que ve a la realidad ya desintegrada. Y la ve sin literatura. O, mejor, sin mucha literatura. Por eso en sus poemas hay tantos fracasos expresivos, tanto grito, tanta insatisfacción, tanta materia emocional no elaborada estéticamente.

Como superrealista Neruda quería atrapar la vida profunda, mostrar su fluidez espontánea, sacar a luz los movimientos irreprimidos del subconsciente. El acto de poetizar le daba más placer que el contemplar un poema logrado. El mundo circunyacente está tan demolido y enlobreguecido que el poeta tiene que apartar la vista. Entonces se ve a sí mismo: se ve como un montón de espejos rotos y sucios donde sus violentos sentimientos se reflejan fragmentariamente. O sea, que el poeta ni sale al mundo ni entra en su pasión. Despojado y hecho trizas, se inclina con tristeza sobre los cauces más subterráneos de su subconsciencia. Por allí sus poemas van sobrenadando a la deriva, llevando sobre sí una incubación de deseos y recuerdos. Las palabras no apuntan a objetos extrínsecos: no hay puntos fijos de referencia. Las metáforas tampoco tienen la límpida redondez de una visión: son fantasmones, ambulando por la noche desordenada. Y toda esta poesía horripila al lector tanto como el mundo desmantelado debió de haber horripilado al poeta; y mientras leemos a Neruda vamos tentando escombros y rehaciendo, con nuestra imaginación, la belleza del cataclismo. La novedad de Neruda está en dejarse caer hacia dentro, en ahogarse, en deformarse. Su *Residencia* entusiasmó a los poetas, a los intelectuales, precisamente porque veían allí el alma de Neruda como un taller en pleno trabajo, en ese instante en que el sentimiento y la intuición poética de ese sentimiento no han alcanzado todavía su equilibrio. Leer a Neruda es deslizarse dentro del proceso creador de un poeta. 4) El espectáculo de la muerte y la injusticia en el aplastamiento militar de la República Española despertó la conciencia política de Neruda: con *España en el corazón* (1937) comenzó a oírse su voz, cada vez menos hermética, cada vez más didáctica. De la *Tercera residencia* al *Canto general* aumenta en la poesía de Neruda el espacio de la oratoria y disminuye la carga de imágenes líricas. Porque el poeta se exalta políticamente su verso se tranquiliza metafóricamente.

Hay menos sorpresas porque ahora las metáforas surgen hiladas por conceptos y sentimientos universales. Neruda se convierte en militante comunista. Hay que ganar prosélitos, hay que defender al Partido, hay que denunciar a los enemigos. El lirismo era la fuerza de Neruda, no lo épico. Por eso cae en mazacotes de prosa en verso, en bodrios utilitarios ajenos a la literatura, en una antihistórica detonación de nombres rusos en sus cantos a temas indígenas de Hispanoamérica. Sin embargo, en "Alturas de Macchu Picchu", en "Canto general de Chile", se ve cómo el poderoso poeta que es Neruda, aun sacrificando su lirismo a la política, logra intensos poemas. En *Odas elementales* y *Nuevas odas elementales* es definitivo el rechazo de Neruda a su propio pasado. Su angustiosa visión de un mundo hundido en arenas movedizas, su trágica soledad, su altivo superrealismo quedan atrás: ahora el poeta quiere llegar, sencillamente, a los hombres sencillos. Ordena a su poesía, pues, que marche hacia las masas. Entre los muslos de esa poesía que marcha —el de la pasión por la Internacional comunista, el de la pasión por la América india— exhibe los temas del ardiente sexo. ¿Ha dejado de ser Neruda el gran poeta que fue? Su conversión al realismo comunista suele exaltar, en sus últimos años, tres fealdades: la jactancia, la demagogia y la insinceridad. En *Estravagario* y en *Navegaciones y regresos* hay superficialidad gruesa y ruidosa: sin embargo, es siempre impresionante su fuerza creadora.

Otros poetas chilenos

Rosamel del Valle y Humberto Díaz Casanueva deben estudiarse juntos, a pesar de sus diferencias. Por lo menos están enlazados por la amistad, por las revistas de vanguardia que fundaron, por cierto aire poético común, por la misma devoción a la poesía. ROSAMEL DEL VALLE (1901) es el más espontáneo de los dos. Su versolibrismo va demoliendo la arquitectura de la

poesía hasta dejar al poeta en medio de ruinas noctur-
nas, cantando las alucinaciones y misterios de su soledad. "La cabeza solitaria" se llama, precisamente uno
de los poemas de su libro *La visión comunicable* (1956).
Con metros que fluctúan entre diecisiete y veintiuna
sílabas el poeta va conversando con aire cansado, digre-
sivo y a veces prosaico sobre la afinidad entre las personas y los fantasmas y sobre la soledad a que nos
condena el existir real, concreto, de quienes nos rodean.
Cuando quiere comunicarse lo hace profetizando pensamientos o mitos (como el de *Orfeo*, 1944). HUM-
BERTO DÍAZ CASANUEVA (1908) convierte en idea y en
canto la masa oscura de su vida profunda. Es poeta
inquisitivo: ¿quién soy, qué es este Ser que me rodea?
Está abierto a su subconsciencia, a sus ensueños, al lado
nocturno de su ser: "Siempre he de escribir cuando
comienzan las estrellas, escribir mis / signos como pájaros que pían hacia el lado de la muerte" ("La bella
durmiente"). En "La visión" nos cuenta cómo "yacía,
oscuro, los párpados caídos hacia lo terrible" y de pronto
comprendió "que la frente se formaba sobre un vasto
sueño / como una lenta costra sobre una herida que
mana sin cesar". A diferencia de los superrealistas,
que muestran la corriente de sombras, en toda su espontaneidad, Díaz Casanueva sale de su subconsciencia
y se pone a contemplar lo que recuerda haber visto
allí, y al pensar sobre ello guarda sus imágenes en un
hermético cofre de símbolos. El reconocimiento público ha distinguido a otros poetas. Mencionaremos
algunos. JUVENCIO VALLE (1900) es el lírico puro, de
noble vocabulario, con encantos musicales, sutiles e
insinuantes. La planta, la savia, la flor, el fruto prestan sus figuras a una dinámica necesidad de crecer
hacia el cielo. Frescura vegetal y vuelo de pájaro, agua
y tierra elevadas con gracia, libertad y belleza. El impulso aéreo y ascensional de Juvencio Valle, pastor de
nubes, volatinero sin alambres, es uno de los más di-
chosos de su generación. JULIO BARRENECHEA (1906?),

Gustavo Ossorio (1912), Omar Cáceres (1906), Antonio Undurraga (1911) y Aldo Torres Púa (1910) merecerían más atención de la que aquí podemos darles.

x) *Paraguay*

Una extemporánea promoción de poetas modernistas, todavía rubendarianos, se agrupó, en estos años, en la revista *Juventud* (1923). A ella pertenecieron Heriberto Fernández (1903-1927), que murió cuando comenzaba a renovarse con *Los sonetos a la hermana* y José Concepción Ortiz (1900), de clara intimidad. Hubo una poesía nativista (como la de Vicente Lamas, 1909, de cierta gracia descriptiva, acaso superficial pero de formas correctas) y una poesía social (como la de Manuel Verón de Astrada, 1903, el autor de *Banderas en el alba*). Se apartó por nuevos rumbos una poetisa nacida en Canarias pero definitivamente asociada a la literatura paraguaya: Josefina Pla (1909). Su primer poemario fue de 1934: *El precio de los sueños*. Después se destacó en el teatro. Pero la gran figura paraguaya en estos años fue Herib Campos Cervera (1908-1953). Dejó un solo libro: *Ceniza redimida* (1950). Llegó tarde, y por eso algunas de sus imágenes superrealistas no alcanzaron a sorprender a lectores no paraguayos, pero, dentro del Paraguay, Campos Cervera inicia un movimiento que será continuado por Roa Bastos, Elvio Romero y otros. Es poeta sin alegrías. Estremecido por presentimientos de muerte y herido por los dolores del mundo, Campos Cervera vaciló entre una poesía de íntimo valor confesional y otra al servicio social. Escribió desterrado de su patria, desgarrado de sus amigos; y sus mejores composiciones no fueron las que se inspiraron en episodios de la guerra, la política, el trabajo, la vida colectiva, los temas eróticos, sino la que expresó, líricamente, su nostalgia ("Un puñado de tierra") y su recuerdo de un amigo perdido ("Pequeña letanía en voz baja").

xi) *Uruguay*

Hubo —era inevitable— timbres, cascabeles y ma-
tracas ultraístas. Sin embargo, el rasgo más común de
los poetas uruguayos de estos años fue el anhelo de una
forma estética rigurosa. A veces los valores mejor vistos
eran religiosos, a veces sociales. Y un ancho registro va
desde la sensibilidad estetizante de unos hasta el deliberado prosaísmo de otros. Los juglares fueron Fusco
Sansone y Ferreiro. NICOLÁS FUSCO SANSONE (1904)
anunció con *La trompeta de las voces alegres* (1925)
que él había venido a celebrar, sencillamente, el júbilo
de vivir. Su luminoso lirismo irradió libro tras libro,
aunque la vida le fue poniendo pantallas y algunas
sombras borronearon su obra. ALFREDO MARIO FE-
RREIRO (1899) fue el payaso —*El hombre que se co-
mió un autobús*, 1927—, con algo de ultraísta en su
selección de imágenes y uno que otro visage triste en
medio de las máquinas de la ciudad moderna. Quienes
modulan la voz de este período son Pereda, Esther de
Cáceres y Roberto Ibáñez. FERNANDO PEREDA (1900),
sin publicar un solo libro, fue admirado, sin embargo,
por la exactitud de sus poemas, sobre todo de sus sonetos. Nunca satisfecho de las palabras que espontáneamente se le ofrecían, ahuyentó las más serviciales y se
quedó con las más egotistas. Además, Pereda las enla-
zaba de acuerdo a un código secreto que guardaba en
el rincón más frío de su corazón. Ni poesía pura ni
poesía superrealista, pero, eso sí, poesía encerrada en
sí misma, como un volumen geométrico. En ESTHER
DE CÁCERES (1903) la fe religiosa se hizo canto. Sus
frases, sencillas, sinceras, entrecortadas por el fervor o
el éxtasis, van dirigidas a Dios. Así sus libros —de *Las
ínsulas extrañas*, 1929, a *Paso de la noche*, 1957— son
como un murmullo musical. ROBERTO IBÁÑEZ (1907),
ya personal en *La danza de los horizontes* (1927), siguió acendrando su expresión, no para deshumanizarla,
sino para purificarla. Su *Mitología de la sangre* (1939)

transfigura sus experiencias vitales —ansias de permanencia, asechanzas del azar, certeza de la muerte— en símbolos en que sentido y sonido se armonizan delicadamente. JUVENAL ORTIZ SARALEGUI (1907) nos da un lirismo sin sorpresas, pero con bellas figuras: todo es visible y reconocible, hasta la manera de armar el poema. SARA DE IBÁÑEZ (1910?), celebrada ya en su inicial *Canto* (1940). El prólogo era de Neruda. Algunos vieron nerudismo, pues, en *Canto* y en *Hora ciega* (1943): rapidez y dispersión en el fuego abierto por la fusilería metafórica, palabras en discordia que se acometían con la energía de arcos voltaicos. Sólo que Sara de Ibáñez tiene la maestría del metro, de los acentos, de la rima, de la estrofa. Somete el frenesí de su lirismo al rigor de versos de perfectas formas. Es como si la vida, de pronto, se hubiera hecho fría decoración. La oscuridad de sus imágenes no se debe a que se queden desordenadas en el fondo de la subconsciencia, tal como nacen, sino que se alambican, se quintaesencian y al final de un proceso mental muy trabajoso acaban por ser símbolos herméticos. Sara de Ibáñez penetra en las cosas y se deja penetrar por ellas; y el hermetismo de sus versos es porque se refiere a esa violenta interpenetración y se deja encerrar en una frontera donde las palabras cambian de valor. *Pastoral* (1948), en tres "tiempos", cada cual con su tono y su forma estrófica, hace fluir musicalmente un río de luces, flores, peces, trigos, perros que llegan a esa frontera y la traspasan. El poema *Artigas* (1951) sale más al exterior, se apoya más en una materia pública; pero no se aleja mucho, y el lirismo es, a fin de cuentas, más poderoso que lo épico. En contraste con Sara de Ibáñez deberíamos haber colocado a Clara Silva, la efusiva, la confidencial, la desatada autora de *La cabellera oscura* (1945), pero a ella la veremos entre los prosistas. Atenta a lo social es la poesía de ILDEFONSO PEREDA VALDÉS (1899). Primer poemario: *La casa iluminada*. Todavía era un sentimental. Entusiasmado por el ultraísmo, colaboró en sus revistas. En

1929 comenzó a preocuparse por los sufrimientos ajenos. Fue entonces cuando decidió cantar al negro, no como figura histórica, sino como elemento vivo de los campos y ciudades. De ese sentimiento de simpatía al negro nació lo más característico de su poesía. Se ha dicho que la continuidad de la poesía uruguaya de estos años se corta con Falco y Cunha, quienes serán más estimados por los jóvenes que vengan que por sus coetáneos. LIBER FALCO (1906-1955) nos dio un libro póstumo: *Tiempo y tiempo*, poesía pobre, gris, torpe, con temas de amistad, soledad, pobreza, muerte. Confiesa a gritos sus emociones o las balbucea prosaicamente. JUAN CUNHA (1910) está en la primera línea de la poesía uruguaya. Su variedad parece ser a veces el resultado de la observación y estudio de maneras de otros poetas contemporáneos (españoles como García Lorca, americanos como Vallejo). Sus formas cambian en continuos experimentos. Palabras, medidas del verso, tono de las imágenes se renuevan mientras el poeta, por debajo de esa aparente variedad, persigue siempre la misma intuición: la del vaivén entre lo exterior y lo íntimo, entre la comunión con los hombres y la soledad. Y es esta unidad de su visión de la vida lo que en él más vale. Cunha apareció con *El pájaro que vino de la noche* (1929), pero su producción continuada es más bien reciente; a partir de su antología *En pie de arpa* (1950) ha publicado cinco volúmenes. Cerremos por ahora este cuadro con ÁLVARO FIGUEREDO (1908) y GISELDA ZANI (1909).

xii) *Argentina*

En 1925 —que es la fecha en que se abren las puertas de este capítulo— los poetas que entran vienen de diferentes barrios. Dos barrios, sobre todo, fueron muy mentados entonces: el de Florida y el de Boedo. Florida, la calle lujosa, céntrica, elegante, cosmopolita, fue transitada por "vanguardistas" que querían reformar

la literatura y crearon, arte por el arte, una literatura
que había aprendido muchas cosas de Europa: Borges,
González Lanuza, Marechal, Molinari, Norah Lange,
Bernárdez, Mastronardi. Boedo, la calle del suburbio
gris, pobretón, de la masa criollo-inmigrante, fue transitada por revolucionarios que querían reformar el mundo
y crearon, con la fórmula del arte social, una literatura
que había aprendido muchas cosas de Rusia: Barletta,
César Tiempo, Nicolás Olivari, Raúl González Tuñón,
Gustavo Riccio, Enrique Amorim, Santiago Ganduglia,
Roberto Mariani. Los de Florida se chanceaban del
mal gusto artístico de los de Boedo; los de Boedo, más
resentidos, condenaban la falta de ideales socialistas de
los de Florida. Los primeros escribían en *Inicial, Prisma, Proa* y *Martín Fierro*; los segundos en *Los Pensadores* (que luego se llamó *Claridad*). Los primeros se
destacaron en el verso; los segundos produjeron más
en novela y cuento. Para la caracterización del vanguardismo de los primeros vea el lector la sección sobre "el
escándalo" en el capítulo anterior. Los bandos que hemos diseñado no eran homogéneos y acabaron mezclán-
dose. Ultraístas que tomaron por modelo a los clásicos
y a los románticos. Poetas puros que se hicieron poetas
de sacristía. Poetas de tema político que se pasaron al
arte por el arte. Revolucionarios de Boedo que se hicieron fascistas; aristócratas de Florida que ingresaron
en el comunismo. Sin contar que cada bando, a su
vez, se subdividía en facciones, revistas, antologías y
manifiestos reñidos. La disolución del ultraísmo comenzó en 1922 cuando los escritores pasaron de las revistas
al libro: de 1923 es el *Fervor de Buenos Aires* de Borges; de 1924, *Prismas* de González Lanuza; de 1925, *La
calle de la tarde* de Norah Lange y *Alcándara* de Bernárdez; de 1926, *Días como flechas* de Marechal, *Mo-
lino rojo* de Jacobo Fijman y *El violín del diablo* de
Raúl González Tuñón; de 1927, *El imaginero* de Ricardo Molinari. Además, la revolución militar de 1930
—que obligó a tomar partido, no sólo en la lucha ar-

gentina entre pueblo y oligarquía, sino en las ideologías
del mundo, liberales, socialistas y fascistas— terminó
por deshacer las filas literarias y desde entonces ya los
grupos de Florida y Boedo dejaron de tener sentido. No
olvidarse que en las provincias más alejadas de Buenos Aires, aunque también hubo literaturas gratuitas
y comprometidas, la polémica no fue tan intensa y algunos poetas ni se enteraron de ella. Al evolucionar en
trayectorias individuales, los poetas se desprendieron
del ultraísmo. El ultraísmo quedó atrás: estilo colectivo
del pasado, escuela de metáforas donde se obtenían
diplomas para colgar en la pared, institución tan nega-
ble como las academias. Y, en efecto, el ultraísmo fue
negado. Hubo poetas que desaparecieron en el naufragio ultraísta; otros se salvaron a nado y reaparecieron en
la orilla curados de ultraísmo. Los hubo, también, que
no naufragaron. Prefirieron pisar el camino firme de
la poesía. Les alegraba que, por ese camino, hubiera
andado Lugones. (Lugones, en su polémica contra los
partidarios del verso sin rima y de la poesía reducida
a ristras de metáforas, escribió con simpatía sobre Horacio Rega Molina, Conrado Nalé Roxlo, Luis L. Franco, José Pedroni. Por su parte los ultraístas —Marechal,
Borges, González Lanuza— atacaron a Lugones.) Los
poetas independientes (es decir, que no dependían de
las consignas ni del arte por el arte ni del arte como
función social) sin saberlo ni quererlo formaron familias. La familia de los que seguían sus impulsos cor-
diales (Abella Caprile, María Alicia Domínguez, María
de Villarino, Juan L. Ortiz, Silvina Ocampo, José Sebastián Tallón, González Carbalho, Pedro Juan Vignale,
Horacio Esteban Ratti, Ulyses Petit de Murat). La
familia de los que no se quedaron en la celebración de
sus propias vidas, sino que se preocuparon por lo social
(Aristóbulo Echegaray, José Portogalo, Córdoba Itur-
buru, Nydia Lamarque, César Tiempo, Carlos M. Grün-
berg, Raúl González Tuñón). La familia de los herederos del modernismo (López Merino, Rega Molina). La

familia de los conocedores de la tradición popular o clásica (Estrella Gutiérrez, Amado Villar, Alberto Franco, Salvador Merlino, Ignacio B. Anzoátegui, Elías Carpena). La familia de los regionalistas (Jijena Sánchez, Pedroni, Carlino, Antonio de la Torre). Pasemos revista, pues, a los poetas que dejaron una obra considerable. Adelantemos que los mayores líricos serán Borges, Molinari, Nalé Roxlo, González Lanuza, Ledesma y Bernárdez.

En la literatura argentina de estos años el primer nombre, por su calidad, por su influencia, debe ser el de Jorge Luis Borges. Primero en la poesía, primero en el cuento, primero en el ensayo. Porque sus cuentos se benefician por igual del poeta y del ensayista y, así, están en el centro mismo de su obra, estudiaremos a Borges en la sección que dediquemos a la prosa narrativa. Conste, sin embargo, que merecería el sitio de honor también en esta sección. RICARDO E. MOLINARI (1898) apareció con el grupo ultraísta, cerca de Borges, pero sus raíces penetraban la tierra con más avidez. Evitó con austeridad los fáciles regionalismos. Su lengua mostró siempre una buena educación en clásicos españoles y en simbolistas europeos. Lo nacional asciende a su poesía y para acoger sus esencias la lengua se le afina tanto que suele quedar hermética. Elabora su expresión con extremo cuidado. A veces desborda en odas de versos libres, a veces se arquitectura en el soneto, a veces cultiva los versos de arte menor. La economía verbal suele hacerlo monótono. La insistencia en ciertas imágenes suele darles dureza de símbolos. Su oído suele fallarle en las medidas del verso. Pero la serie de libros que inició con *El imaginero* (1927) y con los recogidos en *Mundos de la madrugada* (1943) y que después culminó con los que van de *El huésped y la melancolía* (1949) a *Unida noche* (1957) es poesía de admirables intensidades. Intensidad de sus odas con temas de amor y de muerte, intensidad de sus escarceos por la orilla de la metafísica. Del grupo de vanguardistas Molinari es el más respetado por los jóvenes de hoy: él les ha enseñado a disciplinarse persiguiendo formas rigurosas y a atender no sólo la geografía sino también la historia argentina. EDUARDO GONZÁLEZ LANUZA (1900) apareció en la carpa del circo ultraísta pero, como los otros, salió de allí a tiempo y enderezó su vida. "Mis poemas son trabajados" había escrito en el irónico manifiesto de *Prisma* (1924) y luego se ha visto que, en efecto, González Lanuza era un trabajador que, desde entonces, ha venido analizándose y ordenando la abundancia de su imaginación. González Lanuza ha probado ser uno de nuestros grandes poetas, apasionado, libre, insobornable, arisco, tan individualista que se ha quedado solo. El continuo meditar en qué es el mundo y qué la vida y qué la poesía ha dado a González Lanuza una profundidad que no necesita para asombrar de ninguna de aquellas acrobacias que los ultraístas usaban para llamar la atención. El sentimiento de la fugacidad de todo lo terreno, de la inminencia de la nada, de la inseguridad de nuestra vida y de nuestro conocer, pero también el sentimiento de que los hombres somos capaces de un poderoso canto cuando apretamos el tiempo que nos fluye por dentro no han tenido en la Argentina expresión más alta que ésta de González Lanuza. No hay en él voluntad de ser oscuro; a pesar de que lo enigmático de la existencia es su tema, González Lanuza es claro. Tampoco hay en él voluntad de jugar con los versos, que son clásicos o libres según la melodía de cada intuición, y siempre de infalible maestría rítmica. No le importa restaurar lo que los ultraístas condenaron: la rima, el metro, la estrofa. Su voluntad, de la que no se distrae nunca, es revelarse sinceramente. ROBERTO LEDESMA (1901), sencillo, identificado con las formas elementales de la realidad, comunicado con lo telúrico, intenso en la elegía y en las expresiones amorosas, canta, no las esencias sueltas, sino las cosas a las que las esencias se prenden. *La llama* (1955), selección de su producción poética, la muestra como una *cosa* (admirable) que se agrega a la admirada realidad. El poeta va bautizando el mundo que le nace en su sensibilidad cada vez que mira a su alrededor. En *El pájaro en la tormenta* (1957) ha seguido ahondándose y cobrando más y más conciencia de su originalidad, como en "Sobre la arena". Algunos de los sonetos de Ledesma son los más bellos de nuestra literatura. FRANCISCO LUIS BERNÁRDEZ (1900) fue entrando con *Orto* (1922), *Bazar* (1922), *Kindergarten* (1924) y *Alcándara* (1925) en la poesía nueva. Después dejó atrás la poesía críptica, de imágenes sueltas y sonidos sueltos (con algo de cine mudo y de vitrola de jazz descompuesta) y cultivó lo que el ultraísmo había olvidado: el poema extenso, la sintaxis clara, las estrofas clásicas, la equilibrada idea del mundo del tomismo. *El buque* (1935) fue un poema teológico: es el tema de la gracia que, en forma de buque, visita al espíritu. A estas liras ascéticas (saltando por el *Cielo de tierra*, 1937) siguió la lírica amorosa de *La ciudad sin Laura* (1938), serena, límpida, en sonetos y otras formas regulares. En *Poemas elementales* (1942) —¿su mejor libro?— Bernárdez alzó aún más la voz, sin duda para alcanzar la altura de sus temas católicos. Poemas elementales porque canta los elementos "la tierra", "el mal", "el viento", "la hoguera". Cuando Bernárdez cede a lo escolástico sus versos se hacen silogísticos, duros, insípidos, pobres. Pero cuando cede al impulso de su amor (no el de Santo Tomás, sino el de San Francisco) su religiosidad se ahonda y nos revela la fe, la gracia, la ternura de la contemplación del mundo. Sus poemas se alargan con ondulación de plegaria, a veces a metros de veintidós sílabas, con acentos fijos, formados con un eneasílabo y un verso de trece. En sus mejores poesías la religiosidad corre como un río subterráneo: se adivina su frescura sin verla cristalizada. En los *Poemas de carne y hueso* (1943) la humildad cristiana se vierte en ascetismo de expresión poética. Se ennoblece su repertorio de motivos (los amores cardinales del hombre: el hijo, la fe, la bandera, la tumba de San Martín, etc.), pero se le deslizan mecanismos lógicos, no poéticos. Sus últimos títulos van de *El ruiseñor* (1945) a *La flor* (1951). Bernárdez eligió la familia poética a que quería pertenecer: San Juan de la Cruz, los dos Luises, Lope y aun los más remotos trovadores galaico-portugueses. Con estos líricos —los principales— va también Nalé Roxlo, a quien estudiaremos más adelante. Y faltan otros: Mastronardi, Marechal, Villar y Luis L. Franco. CARLOS MASTRONARDI (1901) fue un ultraísta cauto. Se apartó de las fanfarronadas de quienes, con mal oído para la música, creían que bastaba con mirar a través de toda clase de metáforas. Tampoco le sedujeron los estilos que reducían la poesía a estados de ánimo. Para él intuir era afinar formas del espíritu y de la lengua, en la materia de los recuerdos. El lenguaje de sus primeros libros, *Tierra amanecida* (1926) y *Tratado de la pena* (1930), era más mesurado que el de sus compañeros de *Martín Fierro* y *Proa* y mostró un limpio gusto por las cosas de su provincia. En *Conocimiento de la noche* (1937) su amada provincia entrerriana es el sujeto de los poemas: con recatado tono lírico, con ordenadas formas poéticas cantó campos, pueblos, hombres, bestias, días, trabajos, estaciones del año, penas, gozos. El poema "Luz de provincia" está dedicado a las antologías. LEOPOLDO MARECHAL (1898) perteneció también al grupo ultraico (eran los años de *Días como flechas*, 1926), pero después se asomó a los temas del amor humano y del conocimiento divino y anduvo por las mismas veredas por donde había transitado la poesía cristiana española del siglo de oro. Aun la forma de esas veredas quedó copiada en su métrica. Desde *Laberinto de amor* (1936) y *Sonetos a Sophia* (1940) fue poeta militantemente católico. Aun en *Cinco poemas australes* (1937), dedicado a sus recuerdos, a su país, la inquietud religiosa prevalece. Publicó también una novela: *Adiós Buenosayres* (1948), con intenciones simbólicas: a pesar de sus fealdades, es importante como mitificación de su generación "martinferrista". AMADO VILLAR (1899-1954), poeta colorista y aguafuertista en *Versos con sol y pájaros* (1927), en *Marimorena* (1934) prefirió captar realidades transparentes, casi invisibles: aire, agua, cristal. LUIS L. FRANCO (1898) comenzó como poeta lírico que se inspiraba, vital y alegremente, en su vida de campesino: el paisaje, el amor, la salud del cuerpo, el pueblo. En *Suma* (1938) y en *Pan* (1948) se nos muestra más comprometido con filosofías sociales, pero sus impulsos de libertad y de justicia, sus rebeldías, su solidaridad con los hombres que sufren, a pesar de algunas caídas en la retórica, suelen tener ese fresco lirismo que siempre vibra en las naturalezas sinceras. Sus imágenes son tan vigorosas como sus conceptos, y también sacuden sus prosas: *Pequeño diccionario de la desobediencia* (1959). Otros poetas reclaman comentarios individuales. Desgraciadamente el espacio no da para más.

Dijimos que desde 1930 —fecha del golpe militar que hizo trastabillar a la Argentina en su marcha liberal— los bandos literarios acabaron por disolverse. Entonces los bandos políticos fueron más visibles que los bandos poéticos. Todos los poetas que revisamos al principio de esta sección habían producido antes de 1930 obras significativas. Después de 1930 aparecen nuevos escritores. Son los nacidos alrededor de 1910. Antes de caracterizarlos debemos poner aquí, entre paréntesis, es decir, entre los coetáneos de Borges que hemos visto y los coetáneos de Enrique Molina y Ferreyra Basso que en seguida veremos, a un excelente poeta que reclama un lugar especial: VICENTE BARBIERI (1903-1956). Apareció tardíamente en las letras: su primer poemario es *Fábula del corazón*, de 1939. Tenía Barbieri (como Neruda, de quien se le pegaron algunas maneras) el don de disparar sus metáforas con tanta energía, y desde zonas tan hondas de su ser, que despiertan en el lector resonancias emocionales difícilmente analizables. Mu-

chas de esas metáforas, a fuerza de insistir, se convierten
en símbolos. A veces no se sabe si son símbolos o juguetes decorativos, escenográficos, heráldicos, acuáticos.
Leyendo sus libros —por ejemplo, *La columna y el
viento*— se tiene la impresión de que Barbieri no es
superrealista, pero que usa las convenciones literarias
del superrealismo. Es decir, sus palabras no manan
directa y espontáneamente del fondo oscuro de su ser,
sino que tienen un orden; sólo que este orden no es
claro e inteligible, sino de una retórica deliberadamente
desordenada. Barbieri parece escribir sus poemas con
ideas, con propósitos; y si compiláramos un "diccionario
de símbolos" podríamos descifrarlos. Hay ambigüedad.
Apunta a una cosa y nombra otra. Sólo que su código
es secreto. No por eso su mundo poético es menos
construido. No pone en libertad la oscuridad de la existencia, sino que nos da charadas. Los escritores nacidos
alrededor de 1910, que aparecen en las letras hacia
1930, fueron mucho más moderados que los vanguardistas. Curados de espanto, buscaron el equilibrio. Habían conocido los extremos. Se propusieron ser más
serios. Una filosofía más preocupada por comprender
al hombre los condujo al viejo tema: la vida sentimental. Este neorromanticismo es el que acabará por hablar
en voz alta en la generación siguiente, la de 1940. Enrique Molina (1910) fue creciendo con sus libros —de
Las cosas y el delirio, 1941, a *Costumbres errantes* o *La
redondez de la tierra*, 1951— hasta llegar a la mayor
talla de su grupo. Su visión es desolada. Se aprieta
las heridas. Busca la confirmación de que sospecha de
que todo es fango y dolor. Y, claro, acaba por sorpren-
derse de que, al fondo de las ruinas, todavía se pueda
admirar la belleza del mundo, siendo que su existencia
personal es tan triste. Su fuerza demoniaca, destructiva
estalla en imágenes desordenadas. Cada vez se hizo más
superrealista y espontáneo en el modo de acentuar sus
apasionadas nostalgias y de desnudar sus ensueños e
imperiosos anhelos. Jorge Enrique Ramponi (1907),

uno de los líricos notables —sobre todo en *Piedra
infinita*, 1948— trenzaba con un humo superrealista
sus duros conceptos e imágenes. Superrealista también
es ERNESTO B. RODRÍGUEZ (1914). JUAN G. FERREYRA
BASSO (1910) recoge paisajes, sobre todo del campo, en
el espejo de su alma. El paisaje es real, el amor a la
tierra es real; y, sin embargo, todo queda dibujado como
sobre un sueño fantástico. Obras: de *Rosa de arcilla*
a *Paisano muerto en el río*. CÉSAR ROSALES (1910),
lírico que con sus cantos dio perfil al amor a la patria.
RAÚL GALÁN (1912?), telúrico, elegiaco, tradicionalista;
el regionalista CARLOS CARLINO (1910); FERNANDO
GUIBERT (1912), ambicioso enumerador de la vida tumultuosa de la gran ciudad (*Poeta al pie de Buenos
Aires*, 1953). OSVALDO HORACIO DONDO (1910), que
frena sus sentimientos (sus palabras) con voluntad de
exactitud. FRYDA SHULTZ DE MANTOVANI (1912), que
se contiene y vela sus sentimientos con una actitud más
intelectual que lírica; actitud que ha de llevarla a otros
géneros. MIGUEL ÁNGEL GÓMEZ (1911). ARTURO CAM-
BOURS OCAMPO (1907).

B. PRINCIPALMENTE PROSA

Nuestro propósito en las primeras páginas de este capítulo fue compendiar la producción en verso. Claro
que tuvimos que dar relación de las obras en prosa que
también escribieron los poetas mentados. De aquí en
adelante nos proponemos compendiar la producción
en prosa y, naturalmente, tendremos que dar relación
de los versos escritos por cuentistas, novelistas y comediógrafos. No estamos haciendo una historia de los géneros literarios, sino de las personalidades más interesantes
en la literatura. A los géneros se los puede dividir y
subdividir, porque son abstractos; a las personalidades no, porque son concretas, enteras, vivas. Muchos
escritores se deslizan de la poesía a la prosa: ya lo hemos visto en las anteriores páginas. Pero no nos dejemos

paralizar por esos escrúpulos. Tenemos que estudiar ahora la prosa producida por quienes nacieron entre 1900 y 1915 y forzosamente indicaremos nombres que bien pudieron haber figurado con los poetas de las primeras páginas.

1. Novela y cuento

Muchas novelas salieron tranquilamente, con factura ochocentista; y si la modificaban era con gentileza tal que la modificación pasaba inadvertida. El realismo francés y el realismo ruso retenían todavía su clientela. Pero más o menos hacia 1930 empezaron a tener efectos sobre Hispanoamérica los cambios de la novelística europea. Porque, hay que decirlo, una característica hispanoamericana es que nuestros escritores no experimentan nuevas formas, sino que, tarde y difusamente, aplican los experimentos europeos. Francia siguió siendo el centro exportador del nuevo arte de novelar, de Rusia la figura que siguió creciendo era la de Dostoievsky, pero ahora se agregan Alemania e Inglaterra (los Estados Unidos —Faulkner, Hemingway— influirán unos pocos años más tarde; Italia, después de la segunda Guerra Mundial; España —Benjamín Jarnés y sus coetáneos— no ofrecía nada que pudiera influir). La novela francesa parecía una brújula borracha, Proust, Gide, Mauriac, Duhamel, Romains, Thérive, Giraudoux, Cocteau, Green, Jaloux, Fournier, Martin du Gard, Montherlant invitaban a la aventura señalando simultáneamente a todos los puntos de un horizonte circular: la evocación del tiempo psicológico personal y los saltos de grillo-turista alrededor del planeta, el lirismo soñador de unos adolescentes solitarios en aldeas provincianas y el tumulto de las masas en las grandes urbes, el ímpetu de la imaginación y el de la política, derechas e izquierdas, el pecado original de los católicos, el mal denunciado por los socialistas, preciosuras, fealdades, novelas-fragmentos, novelas-ciclos... Alemania había sido, de 1910 a 1920, el laboratorio de la novela expresionista. En vez del impresionismo, que había querido anotar los golpes de la realidad exterior sobre los sentidos del escritor, ahora se fomentó la energía creadora del escritor, que hacía retroceder la naturaleza a golpes de imaginación, inteligencia, voluntad, emociones e instintos. Y ese escritor se rebelaba contra la sociedad de su tiempo, la juzgaba, la condenaba y ponía en crisis las tradiciones, no sólo las viejas, como las religiosas, sino también las recientes, como la del liberalismo del siglo XIX. El radicalismo ni era sólo político ni se quedaba en la desintegración social: se enterraba en ideas sobre el destino del hombre, su culpa y su redención, su trágica condición, sus fracasos y renovadas embestidas. No se trataba de contar exterioridades sino de hacer estallar en lengua violenta lo que el escritor "vivía" ante esas exterioridades. Se parecía al naturalismo en la brutalidad y arrojo con que se ponía en contacto con las cosas más torvas, pero lo que primaba era la simbolización de la naturaleza, no su fotografía. En los años treinta y tantos se leían en Hispanoamérica relatos de Franz Werfel, Arnold Zweig, Leonard Frank, Franz Kafka (y se veían en el teatro obras de Franz Wedekind, Ernest Toller, Georg Kaiser). Hemos citado autores de lengua alemana porque de Alemania partió el expresionismo; pero ya dijimos que esa convulsión artística era universal, y a América llegó de todas partes. La novela inglesa empezó en algunos círculos de lectores a sustituir la francesa: D. H. Lawrence con su instintivo desafío a la civilización; Aldous Huxley el superintelectual; la evanescente y monologante Virginia Woolf con sus morosos desplazamientos en el tiempo; y sobre todo James Joyce, el más revolucionario en la técnica de la novela, con su Dublín interiorizado en puro flujo psíquico. Los hispanoamericanos de estos años, pues, escribieron novelas cuando el consenso general era que la novela se había deshecho. Se había roto su arquitectura. Los planos se derrumbaban. No había orden en los episodios. No había identidad en los personajes. No había a veces nada que contar. La preocupación por el tiempo convertía el espacio en que transcurría la novela en una pura metáfora; o hacía renunciar a la cronología de los hechos para presentar simultáneamente vidas distintas o momentos distintos de la misma vida. El punto de vista era móvil, imprevisible, microscópico y telescópico, localizado y ubicuo. La lengua se hacía imperial, y ni un vocablo, ni el más soez, ni el más culto, ni el más neologístico, le fue ajeno. En Hispanoamérica ningún novelista presentó un cuadro completo de estos experimentos técnicos, pero en muchos se reconocen experimentos sueltos: Yáñez, Labrador Ruiz, Marechal, Mallea, Uslar Pietri... Pero no nos anticipemos. Hay que ordenar la actividad de nuestros narradores. ¿Cómo? Partamos de las obras que desfiguran más la realidad exterior para luego llegar a las que reflejan más fielmente esa realidad. ¿Es necesario insistir en que las categorías de "idealismo" y "realismo" literarios son apenas esquemas lógicos para ordenar una desordenada masa libresca? No sólo un mismo autor produce versos y narraciones en prosa, sino que aun sus narraciones podrían encajonarse con diferentes rótulos. Más: a una misma novela podríamos ponerla en diferentes cajones. Da lo mismo. No se espere, pues, una clasificación científica. Primero enlazaremos a narradores que tienden a menospreciar la realidad ordinaria. No pueden prescindir de ella, puesto que están novelando vidas de hombres. Pero su apoyo en la realidad será mínimo y desganado. Lo que quieren es retraerse hacia el fondo último de su alma, desprenderse de la red de determinaciones naturales, libertarse de las cosas que los circundan. Desrealizan, pues, la realidad física, humana, social en que se apoya la novela y en cambio arrojan fuera de sí una realidad puramente ideal. Después agruparemos a los narradores que aplican su visión del mundo y de la vida a una realidad que, por imaginaria que sea, la reconocemos como exterior, pública, común. La prosa se les transparenta para que los lectores veamos las articulaciones de una realidad objetiva: caracteres, conflictos de conciencia, problemas sociales, diálogos, descripciones de la naturaleza o de la sociedad, procesos históricos, situaciones reales o ficticias...

a) *Narradores más subjetivos que objetivos*

Ya hemos caracterizado su estilo, en el capítulo anterior y en las páginas precedentes. Son los que acentúan más la visión personal que las cosas vistas. Cuando no es pura fantasía, es juego intelectual o alegoría expresionista. El realismo o es mágico o está tan estilizado que las cosas adquieren un temple lírico. El sentimiento del tiempo (sobre todo en las evocaciones de la infancia o la adolescencia), la caracterización de psicologías complejas, la descripción de impresiones raras, el análisis angustioso de experiencias existenciales, el irrestañable sangrar de imágenes y la movilidad del punto de vista narrativo imprimen a toda esta literatura un ritmo poético. Y, en efecto, muchos de quienes la forman son poetas, y pudimos haberlos estudiado en la sección donde dimos cuenta de la producción en verso. Algunos de ellos, aunque no presenten situaciones o personajes fantásticos, envuelven la realidad en una atmósfera tan densa de imaginación que uno la ve al fondo, como un sueño. En otros, supersticiones, mitos y leyendas del folklore se colorean en extrañas flores ficticias. Otra expresión no realista o, al menos, de desfiguración de la realidad en símbolos fantásticos fue la de los bestiarios. Cuentos y novelas seudocientíficos, y juegos lógicos con asesinos y detectives, se apoyaron apenas en el trampolín de la realidad para saltar y dibujar garabatos en el aire. Hubo relatos en los que la imaginación viajaba a otros tiempos, a otros sitios, a otras especies animales. Toda la realidad, en fin, se volatiliza en metáforas poéticas.

i) *México*

Ya hemos hablado de Torres Bodet y otros poetas del grupo de *Contemporáneos* que escribieron narraciones poéticas. Añadamos la *Novela como nube* (1928) de GILBERTO OWEN (1905-1952) y la onírica *Cerrazón sobre Nicomaco* (1946) de EFRÉN HERNÁNDEZ (1903-1958). FRANCISCO TARIO (1911), cuentista de lo grotesco, de la locura, de las obsesiones dolorosas, novelista de rica y terrible imaginación, cazador de aforismos: de *Aquí abajo* (1943) a *La puerta en el muro* (1946). Quisiéramos detenernos en AGUSTÍN YÁÑEZ (1904), quien ha mantenido un alto nivel de narrador. Su tendencia lírica, poética, se siente cómoda en evocaciones autobiográficas y aun en sus obras más objetivas se siente la constante intervención del autor en las vidas que va creando. En *Pasión y convalecencia* (el texto está fechado en 1938) nada se mueve, como no sean las amplificaciones (a veces retóricas) que el autor da a cada uno de sus fragmentos líricos. Un enfermo febril; su convalecencia; su visita al rincón familiar; vacilación entre el campo y la ciudad y la final decisión de volverse a la ciudad. Imágenes delirantes, evocaciones de infancia. Novela poemática donde no se cuentan acciones objetivas, sino reacciones subjetivas. Desgraciadamente Yáñez es tan abundante en sus "frases" que no puede hacerlas felices a todas. Su novela más ambiciosa es *Al filo del agua* (1947). El título es una expresión popular que, en sentido figurado, alude a la inminencia de un suceso; en esta novela la Revolución Mexicana de 1910 es lo inminente. Y Yáñez va describiendo el letargo multánime de un pueblo del sur, con todos sus resquicios llenos de religiosidad. Es una religiosidad negativa, sombría, mórbida, resentida, ascética que cava galerías por debajo de la vida hasta que la vida no puede más, se derrumba y aplasta entre los escombros aun al Padre Dionisio, que es quien cierra tristemente la novela al celebrar su última misa con el corazón destrozado por la conciencia de su fracaso y del fracaso de todo lo que él representa. El argumento —si puede hablarse de tal— está deshilachado. Miles de flecos. Cada personaje, un fleco, bailando grotescamente al viento ardiente de la superstición. Ninguno de ellos alcanza la rotundidad de creaciones vitales, pero a veces sus destinos se juntan —siempre para sufrir— y así aparecen virtualidades de novelas posibles, cuyos temas más repetidos serían los del erotismo, la neurosis y la violencia. Yáñez no propone una tesis. Se limita a pintarnos una atmósfera. A lo más, en ese gran lienzo impresionista, alguna pincelada parece sonreírse irónicamente. La estructura de *Al filo del agua*, deliberadamente rota en planos paralelos, en planos entrecruzados, en planos yuxtapuestos o en dispersión da notable fluidez a los acontecimientos. En el fondo no es la fluidez de la realidad sino la fluidez de la conciencia —y de la subconsciencia— lo que Yáñez procura presentar. De aquí que use, y bien, los procedimientos del monólogo interior, directo e indirecto, del soliloquio, del diálogo en una cabeza atormentada, de símbolos, alegorías y aun de sugerentes cambios tipográficos. La pesadez de la novela es por exceso de verbosidad; porque Yáñez, en vez de impersonalizarse para dejar al desnudo las múltiples perspectivas de la grey de ese Arzobispado mexicano e —invitar a que el lector se instale allí e imagine por su cuenta— interviene en el batido de la prosa, rica, lenta y quiere decirlo todo. En el mismo cielo, *La creación*, 1959, y la *Tierra pródiga*, 1960.

ii) *Centroamérica*

Guatemala. Poeta y novelista es MIGUEL ÁNGEL ASTURIAS (1899). Publicó su propia antología, *Poesía. Sien de alondra* (1949). Allí se ven sus cambios estéticos: poesías bucólicas, aldeanas, de emoción viajera, de retorno a lo vernáculo, populares. Le siguieron otros poemarios, como *Ejercicios poéticos en forma de soneto sobre temas de Horacio* (1951). Poeta de tono menor, visual, atento a las relaciones entre las cosas, a la esencia de lo mineral y lo vegetal, con el don del matiz. En *Leyendas de Guatemala* (1930) elaboró con imágenes propias la mágica visión de los mayas. Pertenecen a la primera etapa de su carrera literaria, cuando en París, bajo la diección de Georges Raynaud —el traductor del *Popol-Vuh* —se especializaba en estudios antropológicos sobre la civilización de los mayas. También tiene teatro: *Soluna* (1957). Pero sus novelas le han dado más fama. *El señor Presidente* (1946) describe la vida enferma —moralmente enferma— de un país hispanoamericano. No lo menciona, y el lector no tiene derecho a creer que es solamente un documento guatemalteco, pues toda nuestra América sufre de las mismas lacras. Pero lo cierto es que Asturias, al escribirla, recordó sus miedos de niño, bajo la dictadura de Estrada Cabrera (de 1898 a 1920). No es la biografía de un dictador, sin embargo, sino la caricatura de todo dictador. Lo malo es que la novela queda sucia con las purulencias que describe. Esa realidad de homosexuales, mendigos, venéreos, palúdicos, idiotas, borrachos, avaros, piojosos, mulatos degenerados y otras sabandijas humanas abrazadas a los pingajos de una sociedad descompuesta en odios, intrigas, despotismo, prostitución y servilismo desborda del cauce artístico de la novela; nos mueve prácticamente, sin conmovernos con la misma fuerza estética. Novela amarguísima, no sólo porque el autor la escribe con amargura, sino también porque el lector la lee amargado por ese espantoso cuadro de miserias. La novela, así y con todo, no es naturalista, sino esperpéntica, para usar una palabra que aplicaríamos también al *Tirano Banderas* de Valle Inclán. Sólo que Asturias, aunque distorsiona las cosas con los mismos espejos deformantes de Valle Inclán, no tiene su soterrado humorismo. Está la novela toda en tensión, con la filosofía política del autor engatillada, apuntando y lista para hacer fuego. Se nota más la exacerbación expresionista que la impasibilidad científica de los naturalistas. A veces, recursos deliberadamente feos. Otras veces, el poeta Asturias enjoya con lujos verbales y fantásticos la sórdida materia. Y, de esta manera, gracias al poder creador de su tremenda imaginación —porque aquí la imaginación es más tremenda que la vida—, *El señor Presidente* se convierte en novela artística. Asturias, como Quevedo, no desdeña ningún lado de la lengua. Al describir asalta con palabras, acumulándolas, plasmándolas, jugando con ellas en jitanjáforas, neologismos, aliteraciones, estribillos. Hace explotar metáforas, ricas en impresiones e ideas. Aunque el autor, omnisciente, interviene en la marcha de la novela, suele instalarse dentro de sus personajes y revelarnos el fluir de sus conciencias en monólogos interiores. *Hombres de maíz* (1949) son relatos en que se estructuran elementos legendarios y reales, contrapunto a veces destemplado porque el autor no se aclaró ante sí mismo su objeto artístico: uno de sus propósitos parece ser mostrar la lucha entre los indios, que siembran el maíz sólo para alimento, y los criollos que lo siembran para negocio, empobreciendo las tierras con su codicia. En la trilogía de sus últimas novelas hay un predominio de lo sociológico sobre lo novelesco puro: *Viento fuerte* (1950), *El Papa verde* (1954) y *Los ojos de los enterrados* (1960). Denuncia el imperialismo norteamericano, inspira protestas, pone un sello partidario a su pensamiento político. Se libera de la técnica novelesca tradicional pero el peso de una materia regional no bien elaborada acaba por aflojarle las piernas. Eso sí, sus novelas están envueltas en un hálito de poesía, penetradas de expresionismo y superrealismo. *Week-end en Guatemala* (1956) son cuentos de franca intención política. Sin duda es Asturias uno de nuestros mayores novelistas, por el vigor de su imaginación, la audacia con que complica la estructura interior del relato y el lirismo violento o enternecido con que evoca las tierras de América.

El Salvador. En los *Cuentos de barro* de SALARRUÉ

(1899) —su verdadero nombre es Salvador Salazar Arrué— hay indios, labradores sufridos, tristes, supersticiosos, explotados, pero las unidades de acción están tan bien recortadas que dejan fuera la sociología y la política. Salarrué mira la realidad sin ser realista; tiene algo de sonámbulo, de dormido que camina con los ojos abiertos. Su estilo es impresionista, imaginativo. Cada "cuenterete" —como los llama el autor— agrupa a los indios en una situación propicia para que, al hablar, sus palabras —dialectales, parcas— insinúen todo lo que les pasa por dentro.

Costa Rica. El mayor novelista de esta generación, aquí, fue JOSÉ MARÍN CAÑAS (1904). Escribió cuatro novelas. La primera, *Lágrimas de acero* (1929), es de ambiente español. La segunda fue *Tú, la imposible: Memorias de un hombre triste* (1931), escrita en esos años en que se hacía novela contra la novela. El novelista probaba a sus colegas que sabía escribir, que tenía imaginación y sensibilidad. Y novelaba sin contar nada; o contándolo tan enrevesadamente, tan entrecortadamente que el lector común se desorientaba. El novelista de esos años, además, quería probar que era superior aun a la misma literatura: de ahí ese tono humorístico, ese tomarlo todo a juego en metáforas que revientan en medio del relato. El autor-protagonista, Juan Arocena, da la clave estética de esta literatura al hablar de sí como de un escritor "amanerado, buscador de terminachos epatantes"; "voy narrando con una rabiosa emoción, en la que parecen disparos las imágenes". La sintaxis de esta prosa es normal, pero el estilo muy metafórico y la composición en varios planos dieron a la novela cierta novedad, en esos años. Hay varios puntos de vista: de Marín Cañas, de Juan Arocena, de la heroína Chidy. Estas *Memorias*, pues, están desarticuladas. Recomponiéndolas se ve aparecer un romántico cuento de amor, amor imposible entre un escritor pobre y casado, y una chiquilla de dieciocho años, rica y pura... La acción transcurre en España, si bien los

protagonistas son hispanoamericanos. El lirismo a veces
cristaliza en poemas en prosa; más frecuentemente se
ríe de sí mismo en aquellas imágenes que gustaban a
los ultraístas. El don de frases es superior al don novelístico. Más seria fue su novela, o, mejor, crónica, *El
infierno verde* (1935). Se simula que la ha escrito un
soldado paraguayo en la guerra del Chaco. Guerra que
fue muy sudamericana, pero Marín Cañas, al describirla,
se liga más bien al ciclo de literatura antibélica que
surgió después de la guerra de 1914 a 1918. O sea, que
Marín Cañas aplicó a una guerra hispanoamericana la
técnica y el espíritu de la literatura europea. Y también el estilo. Parte de esas novelas se escribieron con
estilo expresionista. Por el lado del ultraísmo en poesía
y del expresionismo en prosa le vino a Marín Cañas
esta exacerbación metafórica. En Marín Cañas hay clisés y cierta monotonía estilística, pero así y con todo es
evidente que él sale al encuentro de la realidad que lo
está impresionando y la derriba bajo el peso de su aco-
metedora personalidad. Una de sus acometidas es política: no toma partido a favor de Paraguay o de Bolivia, pero muestra a ambas naciones como víctimas del
capitalismo internacional, los mitos patrióticos, y la
irresponsabilidad ciudadana. Estética y política no se
contradicen en este estilo al que se podría llamar expresionista, porque ambas salen, sin contradecirse, de la
energía creadora del escritor. Su última novela fue
Pedro Arnáez (1942), con paisajes centroamericanos
por los que anda y sufre el desamparado y complejo
Pedro, cuya vida aparece vista —en tres ocasiones en
que la ronda la muerte— por el médico-narrador. También escribió cuentos y varias piezas teatrales. MAX
JIMÉNEZ (1900-1947) nos ha dado una curiosa utopía:
El domador de pulgas (1936). Ha imaginado una
sociedad de pulgas redimidas por la sangre del domador,
el Cristo de las pulgas. ¡Pobre domador! Muere exan-
güe y arrepentido. Se ha sacrificado inútilmente: las
pulgas en libertad copian las malas pasiones humanas.

Desgraciadamente esta acrobacia sobre el disparate se malogró porque el autor saltó con una prosa despatarrada. Max Jiménez vivió en París y viajó por todo el mundo. Fue uno de los subversivos de la posguerra, en las artes plásticas y en la ficción. Sus poemas fueron menos revolucionarios. Su último libro, *El jaúl* (1937), es una serie novelesca de estampas campesinas, y algo naturalista en sus personajes bárbaros, en la crudeza de sus voces y la exageración de paisajes terribles. No realistas, o de un realismo moderado, fueron ARTURO CASTRO ESQUIVEL (1904) y EMMANUEL THOMPSON (1908).

Panamá. El trotamundos ROGELIO SINÁN (1904) fue quien encabezó la vanguardia. Inició su campaña en favor de la poesía nueva con *Onda* (1929) y le siguieron *Incendio* (1944) y *Semana santa en la niebla* (1949). Se distinguió más, sin embargo, con sus narraciones: *Plenilunio* (1947), *La boina roja y cinco cuentos* (1954) y *Los pájaros del sueño* (1958). Introspectivo, preocupado por el problema de la personalidad, buceador del subconsciente, irónico en su tratamiento de temas sexuales (léase, por ejemplo, su cuento "Todo un conflicto de sangre"), Sinán fue un experimentador. Otro panameño en el grupo esteticista fue MANUEL FERRER VALDÉS (1914).

iii) *Antillas*

Cuba. Hubo un grupo de narradores con temas sacados de la vida de negros y mulatos. A los que encararon esos temas como parte de los problemas sociales, los veremos después, entre los realistas. Aquí sólo nos conciernen los escritores más imaginativos, que se interesaron por leyendas y supersticiones afrocubanas o, por lo menos, que escribieron con una actitud no realista. Entre ellos RÓMULO LACHATAÑERÉ (1910), RAMÓN GUIRAO (1908-1949), a quien vimos entre los poetas, y LYDIA CABRERA (1900), quien coleccionó en *Cuentos negros de Cuba* (1940) y *Por qué* (1948) un rico ma-

terial etnográfico, revelador de la concepción mágica
del mundo que los esclavos africanos trajeron a las tierras americanas. Otro narrador que tocó el tema negro
al comienzo pero después, al salir a una realidad más
amplia, se convirtió en el novelista mayor de su generación, fue ALEJO CARPENTIER (1904). Viajó mucho,
no sólo por la geografía (Europa, sobre todo), sino también por la cultura (música, folklore, literatura) y, dentro
de las letras, por el verso y por la prosa. Narra, generalmente, cosas de su tierra —como en *Ecué-Yamba-O*,
1931, "historia afrocubana"— pero lo hace experimentando con el estilo y la estructura de la novela. *El
reino de este mundo*, 1949, nos presenta la naturaleza antillana con técnicas de esperpento y de superrealismo. En la novela *Los pasos perdidos*, 1953, hay
aventuras —un viaje de la civilización a un rincón
primitivo de la selva ecuatorial que resulta ser más bien
un viaje hacia los fondos sin historia del tiempo americano—, aventuras que tan pronto nos dejan a oscuras
como se iluminan con relámpagos de inteligencia. *Guerra del tiempo* (1958) —el título alude a aquello de
Lope, de que el hombre es "soldado de la guerra del
tiempo"— recoge tres relatos y una novela, todo, en
efecto, penetrado por la obsesión del tiempo, sea histórico o personal, puesto allí como el tema mismo o
como forma del modo de evocar. Los tres relatos —"El
camino de Santiago", "Viaje a la semilla" y "Seme-
jante a la noche"— tienen un aire de juego mágico: el
más rebuscado es el segundo, en que se describe cómo
una vida remonta el curso del tiempo en "viaje a
la semilla" (un viejo se hace niño, entra en la placenta
y, con un mundo a cuestas, desaparece en el trasmundo). La novela es *El acoso*. Si la rehiciéramos en
una continua línea de acción tendríamos una novela
de violencias, traiciones y venganzas: en los años de la
caída de la dictadura de Machado y del caos político
que siguió, un muchacho de provincias va a estudiar
en la Universidad de La Habana, se adhiere a una

organización subversiva y terrorista, delata a sus compañeros, huye y lo liquidan en una sala de conciertos, donde ha oído la *Sinfonía heroica* de Beethoven. Pero esta materia está dividida en tres partes. La primera y la tercera transcurren en una hora: la acción empieza poco antes y termina poco después de la ejecución de la *Sinfonía heroica*. Hay dos puntos de vista que configuran la materia narrativa: el del taquillero y el del acosado. Son vidas paralelas, y algunas experiencias comunes van correlacionándolas. La segunda parte transcurre en dos semanas, pero gracias a los monólogos interiores del acosado nos enteramos de los antecedentes y de la situación de la novela. *El acoso* es un rompecabezas de trebejos cuidadosamente mezclados: el lector va aprehendiendo poco a poco, en cada fragmento, el diseño total. La concordancia entre los monólogos interiores, directos e indirectos, y los objetos, personajes y episodios de la acción central está admirablemente pensada. Carpentier no explica, pero da todas las claves para que el lector identifique a los personajes, recomponga la cronología, ordene las secuencias lógicas y encuentre la salida de ese laberinto. A pesar de que la materia, por estar tratada como procesos mentales, parece pulverizarse o gasificarse, Carpentier, sutilmente, la organiza en un espectáculo irónico, para el que la religión católica, la música de Beethoven y la *Electra* de Sófocles han prestado símbolos y alegorías. La novela no es subjetiva. En vez de analizar la psicología de los personajes, el autor se limita a describir hechos tal como se presentan, sueltos, parciales, duros: que el lector les encuentre su significación. En esto Carpentier hace en nuestra literatura algo parecido a lo que también se está haciendo en Europa, después de 1950, con la llamada "novela objetivista". ENRIQUE LABRADOR RUIZ (1902) ha publicado novelas "gaseiformes" —*Laberinto*, 1933; *Cresival*, 1936; *Anteo*, 1940—; novelines neblinosos —*Carne de quimera*, 1947— y una "fabulación" —*Trailer de sueños*, 1949—; después cambió en su tema y en su manera, y escribió *La sangre hambrienta*, 1950, y *El gallo en el espejo*, 1953, narraciones en que ya no se evade de la realidad pero tampoco se deja arrastrar por ella. Lino Novás Calvo (1905) no parece agregar galas imaginativas a la realidad, sino, al contrario, se diría que la reduce a esquemas elementales. Pero no se podría llamarlo realista porque el lento desplazamiento de sus figuras, el poder sugeridor de gestos, palabras y aun silencios, la descomposición del relato en planos sobresaltan al lector y lo obligan a intervenir imaginativamente en lo que lee. Ha escrito *La luna nona y otros cuentos* (1942), *No sé quién soy* (1945), *Cayo Canas* (1946), *En los traspatios* (1946). "Tengo a Faulkner en la sangre", ha dicho. Es un testigo hundido en las sinrazones de la vida y de la sociedad. El cuento tuvo en estos años auge excepcional, y una de sus direcciones fue la fantástica, sea libre y lírica o bien de tipo existencialista. Tendremos que repetir aquí nombres que vimos en el parágrafo sobre poesía. Félix Pita Rodríguez (1909), esperpéntico, mágico, poemático, aunque recio en sus golpes al drama del hombre en nuestro tiempo. José Lezama Lima (1912), hermético, geométrico —es decir, una oscuridad con pautas interiores—, que hace jugar en el cuento las fuerzas de su poesía. Dulce María Loynaz (1903) fue del verso a la novela sin disminuir su ánimo poético. Después de *Versos* (1938) y *Juegos de agua* (1947) —poesía en que una música interior insinuante envolvía en misterio las palabras y las impresiones recibidas de la realidad— escribió la "novela lírica" *Jardín* (1951), novela de una mujer y un jardín en que una mágica recuperación de recuerdos convierte el tiempo en tono dominante, y al amor y la muerte en sus sobretonos.

Santo Domingo. El mejor cuentista en la dirección artística fue Tomás Hernández Franco (1904), a quien ya se ha visto entre los poetas.

iv) *Venezuela*

Las primeras informaciones sobre el cubismo, el ultraísmo y el superrealismo llegaron a Venezuela con rezago, en comparación con otros países. Cuando llegaron, un grupo de cuentistas y novelistas, encabezados por Uslar Pietri, no pudiendo negar la realidad ni queriendo copiarla, acertaron en el arte de apuntar a lo poético que está enredado en las cosas. ARTURO USLAR PIETRI (1905) dio el ejemplo con una prosa rica en impresiones sensoriales, en metáforas líricas, en símbolos que sugieren una nueva interpretación de la realidad americana. Sus primeras narraciones fueron de 1928: *Barrabás y otros relatos*. En los otros dos libros de cuentos que siguieron se advierte una evolución desde el culto de la frase muy imaginativa hacia un arte más atento a la descripción de las cosas vernáculas: *Red* (1936), *Treinta hombres y sus sombras* (1949). Ha escrito, además, una excelente novela histórica sobre la guerra de la independencia en Venezuela: *Las lanzas coloradas* (1931). ¿Novela histórica? Bolívar no aparece. Sin embargo, la figura de Bolívar encuadra la novela. En las primeras páginas Presentación Campos, el mayordomo de El Altar, se levanta, molesto por la voz de un esclavo que narra una aventura de Bolívar; en las últimas páginas, Presentación Campos cae muerto sin poder asomarse a la ventana para ver la entrada triunfante de Bolívar. Pero en este marco elemental la novela se despliega en barbarie y caos. Los personajes viven con plenitud psicológica: la voluntad beligerante, animal y altanera de Presentación Campos; la dulce y soñadora Inés; el abúlico Fernando; la curiosidad por la vida y el querer vivirlo todo del inglés David... Además, figuras magníficas, como la de Boves, guerreros y mujeres. Pero esta humanidad, tan bien vista en sus relieves personales, no está tramada al modo de las novelas tradicionales. Pietri pasa al lado de los precipicios abiertos por la literatura romántica;

pero no se desbarranca nunca. Al contrario. Sus criaturas se pierden entre las masas furiosas de la guerra. Los destinos no se entecruzan sino que se separan. Inés anda por los llanos, enloquecida, desfigurada por el incendio, buscando a Campos para vengarse: pero no lo encontrará. Fernando no verá a su hermana, no peleará por la República en que cree, no caerá junto a sus amigos, tampoco se vengará de Campos. Pietri nos presenta movimientos de muchedumbre, no de héroes. El heroísmo de Boves, de Díaz, de Campos es —como en las epopeyas— una luz rojiza apenas más visible en el fulgor de las lanzas coloradas de sangre que cubren los llanos como una muerte escandalosa. Encarnaciones de la devastación. Esta perspectiva que deliberadamente lo confunde todo en manchas desordenadas y sueltas es la del impresionismo. Pietri ha puesto al servicio de un tema bárbaro las delicadezas de un arte impresionista. Las metáforas —audaces, pictóricas, frescas— salvan a la realidad evocada de las intervenciones lógicas del novelista. Pietri no construye la novela con principios morales o políticos. Ni con Boves ni con Bolívar. La novela gana así en virtudes estéticas. *El camino de El Dorado* (1948), más que novela histórica, es biografía novelada del diabólico conquistador Lope de Aguirre; y hasta geografía poetizada. A Uslar Pietri le siguen JOSÉ SALAZAR DOMÍNGUEZ (1902), NELSON HIMIOB (1908), ARTURO BRICEÑO (1908), CARLOS EDUARDO FRÍAS (1906). Estos narradores aceptan la realidad en que viven pero, sobre esos cimientos, levantan una literatura alta y bien construida, llena de vida y con ventanas ventiladas por un aire de poesía. Lo mismo puede decirse de los que llegaron después. JULIÁN PADRÓN (1910-1954) escribió algunos relatos que se desvían hacia el realismo: *Candelas de verano, Clamor campesino, Este mundo desolado.* Pero sus mejores obras fueron esas en las que dio tono poemático a sus recuerdos de infancia y adolescencia: *La Guaricha* (1934), *Madrugada* (1939), *Pri-*

mavera nocturna (1950). Su percepción del paisaje —un pueblecito, un río, un camino, el maizal, la montaña, árboles y nubes— es tan aguda que a veces, por responder a ella, Padrón se olvida de la acción novelesca y así la trama se afloja. Pero el poder sugestivo, la menudencia del detalle y el rasgo introspectivo salvan la novela, aun en los momentos en que se quebranta su unidad. Hay un fondo autobiográfico en lo que contó, sobre todo en *Primavera nocturna*, novela de ciudad que por su tensión poemática y riqueza de símbolos abrió nuevos caminos en la novelística de su país. GUILLERMO MENESES (1911) captó, con simpatía, la vida de negros, mulatos y zambos en sus tres novelas *La balandra Isabel llegó esta tarde* (1934), *Canción de negros* (1934) y *Campeones* (1939). Su retrato de hombres humildes, su manera de pintar cuadros venezolanos —escenas populares con fondos naturales— acusan un firme sentido de la realidad, pero lo colocamos entre los artistas por la singular vivacidad con que mostraba el lado interior, psicológico, de sus personajes. La primera obra mencionada, *La balandra Isabel llegó esta tarde*, fue una pequeña obra maestra. *Tres cuentos venezolanos* son casi estudios psicológicos: en un chico de quince años ("Adolescencia"), en un negro ("Borrachera") y en un indio ("Luna") Meneses presenta la necesidad de mujer y su satisfacción final. Otras obras: *El mestizo José Vargas, El falso cuaderno de Narciso Espejo*. JOSÉ FABBIANI RUIZ (1911) tiene algo de alfarero en la creación de sus cuentos de *Agua salada* (1939) y en sus novelas *Valle hondo* (1934) y *Mar de leva* (1941). Con el barro forma figuras; pero aprieta, economiza, aquí alisa y allá saca el necesario relieve. *La dolida infancia de Perucho González* (1946) —contada por él mismo— es novela nublada. Jirones de novela, como nubes sueltas. A veces nubes que envuelven, más o menos líricamente, escenas de la vida de un niño pobre, desdichado, aventurero e imaginativo. A veces, nubes grises que se forman por evaporación del estilo y acaban por impedirnos ver. A *orillas del sueño* —novela con la que ganó el Premio Nacional de Literatura correspondiente al bienio 1958-59— presenta vidas adultas y vidas de niños y adolescentes; estos últimos son los protagonistas, y los vemos en su soledad, incomprendidos y desamparados.

v) *Colombia*

EDUARDO ZALAMEA BORDA (1907), en su poderosa y original novela *Cuatro años a bordo de mí mismo* (1934) cuenta, en forma de diario, su travesía y permanencia en las salinas semiabandonadas de La Guajira. El narrador es un vital y jubiloso espectador de sí mismo y del mundo, catador de sensaciones: "A mí me gusta mirar lentamente las cosas, poco a poco, como saboreando ruidos, colores y perfumes, con toda la profundidad de los sentidos." Se vive intensamente —la vida sexual es una de esas intensidades— pero la imaginación, desenvuelta y jacarandosa, convierte esas experiencias vitales en expresión lírica. Zalamea Borda hace en prosa lo que los "piedracelistas" hacían en verso: una nueva poesía de impresiones, símbolos y figuras fabulosas. ANTONIO CARDONA JARAMILLO (1914), cuentista saturado de paisaje, afincado en su comarca de Caldas: *Cordillera* (1945). Penetra en el alma de las gentes del mundo y los hace hablar con diálogos naturales. Su prosa descriptiva es ágil, compleja, artística, imaginativa. Pone al servicio de temas rudos un lenguaje poético, a veces violento en sus imágenes vanguardistas.

vi) *Ecuador*

PABLO PALACIO (1906-1946), en los cuentos de *Un hombre muerto a puntapiés* (1927), caló en la vida humana con ironía, con humor tajante. Fue hombre raro; y su literatura, raramente artística. Hizo un humorismo deshumanizado, antisentimental, que aceptaba sin asombro las "anormalidades" de sus personajes: "Eso de ser antropófago es como ser fumador, o pederasta, o sabio"; "estar de loco, como estar de teniente político, de maestro de escuela, de cura de la parroquia". Después publicó las novelas *Débora* (1929) y *Vida del ahorcado* (1932). También narrador de prosa artística fue ALFONSO CUESTA Y CUESTA (1912).

vii) *Perú*

Aunque hubo, en la prosa narrativa, cabrilleos poemáticos, en general los escritores más importantes son los que veremos al estudiar el realismo. Acaso debamos mencionar aquí a MARÍA ROSA MACEDO, por el expresionismo de algunas páginas de *Ranchos de barro, Panorama hacia el alba* y *Rastrojos*.

viii) *Bolivia*

FERNANDO DÍEZ DE MEDINA (1908) publicó *La enmascarada y otras invenciones* (1955), cuentos fantásticos, sin mucha originalidad, con una prosa más hinchada que poética; pero en los mejores momentos el autor se despega de la realidad, sea en forma de tradición aimará o bien saltando a una esfera absurda con procedimientos de la poesía y del cine.

ix) *Chile*

En este país, donde el cuento y la novela han sido generalmente realistas, de descripción de ambiente, se observó en estos años un desvío hacia temas oscuros, irracionales, subconscientes. La más alta —vale decir: la más poética— expresión de esta modalidad es MARÍA LUISA BOMBAL (1910), autora de *La última niebla* (1934) y *La amortajada* (1941), donde lo humano y lo sobrehumano aparecen en una zona mágica, poética por la fuerza de la visión, no por trucos de estilo. El lector ve lo que los personajes de las novelas ven. Subjetivismo. Las cosas aparecen en una nube de impresiones. En la primera de las novelas citadas la mujer ama en una zona entre la realidad y el ensueño. En la segunda, una mujer muerta ve, siente y evoca sus amores, sus experiencias familiares, con una certeza definitiva, con una sabiduría final y ya inútil. Otras mujeres, aunque no con tanta intensidad, se apartaron también del criollismo y de la mecánica reproducción de las cosas: MATILDE PUIG, dada a desdoblamientos psicopatológicos, enajenaciones, superrealismos y kafkismos; CHELA REYES (1904), también poetisa; MARCELA PAZ, que en *Papelucho* sondeó con delicadeza la psicología infantil; MAGDALENA PETIT (1903), imaginativa en el modo de tratar la biografía y la historia (cfr., *Los Pincheiras*, 1939) y en la invención de puras situaciones novelescas (*Caleuche*, 1946; *Un hombre en el Universo*, 1951). MARÍA FLORA YÁÑEZ (1898) —que firmó sus primeras novelas con el seudónimo "Mari Yan"— solía espiritualizar y aun mitificar aspectos de la realidad. MARÍA CAROLINA GEEL (1913), atrevida en sus buceos psicológicos, como los de *El mundo dormido de Yenia* (1946) y *Soñaba y amaba el adolescente Perces* (1949). Algunos narradores se escaparon de la realidad por el lado del mar, de la aventura, del ensueño, de la fantasía seudocientífica, de la evocación histórica, del relato para niños. SALVADOR REYES (1899), pongamos por caso, cuenta en *Los tripulantes de la noche*, con tono lírico, una aventura de amor y contrabando; las imágenes poéticas no estorban demasiado el desenvolvimiento de la acción porque también la acción ha sido concebida poéticamente. Aunque JUAN MARÍN (1900) es autor, entre otros muchos libros, de una descripción de la vida sufrida en el *Paralelo 53º Sur*, tiene también una dimensión fantástica, como se ve en sus *Cuentos de viento y agua*. HERNÁN DEL SOLAR (1901) con sus cuentos infantiles; BENJAMÍN SUBERCASEAUX (1902), el de la novela, un poco histórica, un poco filosófica,

Jemmy Button; y LUIS ENRIQUE DÉLANO (1907), con *Puerto de fuego,* completan este grupo de imaginistas.

x) *Paraguay*

A José S. Villarejo preferimos pasarlo al grupo de los realistas.

xi) *Uruguay*

FELISBERTO HERNÁNDEZ (1902) fue, en *Nadie encendía las lámparas* (1947?), un excelente cuentista. Presenta la realidad desquiciada, con zonas de misterio ("El balcón", "El acomodador") o reduciéndola al absurdo ("Menos Julia", "Las hortensias"). El análisis de las sensaciones a veces deja en libertad imágenes superrealistas. CLARA SILVA (1910?), poetisa neorromántica en su entrecortada entrega de emociones, publicó una novela, *La sobreviviente* (1951), notable por sus procedimientos para captar el fluir de la conciencia y contrapuntear las voces. Uno de los más recios novelistas de los últimos años puede figurar tanto en la literatura uruguaya como en la argentina: JUAN CARLOS ONETTI (1909). Novela vidas encerradas: el encierro en la ciudad (Montevideo, Buenos Aires), en recintos clausurados (habitaciones, cabarets, oficinas); si sale al aire libre, la acción queda encerrada en la noche; las circunstancias encierran a los personajes en sus manchas de suciedad... Estos personajes son solitarios fracasados. Han sido arrojados a un mundo hostil, que de desgaste en desgaste se precipita hacia la muerte. Sólo les queda chocar con la realidad, torturarse o tratar de escaparse hacia dentro. Cuanto más se escapan con recuerdos de juventud perdida, con ensueños, más se hunden en la soledad. Ambiente de pesimismo, de fatalismo, de desmoralización. Los ideales se apollillan; la amistad es un malentendido; el amor se convierte en sexo. Se ha señalado el parecido entre algunas novelas de Onetti

y otras de Sartre. Pero el camino hacia el existencialismo
se emprendió con lecturas de Celine y de los novelistas
norteamericanos (Dos Passos y, sobre todo, Faulkner).
La materia cruda de las primeras novelas se abre en
meandros introspectivos en las últimas. (En *La vida
breve* se abren aun meandros fantásticos.) Son novelas
compuestas con fragmentos: cada fragmento, con un
ojo interior. Así, la visión novelística es múltiple, simul-
tánea o contradictoria en varios estadios narrativos, en
varios estadios temporales. *El pozo, Tierra de nadie,
Para esta noche, La vida breve, Un sueño realizado y
otros cuentos, Los adioses* señalan a Onetti como el
novelista de las sinrazones de la vida en una gran ciudad.
La vida breve (1950) parece escrita con una prosa tur-
bia y pastosa: pasta de lengua con grumos mentalmente
traducidos de literaturas extranjeras. Y esa untuosidad
y pesadez de las frases contribuye a crear en el lector
una sensación como de estar dentro de una pesadilla.
La novela *La vida breve* es la pesadilla, y el lector, perdido por sus grutas y escombros, se siente de pronto
con el deber de hacer la novela que Onetti no ha querido hacer. Como en las pesadillas, este esfuerzo para
dar orden al desorden fracasa una y otra vez. El narrador —Brausen— vive varias vidas, y el relato las
entreteje. Brausen se convierte en Arce para poseer a
otra mujer. Brausen inventa a un personaje Díaz Grey.
Una pesada atmósfera de sexualidad, sadismo, prostitución, perversión, crimen, cáncer, morfinomanía, locura
y fealdad desfigura sórdidamente cosas y hombres. Esos
seres, siempre buscando la postura horizontal, sobre las
camas, parecen reptiles. Sin embargo, hay momentos
líricos, en parte porque Onetti —usando los procedimientos literarios del monólogo interior y mostrando
la realidad desde diferentes perspectivas y planos espa-
ciales y temporales— consigue desnudar sorprendentes
intimidades. Escrita con displicencia muy rioplatense
(como si le dijese al lector: "si me entendés, bien; si
no, paciencia: yo no me voy a matar por vos"), *La*

vida breve es un curioso caso de talento y tema desaprovechados. La imaginación creadora —capaz de originalidad— se resiente por la indisciplina y la dejadez.

xii) *Argentina*

Ya se ha visto en capítulos anteriores (y se seguirá viendo en los que vengan) que en este país se cultivó con más fuerza que en ningún otro de Hispanoamérica la prosa no realista.

JORGE LUIS BORGES (Argentina; 1899). Según explicamos antes, Borges es uno de los mayores escritores de nuestro tiempo, y si lo situamos acá, y no entre los poetas o los ensayistas, es precisamente porque sus cuentos, por combinar las esencias de su lirismo y su inteligencia, nos dan la clave de toda su obra. Borges había vivido en Suiza (también en España) en los años de la guerra: regresó a Buenos Aires en 1921. Contribuyó a las diabluras de *Prisma*, *Proa* y *Martín Fierro*. Su cultura literaria era asombrosa. Más asombrosa aún su lucidez. Con los años esa cultura, esa lucidez se han enriquecido tanto que a veces, más que asombrarnos, nos perturban como el espectáculo de una locura nueva. Comenzó con dos ritos: el responso al "rubendarismo", el bautismo al "ultraísmo". Cosas de muchacho. Cuando más maduro decidió enterrar también al ultraísmo no quiso recurrir a ningún otro rito: simplemente lo dejó caer en un hoyo, lo cubrió con la mejor literatura de que fue capaz —y fue el más capaz de toda esa generación— y allí cultivó su huerto de extraños frutos. Al hablar en 1932 de "el ultraísta muerto cuyo fantasma sigue habitándome" ya no supimos cuándo se le había muerto. Sí sabemos que se arrepintió de haber elaborado "áridos poemas de la secta, de la equivocación ultraísta". Su primera fórmula había sido ésta: "reducción de la lírica a su elemento primordial: la metáfora". Afortunadamente no la obedeció en sus poemarios *Fervor de Buenos Aires* (1923), *Luna de en frente* (1925), *Cuaderno San Martín* (1929), seleccionados, retocados y recogidos con "otras composiciones" en su volumen *Poemas* (segunda edición aumentada —1923-1958— en *Obras Completas*, 1958). Metáforas, sí, a montones; y cada una con "su visión inédita de algún fragmento de la vida", para decirlo con palabras del Borges ultraísta. Pero estas metáforas no fueron ni primordiales ni reducidoras del lirismo de Borges. Había algo más. Como todo lírico, Borges se cantaba a sí mismo. Y eligió el género tradicional para el lirismo, que es el verso. Pero pronto se vio que Borges al cantarse a sí mismo, no se quedaba en los viejos temas: amor, muerte, dolor, soledad, naturaleza, felicidad, el pasado de su país, la realidad de su ciudad, sino que incluía en su temario preocupaciones más propias de la metafísica: el tiempo, el sentido del Universo, la personalidad del hombre. Es decir, que se vio que Borges, al cantarse a sí mismo, se cantaba también en ese instante en que estaba pensando. Lirismo de intelectual, pues. Aun sus poemas de tema humildemente criollo están armados por dentro con esquemas de la filosofía universal. Lo dijo en *Fervor de Buenos Aires:* su lírica estaba "hecha de aventuras espirituales". En "El truco" (de ese poemario) está, por ejemplo, la idea, tan favorita de Borges, de que los hombres son un solo hombre. En Borges la metafísica y la lírica son una misma cosa. Insatisfecho de los límites que la tradición impone al verso, Borges se buscó a sí mismo en el ensayo y después en el cuento. Una misma ráfaga de lirismo recorrió todos esos géneros. Sus ensayos, ricos en inquisiciones y, sobre todo, sus cuentos, le aseguran el más alto lugar en la literatura contemporánea. Ensayos los escribió desde muy joven: *Inquisiciones* (1925), *El tamaño de mi esperanza* (1926), *El idioma de los argentinos* (1928), *Evaristo Carriego* (1930), *Discusión* (1932), *Historia de la eternidad* (1936), *Otras inquisiciones* (1952), etc. Pero su obra de cuentista —a la que debe su definitiva consagración— fue tardía, tímida

y experimental. Primero fueron esbozos narrativos, casi
ensayos. En *Historia universal de la infamia* (1935)
adoptó y aun tradujo cuentos ajenos, aunque hubo por
lo menos un cuento original, el admirable "Hombre
de la esquina rosada". Poco a poco se afirmó en el ma-
nejo del nuevo género, y de pronto maravilló a todos
con los estupendos cuentos de *El jardín de senderos
que se bifurcan* (1941), *Ficciones* (1944) y *El Aleph*
(1949). La edición de "obras completas" agrega cuentos nuevos. Leyendo a Borges ordenadamente se advierte la decantación de su estilo: de la agresividad barroca, burlona y revuelta, a la tensa sencillez en que
la inteligencia y el asombro son directos como la luz.
En los últimos años, al perder la vista, tuvo que dictar,
y así sus cuentos se dejan penetrar más y más por los
esquemas de la lengua oral. Si el valor estético fuera
como el valor económico, que aumenta con la escasez
y disminuye con la abundancia, sería fácil explicar el
altísimo mérito de Borges: lo que da es muy raro. En
efecto, si echamos una mirada a la narrativa universal,
de 1918 a 1949 (fecha de *El Aleph*) comprobamos la
rareza de Borges. Su originalidad podría estudiarse en
sus cavilaciones metafísicas, en sus intuiciones poéticas
y en su rigor racionalista. Adoptó el idealismo gnoseológico y aun su forma más extrema, el solipsismo, por
ser una filosofía, no verdadera, pero artísticamente fecun-
da. Berkeley, Hume, Schopenhauer y todos los idea-
listas en general fueron sus filósofos favoritos. Borges
pertenece a esa logia de escritores que, en todos los
tiempos, descreyeron del orden universal establecido y
se quedaron a la intemperie. El mundo es para él un
absurdo caos. Sólo que su visión de ese caos está
diáfanamente comunicada. No es un superrealista, tra-
ficante en guano del subconsciente, sino un expresionista que recrea la realidad con las energías de una
conciencia iluminada con todas las luces de la razón.
Tampoco es un existencialista: no se siente arrojado
a la vida de una vez por todas, comprometido a realizar

un programa único desde una circunstancia dada, sino
más bien libre para escoger —dentro de su conciencia,
que para él, solipsista, es lo absoluto— una multipli-
cidad de caminos simultáneos. En vez de gritar su
angustia, como los existencialistas, Borges prefiere razo-
nar sus sospechas. Su sospecha mayor es que el mundo
es caos; y que dentro del caos el hombre está perdido
como en un laberinto. Sólo que el hombre, a su vez,
es capaz de construir laberintos propios. Laberintos
mentales, con hipótesis que procuran explicar el misterio del otro laberinto, ése dentro del cual andamos
perdidos. Cada conciencia fabrica su propia realidad
e intenta darle un sentido. Hay pensadores que proponen hipótesis simples: Dios, la Materia, etc. Borges
prefiere complicar las suyas. Es radicalmente escéptico
pero cree en la belleza de todas las teorías, las colec-
ciona y al estirarlas hasta sus últimas consecuencias las
reduce al absurdo. Los dogmáticos —que creen que sus
personales ideas metafísicas o sus mitos son universal-
mente verdaderos— suelen sentirse molestos ante la agilidad con que Borges salta de hipótesis en hipótesis. La
agnóstica visión de Borges se expresa en una dialéctica
de buen humor. Encierra en un laberinto lingüístico
al lector y juega con él hasta derrotarlo. En su fruición
estética se perciben, sin embargo, sobretonos de angustia, una angustia que dimana de saberse único, solitario,
delirante, perdido y perplejo en un Ser ciego. Consciente de su originalidad, Borges renunció a ser popular.
Hizo una literatura que ignora al lector común. No por
vanidad, sino por rigor. Rigor en la elección del tema
y aun de las palabras; rigor en la estructura del cuento;
rigor en su diálogo con el lector. Si escribe algo tan
popular como un cuento de detectives lo lanza tan alto
que acaba por llegar a una atmósfera irrespirable. Juego
que deleita al intelectual pero que humilla al realista
ingenuo. Los cuentos de Borges requieren mucho saber: un saber de la cultura (por sus alusiones a la
historia de las letras), un saber de la filosofía (por sus

alusiones a los problemas últimos) y un saber de la
obra del mismo Borges (por las alusiones de unas páginas a otras). Detengámonos un instante en este requi-
sito: el del conocimiento de todo Borges para apreciar
uno solo de sus cuentos. En estos reaparecen constantemente los mismos temas: el Universo como un laberinto caótico, el infinito, el eterno retorno, la transmi-
gración de las almas, la anulación del yo, la coincidencia
de la biografía de un hombre con la historia de todos
los hombres, la modificación que las ideas irreales imprimen sobre las cosas reales, el panteísmo, el solipsismo, la libertad y el destino, etc. Los cuentos están
articulados entre sí y, todos ellos, con los ensayos. Por
ejemplo, el ensayo "La biblioteca total" se convierte
en el cuento "La biblioteca de Babel". De los ensayos
podríamos extraer aclaraciones para poner notas al pie
de los cuentos, y, de los cuentos, ilustraciones para
aclarar los ensayos. Un cuento está metido dentro de
otro. El mismo esquema se repite o se invierte. Acá
se bosqueja lo que allá se consuma. Se ataca un tema
desde dos perspectivas, y así los cuentos resultan com-
plementarios. El rigor de Borges se manifiesta en la
estructura de cada relato, en el que todas las piezas
están sabiamente ajustadas. Desafía al lector a una
competencia intelectual y si siempre gana la partida es
porque no se distrae ni un instante. En la perfección de
la estructura general del cuento entra la perfección estilística de cada frase. Nos sorprende con la selección
de la palabra única. Quien se lo propusiese podría
señalar la constelación de narradores a que pertenece
Borges. Ideas, situaciones, desenlaces, arte de engañar
al lector, sí, todo tiene un aire de familia: Chesterton,
Kafka y diez más. Pero Borges, en esa constelación, es
estrella de primera magnitud. Ha escrito por lo menos
media docena de cuentos que no tienen parangón en
nuestra literatura: "Tlön, Uqbar, Orbis Tertius", "Fu-
nes el memorioso", "La muerte y la brújula", "El muerto", "Las ruinas circulares", "La biblioteca de Babel".

Nadie tomará en serio los sofismas de Borges; pero su maliciosa dialéctica fertiliza sus cuentos, a los que nadie dejará de tomar en serio. Poderosa mente, la de Borges. Poderoso canto ante la íntima belleza que descubre en la vida argentina, en las casas, patios y calles de Buenos Aires, en los lances de la historia, en las caminatas por el suburbio, en la pampa entrevista por la ciudad, en un almacén sonrosado o en un zaguán. Poderosa imaginación que vive cada impresión de sus sentidos hasta prolongarla en tramas fabulosas y alegóricas. Poderosa inteligencia que va y viene sin perderse por los laberintos de la sofística. Poderosa metafísica que queda en buena postura al enfrentarse con los problemas del Caos, la Conciencia, el Tiempo. Poderoso don de expresión verbal que nuestra lengua no había tenido desde los barrocos del siglo XVII. Poderoso ánimo moral, caprichoso en sus acciones cuando se lo mira desde fuera, sincero, arriesgado y consecuente siempre para quien atienda al sentido de su vida de escritor. Poderoso saber intelectual, hedonista, porque Borges no lee sino lo que le da placer y enriquece, sin ceder a las valoraciones consagradas por los manuales de historia literaria, pero tan riguroso y serio como el de los profesores.

Otros narradores argentinos

Nos ocuparemos primero de narradores de vidas y atmósferas interiores. Una estrella de cinco puntas: Villarino, Lange, Sofovich, Gándara y Levinson. MARÍA DE VILLARINO (1905) se metió por una *Calle apartada*, versos de 1930, y fue a salir en un *Pueblo en la niebla*, cuentos de 1943 (a los que siguieron los de *La rosa no debe morir*, 1950) NORAH LANGE (1906) se metió por otra calle: *La calle de la tarde*, su primer libro de 1924. Fue de los poetas ultraístas del grupo *Martín Fierro*. Aquellos modos de decir de sus poesías reaparecieron muchos años después en sus prosas (evocaciones infantiles, recuerdos literarios, aun en novelas o casi novelas: *Personas en la sala*, 1950, en que un adolescente yo-protagonista proyecta mágicamente sus propios personajes fantasmales, también femeninos: en *Los dos retratos* la atmósfera está pulverulenta de poesía, como si Lange estuviera declarando su amor a las cosas vulgares en el instante en que caen hechas polvo. LUISA SOFOVICH (1912), en la novela *El ramo* (1943) y en las *Historias de ciervos* (1945) es de las que renovaron desde más adentro (desde la retina, desde el esqueleto de la frase) las formas del relato. En CARMEN GÁNDARA (1908?) el sondeo psicológico traspasa lo natural y toca un fondo casi metafísico, de donde se levanta un humo de misterio que envuelve y oscurece la acción narrativa: *El lugar del Diablo* (1948), cuentos; *Los espejos* (1951), novela. LUISA MERCEDES LEVINSON (1914?) publicó junto con Borges *La hermana de Eloísa* (1955). El cuento que da título al volumen fue escrito en colaboración. De Levinson solamente son los otros dos cuentos, uno de los cuales, "El abra", es una joya donde la luz se polariza violentamente. La novela *Concierto en mi* (1956) es un intenso soliloquio. Tres narradores volcados a sus adentros: Bianco, Sábato y Mujica Láinez. JOSÉ BIANCO (1911), ya estimado por sus cuentos, *La pequeña Gyaros*, ganó aún más estimación por *Las ratas* (1943). En esta novela psicológica (en el sentido en que pueden llamarse "psicológicas" las de Henry James) un alma avanza por grados hacia el envenenamiento de Julio Heredia. La compleja personalidad del protagonista-narrador es lo que vale: no vale menos, sin embargo, la compleja acción y la premeditación de cada paso, hasta la sorpresa final. ERNESTO SÁBATO (1911) pasó de la ciencia a la literatura y, dentro de la literatura, del ensayo a la novela, pero siempre permaneció más intelectual que artista. En *El túnel* (1948) el protagonista Castel anuncia que ha cometido un crimen pasional y luego lo cuenta. Su confesión interesa, no por el crimen, sino porque cada palabra es símbolo

de su proceso de locura y su locura símbolo de una
metafísica desesperada. La locura de Castel es razo-
nante, a veces intelectual: en el fondo es que ya no
puede comunicarse con el mundo, ni siquiera con su
amante María (de paso: la primera heroína de novela
hispanoamericana que lee a Sartre). Está como perdido
en un túnel: a veces las paredes del túnel se hacen
transparentes y puede ver el movimiento de otras vidas,
pero es su soledad, su incomunicabilidad lo angustioso
de la confesión del pintor Castel. El mundo aparece
visto desde los ojos de un "yo" desligado, casi pura
subjetividad, incapaz de comunicarse con sus circunstancias. También el estilo corre veloz, displicente, temperamental y desequilibrado. MANUEL MUJICA LÁINEZ
(1910) —en Los ídolos, La casa, Los viajeros, 1955—
ha novelado, con nostalgias, ironías y elegancias a lo
Marcel Proust, la busca de una áurea edad perdida,
la de la gente bien, en una Argentina oligárquica. No
sólo imagina un estilo impresionista y metafórico: en la
segunda de las novelas mencionadas llega a imaginar
que es la casa misma la que, en primera persona, narra
su historia.

Forzosamente tenemos que retirarnos de la ventana
—aunque este desfile de narradores sigue por la calle:
MANUEL KIRSCHBAUM (1905), autor de Las diversiones
exasperadas, ALEJANDRO DENIS-KRAUSE (1912), MIGUEL
A. LANCELOTTI (1909)— para conversar con uno de los
más importantes novelistas de estos años: Mallea.

El existencialismo o, por lo menos, ese angustioso
meditar que asociamos al existencialismo de Kierkegaard
—meditar sobre la criatura humana, concreta, singular,
atormentada por el sentido de su responsabilidad— inspiró cuentos, novelas. No fue ni literatura idealista ni
realista; precisamente su originalidad estuvo en que se
negó a separar la conciencia por un lado y el mundo
exterior por otro. Le interesaba comprender la existencia humana como un "estar", como un "ser" en el
mundo. Un gran novelista dio nuestra América en esta

dirección: EDUARDO MALLEA (Argentina; 1903). Empezó juguetonamente con los *Cuentos para una inglesa desesperada* (1926) pero después de diez años de silencio reapareció con una tremenda seriedad. *Nocturno europeo* (1934) fue una confesión en tercera persona; en esa persona —Adrián— Mallea comenzó a ahondar en su angustiada concepción de la vida. En *Historia de una pasión argentina* (1935) mostró a su angustia en su circunstancia argentina. Libro autobiográfico, vibrante, cálido. Imprecación contra los figurones de la oligarquía, contra las clases poderosas que señorean la Argentina mediante el fraude y asfixian la vida auténtica del pueblo. Ternura para las voces profundas de la nación trabajadora y leal. Esperanza en la generosidad y austeridad argentinas, capaces de plasmar un mundo nuevo. En los relatos de *La ciudad junto al río inmóvil* (1936) Mallea intentó descubrir el secreto de Buenos Aires: personajes conscientes de su soledad y desesperación, con las raíces morales en el aire. Desde *Fiesta en noviembre* (1938) Mallea, que hasta entonces se expresaba con monólogos, empezó a construir sus novelas con diálogos en contrapunto, con múltiples personajes cada cual con su perspectiva. Pero en todas las novelas que siguieron, desde *La bahía de silencio* (1940), por variados que sean los personajes y sus actitudes ante la vida siempre están habitados por Mallea, que desde cada alma creada persigue su propia indagación de qué es ser hombre, ser mujer, en una situación vital argentina. Ágata Cruz, la protagonista de *Todo verdor perecerá* (1941), es buen ejemplo de cómo crea Mallea sus caracteres. Lo que ocurre en la novela interesa menos de lo que le ocurre a Ágata por dentro. Ágata, huérfana de madre en un pueblecito del sur de la provincia de Buenos Aires —Ingeniero White—, criada al lado de un raro —un médico suizo, ebrio lector de la Biblia— se casa con un hombre a quien no ama: el taciturno Nicanor Cruz, derrotado año tras año, en la lucha de la agricultura contra la naturaleza. A cada fracaso más se separan. En la distancia empieza a crecer el odio. Cuando él está enfermo de pulmonía, ella, para terminar con todo, abre al viento frío puertas y ventanas de la casa. Sólo muere él. Ágata ha sobrevivido. Ahora en Bahía Blanca, siente necesidad de salir de su marasmo, conocer a un hombre, amar. En un ambiente de frivolidad y lujo —en Bahía Blanca— se enamora del abogado Sotero. Son amantes durante unas semanas. Después Sotero se va a Buenos Aires. Ella cae otra vez en la soledad. Vuelve a Ingeniero White, enloqueciendo día a día. Y acaba por volverse loca, y acaso por suicidarse. Pero, contrariamente a lo que este torpe resumen podría hacer creer, la soledad de Ágata que se cuenta en la novela no es una soledad determinada por las circunstancias, sino la soledad de la existencia humana; o, si se quiere, la de la existencia personal, única, de Ágata. Mallea ha de describir el fluir de esa existencia; más, ha de describir el fluir de la conciencia de esa existencia. Para ello descompone la novela en dos planos temporales: la acción presente, que transcurre en poco más de un año; y la acción evocada, gracias a la cual conocemos la vida de Ágata desde sus primeros recuerdos. La acción, tanto la presente como la evocada, sigue una línea sucesiva, en el orden del calendario y del reloj. Mallea, autor omnisciente, interviene entre el personaje y el lector. No sólo recoge los monólogos interiores de Ágata, sino que los explica y aun juzga. En *Los enemigos del alma* (1950) son varias almas las que agonizan. El título teológico —el mundo, la carne y el demonio como enemigos del alma— podría desviar al crítico en su interpretación de esta novela. Porque la M de Mario podría ser la M de Mundo, y la C de Cora la C de la Carne y la D de Débora la D del Demonio. Sin embargo, una interpretación teológica de la novela reduciría a secos símbolos lo que, en realidad, es trágico sentimiento de unas vidas concretas, muy argentinas. Mallea, sin abandonar su ruta hacia la develación de lo argentino, penetra con entereza en la develación de lo humano. Es una de sus novelas más intensas. En *Las águilas* (1943) Román Ricarte vuelve fracasado a lo que queda de su estancia, y con sus recuerdos (más visiones retrospectivas que agrega Mallea) se va haciendo la novela de tres generaciones de argentinos ricos (desde 1853 hasta el presente). El protagonista es Román, que es un indeciso, un débil, un alma noble pero desquiciada. Y de las blanduras de Román —víctima del afán de figuración social de su mujer y sus hijos— parece estar hecha toda la novela. Mallea tiene el pudor de contar. Cada vez que llega a una situación propicia para hacer galopar el relato, se desvía hacia lentos análisis psicológicos o reflexiones más o menos filosóficas. Su estilo también es evasivo, indirecto; y aunque en esos desvíos logra buenos pasajes, por lo general sus frases se nublan. Su tono de preocupación, de tristeza y a veces de congoja por las condiciones en que viven los argentinos es el mismo que domina en sus otras novelas. *Chaves* (1953) es más cuento que novela, por la situación única que nos ofrece: Chaves, a quien el sufrimiento —fracasos, muertes de sus hijos y de su mujer— ha afinado espiritualmente dándole una distinguida superioridad, trabaja de obrero en un aserradero, y los compañeros de labor lo hostilizan, lo odian, creyendo que su silencio es orgullo de señor. Sólo al final del relato, en la última línea, oímos a Chaves una palabra: cuando le preguntan "¿nunca va a conversar?", "no", dijo Chaves. Se le ha consumido, en el dolor, toda la palabra. Y el relato, en que Mallea se instala dentro de Chaves —discurso indirecto— es una trenza de dos hilos de acción: la acción presente desde que Chaves llega pidiendo trabajo, y la acción evocada, desde su adolescencia hasta su viudez. Último título: *La razón humana*, 1960.

Hemos dejado para el final a los subversivos del orden real. Poetas que, al pasar del verso a la prosa, siguieron desfigurando las cosas reales para que se vieran mejor las figuras de su libre imaginación, ya los mencionamos en otro lugar. Entre los que no mencionamos traigamos aquí a SILVINA OCAMPO (1906?). Ha alternado sus libros de versos con los de cuentos. Sus versos —recogidos en su *Pequeña antología*, 1954— son desolados pero sin la retórica de la desolación, están hechos con recuerdos nítidos pero sin que sepamos si los ha vivido en la vigilia o en el sueño. Fue más innovadora en sus cuentos fantásticos de *Viaje olvidado* (1937) y *Autobiografía de Irene* (1948), en los que el lirismo, a veces de raíz metafísica, conmueve con su desnuda presencia, aunque la autora suela descuidarse en la composición narrativa. MANUEL PEYROU (Argentina; 1902) cultivó el cuento al modo de Borges, aunque no necesitó de Borges para leer a Chesterton. Sus cuentos de *La espada dormida* (1944) encantan al lector abriéndole a la realidad cuevas con personajes ingeniosos, enredando a esos personajes en situaciones cuyo secreto el autor retiene hasta el final. *El estruendo de las rosas* (1948) es novela de detectives (en las que se relata el orden del descubrimiento) aunque comienza como novela policial (en la que se relata el orden de los acontecimientos criminales). En efecto, vemos asesinar a un hombre; sólo que luego resulta que ese hombre era el sosías de otro, ya asesinado el día anterior. La ininterrumpida y excitada acumulación de hechos demuestran, muy pronto, que Peyrou no está interesado (como Chesterton) ni en una filosofía ni en los móviles psicológicos de sus personajes, sino en el juego. Juego ajedrecístico en que a cada movimiento a un lado del tablero se responde con otro que lo contrarresta. También los cuentos de *La noche repetida* (1953) juegan a la literatura, si bien aciertan más como juego que como literatura. En la Argentina es donde surgió, con más evidencia que en otras partes, la literatura fantástica, con preferencias por los juegos líricos y sofísticos de la imaginación. Los cuentos de irrealidades de Borges y de Silvina Ocampo que mencionamos en el último capítulo respondían a un nuevo entusiasmo. El entusiasmo por un arte literario difícil, antirrealista, analítico, que se proponía problemas para resolverlos de acuerdo a leyes. La presencia de la gran reputación de Borges ha hecho creer en su influencia directa sobre ese grupo; sin embargo, las influencias que Borges a su vez recibió de las literaturas francesa, inglesa y alemana son las mismas que actuaron directamente sobre otros. Cerca de Jorge Luis Borges hay que poner a su amigo y colaborador ADOLFO BIOY CASARES (1914). Fue un admirable inventor de mundos fabulosos construidos de acuerdo a leyes precisas. En la novela *La invención de Morel* (1940) se nos habla de un aparato que capta las apariencias de la realidad y luego con un proyector reproduce esa realidad en el espacio y en el tiempo. (Pero en literatura narrativa no es posible la originalidad absoluta: ya Horacio Quiroga en "El vampiro" y Clemente Palma en XYZ nos habían hablado de invenciones parecidas.) *Plan de evasión* (1945) fue novela gemela de la anterior: la misma filosofía implícita —el idealismo absoluto—, el mismo escenario —una isla—, la misma concepción y el mismo arte de dar verosimilitud a lo absurdo. Los cuentos de *La trama celeste* (1948) son tan intelectuales que las ideas no toman la precaución de disimularse. Lo mismo podría decirse de los cuentos reunidos en *Historia prodigiosa* (1956). En *El sueño de los héroes* (1954) se borda una aventura mágica en un bastidor realista. Gauna, obrero de un taller mecánico, y unos amigotes indeseables celebran durante tres días y tres noches, en 1927, las fiestas del carnaval. Gauna, borracho, recordará apenas escenas sueltas de esa aventura misteriosa. Cree recordar, por ejemplo, que peleó, cuchillo en mano, con un guapo de la vieja guardia. Tres años después, al llegar el carnaval, Gauna decide repetir con los mismos compañeros el itinerario anterior y ver si así recobra el sentido de la aventura. De pronto, como por milagro, confluyen los años 1927 y 1930, y lo que en 1927 fue un espejismo en el Tiempo —la pelea a cuchillo—

ahora ha de cumplirse: Gauna muere acuchillado. ¿La
fuerza del destino? Bioy insinúa que es más bien la
acción de un demiurgo o dios ciego que el brujo Taboa-
da —amigo de Gauna— logró alterar en 1927 pero
que en 1930, cuando el brujo ya ha muerto, tiene que
cumplirse. En una sórdida atmósfera, el viaje de Gauna
por los barrios de Buenos Aires relampaguea fantástica-
mente como el de Jasón y los argonautas: éstos son los
héroes con los que Gauna ha soñado. La novela va
por dos niveles, como una niña traviesa que camina
con un pie en el cordón de la acera y con el otro en
la calzada. El estilo es descuidado como en una charla,
pero con sonrisas y guiños irónicos. Con el seudónimo
Bustos Domecq escribió, junto con Borges, *Seis problemas para don Isidro Parodi* (1941). Parodi es un preso
que, desde su celda, resuelve con los procedimientos
deductivos de un detective clásico los crímenes que le
traen. Son cuentos ingeniosos, notables por la parodia
al género policial y, sobre todo, por la sátira a situaciones y tipos argentinos, contados con una lengua que
remeda la cursilería y afectación de intelectuales y seu-
dointelectuales. En colaboración con su mujer, Silvina
Ocampo, escribió una novela policial, *Los que aman,
odian* (1946), sin más distinción, dentro del género,
que la del humor burlón: todos los investigadores
fracasan, menos el narrador, cuya hipótesis queda con-
firmada con la confesión escrita del criminal, un niño
neurótico. Ya se ve que este tipo de literatura analítica,
ajedrecista, no tiene nada que ver con la "science fic-
tion", los "mysteries" o los "detectives stories" que en
los Estados Unidos se dirigen al millón. Borges, Peyrou,
Bioy Casares y otros escriben para lectores de mente
alerta, enterados de metafísica, aficionados al análisis,
disciplinados en las leyes de un juego refinado. Esos
autores están familiarizados con todas las literaturas, especialmente con las anglosajonas; pero si se las tradujera
al inglés no tendrían éxito popular. Casi nos hemos
olvidado de otro escritor argentino de este grupo. En

Vigilia (1934), novela poemática sobre un adolescente, *Las pruebas del caos* (1946), cuentos líricos, *Fuga* (1953), novela sobre la sensación del "falso reconocimiento" y la idea del "eterno retorno", y *El Grimorio* (1960), cuentos lúdicos y fantásticos, se ha reducido a una delgada línea de expresión puramente imaginativa. Sus narraciones son como esos pies chinos, torturados en zapatos pequeños, que de la tortura hacen su arte. Pero si al autor siempre duelen, al lector no siempre parecen bellos. Como Velázquez en *Las Meninas*, al pintar el cuadro histórico de su generación ese escritor ha dejado un hueco en la tela para pintarse a sí mismo con los pinceles en la mano. Es como la firma del cuadro: Enrique Anderson Imbert (1910).

b) *Narradores más objetivos que subjetivos*

En las narraciones anteriores vimos a hombres que se evadían de sus circunstancias o atenaceados por sus circunstancias. La mayoría de los novelistas hispanoamericanos acentuaron, por el contrario, las circunstancias y hasta hubo cuentos, novelas, en que todo fue circunstancial. No tenían hombres o, por lo menos, los hombres no importaban. Gran parte de esta literatura implicaba una filosofía materialista. A veces esa filosofía era dogmática: el marxismo, *v. gr.* El Partido Comunista dirigía la pluma de muchos de los escritores y luego les organizaba la propaganda y los imponía a la atención pública. Recuérdese que en la década de 1930 el mundo parecía ir hacia el comunismo. Después surgieron grupos reaccionarios y el mundo pareció ir hacia el fascismo. Los fascistas criollos tuvieron también su literatura, sólo que fue menos efectiva: en tanto fascistas, no tenían nada que decir en lengua literaria. Los novelistas "comprometidos" más independientes —liberales, socialistas— fueron, en general, los mejores, aunque no los de más éxito. Todos, unos más, otros menos, presentaban circunstancias vacías de hombres (o, si se quiere, llenas de masas humanas, no de hombres singulares). Y las técnicas descriptivas fueron las del realismo y el naturalismo, aunque también hubo quienes las combinaron con la deflagración de metáforas ultraístas y con el gusto por la alegoría y los "mensajes" del expresionismo alemán. Estas novelas de protesta han sido clasificadas por la crítica según sus temas centrales. Novelas atentas a la posición de los indios en nuestra sociedad. Novelas regionalistas y campesinas, con los conflictos entre el propietario y el trabajador, entre el trabajador y la naturaleza. Novelas de los rápidos cambios en la vida económica. Novelas sobre nuestros desastres políticos: guerras, revoluciones, dictaduras. Novelas sobre la invasión de capitales extranjeros, la explotación de mercados y hombres y los males del imperialismo. Novelas sobre la vida atormentada en las grandes ciudades y sobre las agitaciones de la burguesía y el proletariado. Para poner cierto orden en la masa novelística de esta generación mostraremos algunos grupos nacionales, de México a Argentina.

i) *México*

La corriente realista siguió por el cauce del tema de la Revolución, pero desbordó también por terrenos aledaños. El menos superficial, el más ambicioso, es JOSÉ REVUELTAS (1914). *El luto humano* (1943) es una novela trágica sobre un grupo de miserables campesinos que viven en una cabaña, a orillas de un río, y quedan aislados en una inundación. La naturaleza no interesa aquí tanto como los fondos de emoción en cada una de esas vidas condenadas a morir. Hay torpezas en el estilo, en la construcción, en las intervenciones constantes del novelista en su materia; pero por lo menos Revueltas hace bien lo que gran parte de nuestros novelistas olvidan: la exploración de las almas. Por las retrospecciones, por la lentitud en la marcha del relato, por los giros complicados, por la densa angustia uno recuerda el William Faulkner de *As I lay dying*. Ha escrito también *Los días terrenales* (1949) y *En algún valle de lágrimas* (1956): en esta última novela relata los hechos y pensamientos de un solo día en la vida de una mujer. ANDRÉS IDUARTE (1907), en las tersas y conmovedoras páginas de *Un niño en la Revolución* (1951) y NELLIE CAMPOBELLO (1912), en *Cartucho* (1931) y *Las manos de mamá* (1937), nos dieron visiones infantiles de la gesta revolucionaria. XAVIER ICAZA (1902) ha novelado temas de la Revolución y, en *Panchito Chapopote* (1928), satirizó el "imperialismo yanqui". Otros nombres: ANTONIO ACEVEDO ESCOBEDO (1909), CIPRIANO CAMPOS ALATORRE (1906-1934), RODOLFO BENAVIDES (1907). Más alejados del tema revolucionario se sitúan JUAN DE LA CABADA (1903), autor de cuentos —*Paseo de mentiras*, 1940—, y RUBÉN SALAZAR MALLÉN (1905), que en sus novelas *Páramo* (1944) y *Ojo de agua* (1949) refleja, respectivamente, la vida de los bajos fondos de la ciudad y del campo. ANDRÉS HENESTROSA (1906) —autor de un delicado "Retrato de mi madre", 1940— recogió, recreó e inventó en *Los hombres que dispersó la danza* (1929), graciosas leyendas teogónicas de su tierra zapoteca. Esta literatura de tema indianista o indigenista es una especie de servicio que se les hace a los indios, para que expresen su visión de las cosas. Es significativo que uno de los mejores intentos no haya sido de un poeta ni de un novelista, sino de un antropólogo: RICARDO POZAS, con su *Juan Pérez Jolote* (1952), estudio antropológico que se parece a la literatura y, en el camino, se encuentra con la literatura que se parece a la antropología.

ii) *Centroamérica*

Guatemala. MARIO MONTEFORTE TOLEDO (1911) da variaciones locales al tema de la lucha entre el hombre y la naturaleza, con protestas por los males sociales y la explotación del pueblo campesino: después de

Anaité (1940), las recias novelas *Entre la piedra y la cruz* (1948) —acaso la mejor, sobre un indio culto en conflicto entre dos mundos, el primitivo y el civilizado—, *Donde acaban los caminos* (1953), *Los muros invisibles* (1957). Ha escrito cuentos: *La cueva sin quietud* (1949).

Honduras. El más destacado de los regionalistas fue MARCOS CARÍAS REYES (1905-1949). Escribió obras de tesis, como su novela *Trópico*, en la que denuncia los maltratos políticos a la gente de campo. Otros: JORGE FIDEL DURÓN (1902), autor de *Cuentos americanos*, y ARTURO MEJÍA NIETO (1900), expatriado que apenas toca temas nacionales. ARGENTINA DÍAZ LOZANO (1909) ha escrito, con sencilla prosa, cuentos y novelas de tema nacional (*Mayapán*) y una autobiografía novelada (*Peregrinaje*).

El Salvador. Se distinguieron dentro del realismo, por la descripción de ambientes regionales y por la aguda conciencia de los males sociales, los siguientes: RAMÓN GONZÁLEZ MONTALVO (1908), en los cuentos de *Pacunes* y las novelas *Las tinajas* y *Barbasco*; NAPOLEÓN RODRÍGUEZ RUIZ (1910), cuya novela *Jaraguá*, de vivo diálogo popular y bien vistos paisajes, llama la atención sobre los problemas del agro; MANUEL AGUILAR CHÁVEZ (1913-1957) y ROLANDO VELÁZQUEZ (1913).

Nicaragua. El escribir novelas fue parte de un ejercicio literario emprendido en diversos géneros. No hubo, pues, novelistas puros; y las novelas tampoco fueron puras porque la vida social y política las intervenían. Podríamos ejemplificar esto con ADOLFO CALERO OROZCO (1899), en la novela *Sangre santa* y en los *Cuentos pinoleros*; EMILIO QUINTANA (1908) en los cuentos de *Bananos*; MANOLO CUADRA (1907) en sus relatos *Contra Sandino en la montaña* y *Almidón*. Más atento a la interioridad de los personajes estuvieron JACOBO ORTEGARAY (1900) y MARIANO FIALLOS GIL (1907).

Costa Rica. El mayor novelista, en la dirección de

la literatura proletaria, es CARLOS LUIS FALLAS (1911).
Su posición política está en la extrema izquierda. Sus
novelas denuncian las condiciones del trabajo en los
bananales, selvas y rancherías. *Mamita Yunai* (1941),
que organiza crónicas aparecidas originalmente en un
periódico comunista, es una protesta por la acción imperialista y la explotación de las masas rurales. Siguieron *Gentes y gentecillas, Marcos Ramírez* y *Mi madrina.*
Su estilo es irónico, sincero, directo, elemental. Más
estilizado es el realismo de CARLOS SALAZAR HERRERA
(1906), en sus *Cuentos de angustias y paisajes*, y de
ABELARDO BONILLA, en *Valle nublado*.

Panamá. Los narradores realistas fueron IGNACIO DE
J. VALDEZ (1902), cuyos *Cuentos panameños de la
ciudad y del campo* intentaban un fiel retrato del pueblo, con procedimientos demasiado viejos; GRACIELA
ROJAS SUCRE (1904) y GIL BLAS TEJEIRA (1901), de
mayor calidad literaria; JOSÉ ISAAC FÁBREGA (1900),
que plantea, si bien esquemática e ingenuamente, problemas nacionales; novelistas de la historia como JULIO
B. SOSA (1910-1946) y LUISITA AGUILERA PATIÑO
(191?); regionalistas como CÉSAR A. CANDANEDO (1906)
o descriptores de la vida de la ciudad, como RODOLFO
AGUILERA (1909). A partir de 1930 es cuando irrum-
pen los narradores de más fuste. Menos sentimentalismo y más sentido para lo social; temas vernáculos, sí,
pero con puntos de vista reformadores que coinciden
con movimientos de todo el continente. Uno de los
novelistas que han comprendido la vida panameña con
vistazos más amplios es RENATO OZORES (1910). En
Playa honda (1950), el ocio de los ricos, con mujeres
frívolas e intrigas de amor; *Puente del mundo* (1951),
la formación del país, con el aporte de extranjeros; *La
calle oscura*, la vida humilde en los barrios populares;
sin contar sus relatos breves, de buen humor.

iii) *Antillas*

Como en todas partes, se dio una literatura narrativa afincada en la tierra y en los problemas sociales
del trabajador, de la raza o del sexo.

Cuba. La corriente social está representada por
Carlos Montenegro (1900). Reunió sus cuentos en
El renuevo, Dos barcos y *Los héroes.* Tiene también
novela: *Hombres sin mujer.* Con fuerte agilidad salta
de la prisión a temas del mar, de la lucha antiimperia-
lista a los sondeos psicológicos (en el salto toma intensas
posturas metafóricas). Enrique Serpa (1899), que
comenzó como poeta de gusto modernista, puso su
vigor en narraciones realistas. Realistas por la materia,
pues la atención a lo psicológico, la preferencia por los
monólogos interiores y el fraseo cuidadoso pulen y adel-
gazan la realidad. La novela *Contrabando* (1938) es
un buen ejemplo. En la novela *La trampa* (1956) cae
empero en el costumbrismo político. Sus cuentos —de
Felisa y yo, 1937, a *Noche de fiesta,* 1951— acusan
una marcha hacia la sencillez expresiva. Gerardo del
Valle (1898), autor de cuentos —*Retazos*— sobre
supersticiones y creencias de negros y mestizos, sobre los
bajos fondos urbanos, sobre leyendas y mitos antiguos,
sobre temas espiritualistas. Otros narradores realistas:
Onelio Jorge Cardoso (1914), Ofelia Rodríguez
Acosta (1906), Dora Alonso (1910), Carlos En-
ríquez (1901), Marcelo Pogolotti (1902), Alberto
Lamar Schwayer (1902-1942), José M. Carballido
Rey (1913), Aurora Villar Buceta (1907), Rosa
Hilda Zell (1910).

Santo Domingo. Juan Bosch (1909) ha publicado
gran parte de su obra fuera de su país. Ha escrito novela (*La mañosa,* 1936), pero sus mayores méritos son
de cuentista: *Camino real* (1933), *Indios* (1935), *Dos
pesos de agua* (1941), *Ocho cuentos* (1947) y *La muchacha del Guaira* (1955). Narra con preferencia la
vida sencilla del campesino antillano. Recoge con vera-

cidad el lenguaje popular, pero interpreta sus temas con
la ternura y el humor irónico de un observador que se
ha puesto a distancia de la realidad para poder verla
con ojos de artista. MANUEL A. AMIAMA (1899) evocó
las costumbres de la ciudad capitaleña en su novela *El
viaje* (1940). HORACIO READ (1899) noveló con vigor,
en *Los civilizadores* (1924) la época de la intervención
norteamericana. Después escribió otras narraciones de
estilo diferente: *De la sombra*, 1959. ÁNGEL RAFAEL
LAMARCHE (1900), de prosa impresionista, sentimental:
Los cuentos que Nueva York no sabe (1949). VIRGI-
NIA DE PEÑA DE BORDAS (1904-1948), autora de *Toeya*,
novela de tema indianista, y de *Cuentos para niños*.
ANDRÉS FRANCISCO REQUENA (1908-1952), noveló en
Los enemigos de la tierra (1936) el sufrimiento moral
de los campesinos que quieren marcharse a la ciudad.
En *Camino de fuego*, 1941, y *Cementerio sin cruces*,
1949, denunció el caudillismo político. RAMÓN MA-
RRERO ARISTY (1913), cuentista de fuerte realismo en
Balsié (1938) y también novelista en *Over* (1939).
Ésta es una notable novela en la que se plantean problemas sociales a propósito de la explotación azucarera.
El título, tomado de la jerga en los ingenios de azúcar,
alude a la extorsión de las tiendas que abusan del trabajador. El autor mismo es un campesino, inexperto
en literatura pero de experiencias vividas con ánimo
combativo. FREDDY PRESTOL CASTILLO (1913), cuentista criollo de materia social, creador en su novela *Pablo Mamá* de un buen carácter, bravío y solitario en la
frontera. HILMA CONTRERAS (1913), más artista, más
sorprendente en sus *Cuatro cuentos* (1953).

Puerto Rico. ENRIQUE A. LAGUERRE (1906) ha escrito novelas de la tierra. Cuando apareció *La llamarada*
(1935) algunos creyeron que allí se revelaba la zona
cañera de Puerto Rico, los sufrimientos del trabajador,
la fuerza de la naturaleza, los problemas colectivos,
los tipos humanos insulares... Lo que se reveló fue un
buen novelista. No da unidad a su novela, pero con

episodios sueltos y caracteres diseminados ha creado una
artística ilusión de vida real. En *Solar Montoya* (1947)
completó la visión del agro puertorriqueño y propuso
un programa de rehabilitación agrícola. En *La resaca*
(1949) se novela a los conspiradores que quieren librar
Puerto Rico de los españoles (en los últimos años de la
colonia) y son derrotados por la apatía de las gentes.
Laguerre ve su tema panorámicamente; y, en efecto, la
tierra es lo que domina en la novela; las almas de los
personajes quedan flotantes como emanaciones telúricas.
Los cinco dedos de la mano (1951) y *La ceiba en el
tiesto* (1956) son sus últimos títulos. Sus novelas, una
tras otra, van describiendo todos los escenarios de la isla,
todas las actividades, todas las clases sociales: y siempre, en el centro, la preocupación por la suerte de su
país. En *El laberinto*, la más reciente, la acción transcurre en Nueva York y en un país extranjero. Otros
narradores dignos de tenerse en cuenta: TOMÁS BLANCO
(1900), *Los vates* (1930); JOSÉ A. BALSEIRO (1900),
En vela mientras el mundo duerme (1953), EMILIO S.
BELAVAL (1903), *Cuentos para fomentar el turismo*
(1936), ERNESTO JUAN FONFRÍAS (1909), *Al calor de
la lumbre* (1936), VICENTE PALÉS MATOS (1903),
Viento y espuma (1946).

iv) *Venezuela*

MIGUEL OTERO SILVA (1908) noveló en *Fiebre*
(1939) la lucha estudiantil contra la dictadura de Gómez. Fue un documento, político y literario, de la generación del 28. Las primeras páginas fueron escritas exal-
tadamente cuando tenía veinte años, en medio de los
mismos hechos que describía; las últimas páginas —mejores— fueron de madurez. Fue evidente la grieta entre
ambos estilos; y hasta el desarrollo temático carece de
unidad. Pero el viento de poesía que sopla sobre sus
paisajes, el vigor con que describe la agonía de su protagonista, el clima de fiebre del final lo incorporaron

con todos los honores a la novelística venezolana. Después, con *Casas muertas* (1955) —historia de un pueblo envejecido, enfermo, condenado— pasó a un primer plano en toda Hispanoamérica. ANTONIO ARRAIZ (1903), poeta, novelista capaz de arrestos naturalistas, se hizo estimar por sus cuentos de animales que, en un mundo mágico, revelan el alma popular venezolana con más eficacia que muchas páginas de descripción directa: *Tío Tigre y Tío Conejo*. Aun en sus últimas novelas se reconocen los dedos de poeta en su garra de narrador: *Puros hombres*, donde documenta la experiencia de los prisioneros políticos durante la dictadura; *El mar es como un potro* —cuya primera edición se llamaba *Dámaso Velázquez*— describe la vida de los pescadores; *Todos iban desorientados*, sigue la decadencia de unas familias. LUCILA PALACIOS (1907) ha novelado el ambiente marino en *Los buzos* y *El corcel de las crines albas*; su última novela es *El día de Caín*. RAMÓN DÍAZ SÁNCHEZ (1903), en su novela *Mene* (1936), compuesta con técnica de reportaje —el tema era la rápida transformación de una aldea criolla en campo petrolífero—, había mostrado una inquietud que lo fue llevando hacia lo psicológico. Le interesa ahora más el hombre que el paisaje y reacciona contra el primitivismo criollista. En su novela *Cumboto*, de ambiente negroide, Díaz Sánchez se hunde en la más cruda realidad venezolana, pero con fino pincel pinta una atmósfera de poesía, terror y símbolos mágicos. Su descripción de las costumbres y lugares geográficos de Venezuela no continúa la línea de Romero García o Picón-Febres; tampoco la de Gallegos. Bastaría comparar el modo de concebir el paisaje en *Doña Bárbara* y en *Cumboto* para ver el gran cambio de estilo en el tratamiento del tema regionalista.

v) *Colombia*

El naturalismo de José A. OSORIO LIZARAZO (1900) se ha especializado en la sordidez de las casas de vecindad, en el crimen, el alcoholismo y las enfermedades degenerativas, en la superstición e ignorancia de los campesinos, en los vicios y males de la burguesía. Su propósito es sociológico, didáctico y también de protesta. Pero este novelista del fracaso humano ha fracasado él mismo como creador de caracteres. Quizá su mejor obra sea *Garabato* (1939). ADEL LÓPEZ GÓMEZ (1901) ha publicado unas seis colecciones de relatos: de 1956 son sus *Cuentos selectos*. Es realista, no naturalista (o sea, lo real, no el lado repulsivo de lo real). Ofrece en sus cuentos un amplio cuadro de caracteres: cobardes y valientes, estúpidos e inteligentes. Y no son tipos de una pieza, sino personas con matices interiores. La trama no es importante. A veces no existe. Estados de ánimo más que acción. El arte de contar se pliega a la veracidad psicológica. Es autor equilibrado. No ilustra ninguna posición estética extrema, si bien todas ellas están representadas. Su centro parece estar en lo sentimental.

De BERNARDO ARIAS TRUJILLO (1905-39) es una de las buenas novelas de este período: *Risaralda* (1935). Es como una película —"filmada en rollos"— sobre la vida "de negredumbre y vaquería". En medio de la selva, mulatos, negros y zambos trabajan, sueñan, matan, se apasionan con violencia o ríen con mansedumbre. La etnografía está idealizada. La prosa se hincha con poesía y también con elocuencia. EDUARDO CABALLERO CALDERÓN (1910) ha publicado varias novelas —*Tipacoque, La penúltima hora*—, a veces con técnicas experimentales. Nada de experimental hay en la mejor de ellas, *El Cristo de espaldas* (1952). Un joven sacerdote, recién ordenado, en su primera salida del seminario va a servir de cura a un pueblucho perdido en los Andes. Es como si visitara el infierno o soñara una pesadilla. En menos de cinco días conoce todos los horrores de la infamia, la fealdad, la injusticia, la estolidez, la violencia y la miseria. Son años de guerra civil entre conservadores y liberales. Cogido en medio

de esa lucha —en la que nadie es superior— un muchacho es condenado por un crimen que no ha cometido: se lo acusa de haber asesinado a su padre, el
cacique conservador. El cura oye —sin poder revelar-
la— la confesión del verdadero asesino, que es el sacris-
tán. Todos están contra este cura de encendida vocación, el único personaje honrado en toda la novela.
Hasta el obispo lo juzga mal. Fracasado, castigado, el
cura tiene que regresar al seminario. El obispo cree
que "Cristo se le volvió de espaldas" al cura: éste
sabe que son los hombres quienes volvieron la espalda a
Cristo. La prosa es corriente, realista, documental, compuesta con la vieja técnica del autor que cuenta en tercera persona siguiendo el orden de los acontecimientos
(salvo unas pocas páginas de exposición o retrospección
para anudar la línea del relato). Los primeros cinco
capítulos son vigorosos: los tres últimos pierden su
fuerza narrativa porque se hacen demasiado discursivos
y moralizantes. El ensayista HERNANDO TÉLLEZ (1908)
figura también entre los mejores cuentistas: *Cenizas
para el viento y otras historias* (1950). Allí se recogió
"Espuma y nada más", que sorprende por la sobriedad
artística con que narra una situación violenta. Otros:
ANTONIO GARCÍA (1912), de intención política; y AL-
FONSO LÓPEZ MICHELSEN (1913), el autor de *Los ele-
gidos* (1953).

vi) *Ecuador*

Este país produjo una novelística compactamente
realista. Salvo Mera y Montalvo —casos aislados—, el
único novelista notable de Ecuador había sido Luis A.
Martínez, con el poderoso naturalismo de *A la costa*.
Pero sólo veinte años después surgirá de ese naturalismo toda una familia. En pocos años se impuso un
grupo de escritores, en su mayoría militantes del socia-
lismo o del comunismo, que escribieron para denunciar
las condiciones de vida del pueblo y protestar contra las

injusticias del sistema social. Lenguaje crudo, exageración de lo sombrío y lo sórdido, valentía en la exhibición de vergüenzas nacionales, sinceridad en el propósito combativo, dan a esta literatura más valor moral que artístico. De la realidad del Ecuador apartaban ciertos temas que consideraban burgueses, elegían otros que consideraban vigorosos y componían novelas con indios sufrientes, con latifundios abominables, con miserables peones de la costa o de la sierra, con ciudades sucias, con bestias dañinas, endemias y desastres. JOSÉ DE LA CUADRA (1904-1941) fue el cuentista de más oficio: *El amor que dormía* (1930), *Repisas* (1931), *Horno* (1932), *Los Sangurimas* (1934), *Guasinton* (1938). Era un socialista moderado, comprensivo, flexible y a veces irónico. Sus temas estaban tomados de la pobreza, la injusticia, el sufrimiento, la animalidad humana y la naturaleza hostil, pero no fue monótono. Los cuentos de *Guasinton* son muy diversos, en tema, humor y perspectiva (hasta los hay poéticos, como "Se ha perdido una niña"), y aun en las colecciones de más unidad (como *Los Sangurimas,* cuyos relatos terminan con incesto, estupro, locura y muerte), el autor no se deja arrastrar por la fácil truculencia. Su prosa, entrecortada, rápida, precisa, da una temperatura fría a la realidad observada. Novelista de fama internacional es JORGE ICAZA (1906). Ha publicado, entre *Barro de la sierra* (1933) y *Seis relatos* (1952), una serie de cuentos, novelas, dramas, que ambicionan trasladar a la literatura pedazos de materia bruta. La lectura de *Huasipungo* (1934), su más famosa novela, mal esbozada, sólo satisface a quienes buscan en la literatura documentos sociológicos o emociones políticas, no virtudes literarias. Allí Icaza novela la explotación del indio por sus amos; el indio no es una persona concreta, es un abstracto hombre-masa. El título significa, en quechua, la parcela que los grandes propietarios cedían a los indios a cambio de que cuidaran el resto de la hacienda. Despojan al indio de su "huasipungo" cuando venden la propiedad a una empresa extranjera. Avaricia y despotismo de los amos, corrupción del cura, brutalidad de las armas para aplastar la rebelión indígena, animalidad en las costumbres, sexo, miseria, lengua bárbara y, sin embargo, cierta sobria frialdad, la de la inteligencia crítica del autor. *En las calles* fue novela de masas, con intención revolucionaria. ALFREDO PAREJA DÍEZ-CANSECO (1908) ha novelado más bien la ciudad. No hace propaganda política, aunque está preocupado por los males de su país y los describe. Es más consciente del oficio de novelar. Delinea ágilmente sus personajes (los mejores, mujeres) y los hace hablar en diálogos vivos. Entre sus mejores novelas: *El muelle* (1933), *Las tres ratas* (1944); recientemente ha comenzado una novela-río, *Los nueve años* —de la que ya se conocen los volúmenes "La advertencia" y "El aire y los recuerdos", 1959—, novela-río que refleja el desplazarse de la sociedad ecuatoriana, a partir de 1925. *El muelle* es una novela naturalista, de estilo repentista y composición floja, fácil, sobria y aun ágil en la descripción y el diálogo. La miseria de Juan y María, dos mestizos de Guayaquil, con escenas de prostitución, robo, enfermedad, corrupción administrativa, falta de trabajo o trabajo duro y mal pagado, abusos y violencias. Los capítulos iniciales transcurren en Nueva York: la crisis económica, protestas obreras disueltas a golpes por la policía, contrabando. Conclusión: la sociedad está mal hecha, en Guayaquil tanto como en Nueva York, y el pobre no tiene escape. DEMETRIO AGUILERA MALTA (1905) prefiere contar los sufrimientos de indios, mestizos, mulatos y zambos del campo ecuatoriano. Elige por lo general situaciones patéticas donde el problema social predomina sobre la psicología de los personajes: *Don Goyo, Canal Zone, La isla virgen*. Parece haber dejado la novela por el teatro. HUMBERTO SALVADOR (1907) pareció al principio de su carrera que iba a dedicarse al teatro, pero vinieron cuentos (*Ajedrez y Taza de té*) y novelas (*En la ciudad he perdido una novela, Camarada, Trabajadores, Noviembre, La novela interrumpida, Fuente clara*). Es un cronista de la vida ciudadana de su tiempo, a veces satírico; estudia las circunstancias y también las psicologías. En *Fuente clara* nos da historias paralelas de los personajes, con monólogos interiores. ENRIQUE GIL GILBERT (1912) concibió la novela como panfleto político al servicio de reivindicaciones obreras. *Nuestro pan* (1941) es la novela de la explotación de los trabajadores del arroz. Después abandonó la literatura para dedicarse por entero a la política. JORGE FERNÁNDEZ (1912), novelista de tema campesino en *Agua* (1937) y de tema urbano en *Los que viven por sus manos* (1951), donde describe los altibajos de la burocracia y la desocupación, la mediocridad, el vicio y las humillaciones. JOAQUÍN GALLEGOS LARA (1911) nos dio la historia dolorosa de Guayaquil en *Las cruces sobre el agua*. GERARDO GALLEGOS situó algunas novelas en las Antillas —donde reside— y otras en Ecuador. Es novelista de firme puño, con buenos trazos paisajistas. ÁNGEL F. ROJAS (1910) trajo a la novela nuevas técnicas: el *Éxodo de Yangana* nos describe el desbande de toda una población que se interna en la selva en busca de justicia. Nada más raro, en el clima lúgubre de la novela ecuatoriana, que el humorismo. Humorista fue ALFONSO GARCÍA MUÑOZ (1910) en su serie de *Estampas de mi ciudad*.

vii) *Perú*

El más reputado de los novelistas realistas es CIRO ALEGRÍA (1909). Su simpatía por los desvalidos, por los humildes, por los indios, por los trabajadores mana generosamente. Su prosa es simple, poderosa en el empechón que da a la masa del relato. En *La serpiente de oro* (1935), *Los perros hambrientos* (1939), *El mundo es ancho y ajeno* (1941), aunque la naturaleza y las masas son más visibles, se mueven también personas artísticamente creadas. El título de *El mundo es ancho y ajeno*, explicado al final en un discurso de tipo marxista, significa que para los pobres el mundo es ancho, y por eso los privilegiados los empujan de un lado a otro, pero es siempre ajeno, porque ni siquiera obtienen salarios suficientes para vivir. Se trata de los sufrimientos de una comunidad de indios, en los cerros del Perú, más o menos desde 1910 hasta 1928. El hacendado don Álvaro Amenábar despoja a los indios de sus tierras, los veja, los destruye. El alcalde Rosendo morirá en la cárcel, a golpes. Al bandido rebelde, el Fiero Vázquez, le cortarán la cabeza. La insurrección social de Benito Castro se ahogará en sangre, bajo los máuseres del gobierno. Para que no quede duda sobre las inhumanas condiciones a que vive sometido el indio, la novela nos pasea por la geografía peruana: valle, montaña, selva, costa, aun a la ciudad de Lima; y nos mostrará el trabajo en el campo, en las minas, en las caucherías. La acción principal del relato es simple, pero irregular: hay escenas sueltas, biografías de indios, episodios históricos, cuentos, leyendas, canciones. También hay un capítulo (el vigésimo) en que se ventilan ideas sobre las funciones sociales que deben asumir en el Perú el arte, el folklore y la literatura (aparecen como modelos los norteamericanos Dreiser, Sinclair Lewis, John Dos Passos y Upton Sinclair). Y, naturalmente, no falta el "materialismo dialéctico" de Marx, que un dirigente sindical, Lorenzo Medina, enseña a Benito Castro. Se mueve por la novela todo un pueblo, y ningún personaje alcanza a vivir con toda la fuerza del arte, aunque se ve que Alegría ha querido hacerlo con el anciano alcalde indio, Rosendo Maqui. (No lo ha logrado por exceso de idealización.) Monólogos interiores, soliloquios, retrospecciones y procedimientos impresionistas meten la acción dentro de las almas de los indios, pero, a pesar de todo, lo que se sigue viendo es siempre la masa. La novela usa latiguillos del siglo xix, si bien hay en la acción cortes espacio-temporales característicos del siglo xx. Las novedades de estructura son tímidas: lo que domina es una prosa realista, explicativa, que en los momentos de entusiasmo ante la belleza del paisaje o de alguna escena indígena llega a frases más sentimentales que líricas. Novela de protesta, sin unidad de tono, pero legible y eficaz. César Falcón, que en *El pueblo sin Dios* había desplegado las tristezas de la vida nacional con un estilo que ambicionaba ponerse al día con las tendencias literarias de su tiempo, en *El buen vecino Sanabria U* (1947) cuenta en prosa corriente y tradicional una historia picaresca de tema político: el imperialismo y la "política de buena vecindad" de los Estados Unidos tal como funciona en Hispanoamérica. Rosa Arciniega (1909) escribió —entre otras novelas de exacerbado sentido político— *Engranajes* (1931). El título significa que las vidas humanas son engranajes en la gran rueda del Trabajo. Primero en un horno de fundición, después en minas, almacenes, fábricas, Arciniega muestra el horror de la injusticia social: hambre, enfermedad, prostitución. Arciniega creyó que uno de los caminos nuevos de la novela era "dejarse prender por los grandes conflictos colectivos", presentar la masa, "el hombre-millones de hombres", "el caso-millones de casos". Pero no es novela de propaganda política. Manuel, el protagonista-narrador, es un burgués proletarizado; y al final querrá destruir a bombazos todo el orden existente, no para redimir al pueblo, sino para instaurar la nada. La novela transcurre en España. La prosa es sencilla, rápida, elíptica; pero por lo mismo que no crea personajes individuales ni situaciones singulares, resulta monótona. Fernando Romero (1908) —*Doce novelas de la selva, Mar y playa*— es cuentista regional, de vena trágica. Su última colección —*Rosarito se despide y otros cuentos*, 1955— tiene una veta, rara y escondida, de relativo buen humor. José Díez Canseco (1905-1949), novelista de los bajos fondos de la ciudad y su puerto, en *Duque* fustiga la decadencia de la sociedad de Lima. Uno de los más reputados narradores es José María

ARGUEDAS (1913), autor de una trilogía de cuentos de
protesta social, *Agua*, y de una novela, *Los ríos pro-
fundos*. Buen novelista es F. VEGA SEMINARIO (1904).

viii) *Bolivia*

La guerra entre Bolivia y Paraguay (1932-35) abrió
un ciclo novelesco. ÓSCAR CERRUTO (1907), en *Alu-
vión de fuego* (1935), amasó la realidad de la guerra
con ideales políticos revolucionarios y también con ideales de frase artística. AUGUSTO CÉSPEDES (1904) coleccionó en *Sangre de mestizos* (1936) relatos sueltos
sobre episodios de la guerra; diez años después escribió
Metal del diablo, contra los magnates del estaño. AU-
GUSTO GUZMÁN (1903) nos da en *Prisionero de guerra*
(1937), las memorias de un soldado, en dos partes, la
campaña y el cautiverio. LUIS TORO RAMALLO, en *Cu-
timuncu* y *Oro del Inca*, ha novelado al indio boliviano
en su paisaje de mesetas. CARLOS MEDINACELI (1899-
1949), al contar en su novela *La Chaskañawi* el amor
de un estudiante por una chola, describe de paso las
costumbres provincianas.

ix) *Chile*

El criollismo, tal como lo vimos en Latorre, decae
en estos años, por lo menos como escuela. Ese criollismo, por llenar la narración con paisajes y documentos,
había quitado libertad de movimiento a los personajes;
o, cuando presentaba conflictos sociales, los simplificaba
con fáciles fórmulas políticas. Ahora veremos que los
escritores realistas se empeñan en representar, con todos
los matices, nuestra turbulenta época. El hombre, lu-
chando entre la naturaleza y la sociedad, aparece integrado en una realidad total; y esta totalidad es cambiante, amenazadora, confusa. Claro, por comprensivos
que estos realistas sean, para ellos la conexión del hombre con el ambiente es más importante que el hombre

mismo. En la dirección criollista sobresale MARTA
BRUNET (1901). Es de poderosa visión dramática y aun
trágica; es valiente (uno de sus actos de valentía: atre-
verse a hacer buena literatura con temas chocantes);
es estilizadora, con estilo de artista, de la materia que
suele quedar en bruto en manos de los naturalistas.
Montaña adentro (1923) fue el comienzo, ya magistral,
de una larga obra narrativa de tema campesino. DANIEL
BELMAR (1906) armoniza, en su mejor novela, *Coirón*
(1950), la evocación artística del paisaje, el hombre y
sus costumbres, con un justo sentido de los problemas
sociales. Narradores que salen del pueblo, han observado
los males de la sociedad y escriben para denunciarlos,
forman legión. Son tan conscientes de la dirección del
proceso colectivo, y están tan atentos a las consecuencias de los cambios industriales, que generalmente proponen consignas políticas. En el capítulo pasado vimos
cómo el realismo sociológico, que reconocía como maestro al viejo Lillo, continuaba con Edwards Bello, González Vera y Alberto Romero. En el período que ahora
reseñamos esa dirección se afirma en los que vamos a
mencionar. Entre los más talentosos se destacan FRAN-
CISCO COLOANE (1910). Ha narrado lo que observó
y vivió en el extremo austral de América, tanto en la
tierra como en el mar. Aunque desarreglada, su literatura es de veras estimable: *Cabo de Hornos* (cuentos,
1941), *El último grumete de "La Baquedano"* (novela, 1941), *Tierra de Fuego* (cuentos, 1956). NICOMEDES
GUZMÁN (1914) ha estudiado, novelísticamente, un
barrio pobre en *Los hombres oscuros* (1939) y una familia obrera en *La sangre y la esperanza* (1943). No le
hace ascos a la peste, al estupro, a la muerte, al fango
humano. Sin embargo, va a lo feo encendido de fe en
el proletariado, de esperanza en la regeneración del pueblo, y en su prosa el naturalismo se mezcla con metáforas líricas, como en *La luz viene del mar*. También
se ocupa del bajo pueblo JUAN GODOY (1911) en *An-
gurrientos* (1940). En él se advierte, más que en Guz-

mán, el sello de un estilo común a muchos novelistas hispanoamericanos de estos últimos años: la materia naturalista y socialista con ritmo poético, vista con los ojos de muchas metáforas, entrevista en sueños gratos al superrealismo, movida con resortes que, por lo menos en los años de Joyce y de Aldous Huxley, eran anticonvencionales. ANDRÉS SABELLA (1912) —autor de *Norte Grande*— trenza bien la literatura de protesta por la injusticia social y la literatura de lírica imaginación (como es natural, a esa trenza suele atarle moñitos alegóricos). Pongamos, a este parágrafo, un zócalo de nombres y títulos: CARLOS SEPÚLVEDA LEYTON (1900-1941), *Ahijuna*; LAUTARO YANKAS (1901), *La llama*; RUBÉN AZÓCAR (1901), *Gente en la isla*; EUGENIO GONZÁLEZ (1902), *Más afuera*; DIEGO MUÑOZ (1904), *Carbón*; JACOBO DANKE (1905), *La estrella roja*; GONZALO DRAGO (1906), *Purgatorio*; NICASIO TANGOL (1906), *Huipampa*; ÓSCAR CASTRO (1910-47), *Llampo de sangre*; LEONCIO GUERRERO (1910), *Faluchos*; REINALDO LOMBAY (1910), *Ranquil*; LUIS MERINO REYES (1912), *Regazo amargo*.

x) *Paraguay*

Ya dijimos que la guerra del Chaco (1932-35) provocó en Bolivia un ciclo narrativo. Paraguay no produjo, con ese tema, novelas y cuentos de alta calidad estética. ARNALDO VALDOVINOS (1908), con más pasión que arte, escribió relatos de la guerra contra Bolivia en *Cruces de quebracho* (1934); más militante aún fue su narración *Bajo las botas de una bestia rubia* (1932). JOSÉ S. VILLAREJO (1907) dio lo mejor en el género: *Ocho hombres* (1934), novela personalmente vivida, con buenas descripciones. Correcto prosista, también cultivó el cuento: *Ojhóo la Sayoiby* (1935). Entre los narradores costumbristas, nativistas, podríamos mencionar a EUDORO ACOSTA FLORES (1904), CARLOS ZUBIZARRETA (1903), JUAN F. BAZÁN (1900), RAÚL

MENDONÇA (1901), PASTOR URBIETA ROJAS (1905).
Cerramos este cuadro con el mejor novelista paraguayo
de esta generación: GABRIEL CASACCIA (1907). Publicó cuentos (*El pozo*, 1947; *El Guahú*, 1938) y novelas (*Mario Pereda*, 1939; *Hombres, mujeres y fanto-
ches*, 1930). En *La babosa* (1952) ha inventariado, ya
que el naturalismo no le deja inventar, la baba de los
chismes, la corrupción moral, la miseria física, las taras
y los envilecimientos de un pueblito cercano a Asunción. Los personajes que hablan en castellano y en
guaraní (con traducciones al pie de página), forman
un gran cuerpo colectivo.

xi) *Uruguay*

JUSTINO ZAVALA MUNIZ (1898), ampuloso en su
obra teatral— *La cruz de los caminos*—, tuvo nervio
en la crónica novelada: *Crónica de Muniz, Crónica de
un crimen, Crónica de la reja*. FRANCISCO ESPÍNOLA
(1901), con motivos gauchos —*Raza ciega*, 1927— y
de bajos fondos sociales —*Sombras sobre la tierra*,
1933—, creó personajes excepcionales o, mejor dicho,
excepcionalmente vistos: personajes sacudidos por violentas descargas de pasión y descritos con dramática
visión. El dramatismo de Espínola lo llevó a experimentar con el teatro, en *La fuga en el espejo* (1937),
auto superrealista. JUAN JOSÉ MOROSOLI (1899-1957),
que comenzó con dos libros de verso —evocadores poemas de su infancia y adolescencia—, probó su verdadero
talento en una serie de narraciones: *Hombres*, 1932;
Los albañiles de los tapes, 1936; *Hombres y mujeres*,
1944; *Perico* 1947; *Muchachos*, 1950; *Vivientes*. Captó
la vida, por fuera y por dentro, de los hombres humildes del campo. ENRIQUE AMORIM (1900-1960), uru-
guayo, pertenece también a la literatura argentina. Fue
novelista de ciudad y de campo, aunque sus mayores éxitos los obtuvo con su serie de novelas rurales.
Después de *Tangarupá* y *La carreta* alcanzó una buena

reputación con *El paisano Aguilar* (1934). El tema de esta novela es simple: Aguilar, criado en el campo, educado en la ciudad, vuelve al campo, ahora como dueño de "estancia", y se siente inseguro, fracasado, ante los reclamos de las diferentes formas de vida que conoce, hasta que poco a poco va cediendo a la inercia de la naturaleza y acaba por vegetar como un gaucho. Este simple tema, sin embargo, se desfleca en episodios sueltos. Novela, pues, sin sólida arquitectura; y tampoco la intimidad de Aguilar está plenamente iluminada. Lo mejor son las agudas observaciones esparcidas por toda la novela. Muchas de estas observaciones se formulan en metáforas que pertenecen a la familia de la literatura "de vanguardia". Sólo que en Amorim estas nuevas metáforas, aun las audazmente expresionistas, entran en el relato con naturalidad, sin cambiar la voz, sin atropellarse. Amorim es un observador inteligente, mesurado pero inquieto por la desorientación espiritual de su tiempo (es el tema de *La edad despareja*, 1939). En *El caballo y su sombra* (1941) la acción anda al galope, como que sigue al "espléndido alazán dorado" que viene, con su poderío biológico, a enriquecer la estancia de Azara. Azara es un terrateniente de viejo estilo, ganadero, no agricultor, que quiere cerrarle los caminos a la agricultura. Por prohibir que la gente atraviese sus campos causa la muerte de un niño. El padre del niño, italiano, pelea con Azara y lo mata a puñaladas. El italiano, que en *Martín Fierro* no peleaba, aquí se bate frente a frente con el criollo. En *La luna se hizo con agua* (1944) el autor mira el campo con la perspectiva de la ciudad de hoy. En *La victoria no viene sola* (1952) —repárese en que el título es una frase de Stalin— Amorim intenta la novela política. La injusticia social plantea a Amorim un problema abstracto; y de allí han surgido sus personajes, demasiado abstractos también. Valor de documento tiene su cruda novela *Corral abierto* (1956): la delincuencia juvenil, los barrios mugrientos y corrup-

tores. Infatigablemente Amorim va levantando su torre
de novelas, desde las que observa el mundo social sud-
americano: sus últimas son *Todo puede suceder* (1956),
Los montaraces (1957), *La desembocadura* (1958).

xii) *Argentina*

Las novelas realistas ayudaron a ver las peculiaridades sociales de un país próspero y democrático, sin indios
y sin negros, poblado por razas europeas, de economía
fundamentalmente agropecuaria pero con poderosos centros industriales. Pero aunque la realidad fuera más
clara y placentera que la de otros países, muchos de los
novelistas buscarán los aspectos más lacerantes. Tanto
las novelas que se proponían documentar la naturaleza
o la sociedad, como las que ahondaban en el modo de
ser de los personajes y en sus reacciones morales y políticas, se enorgullecieron más de su verismo que de su
arte. Y, en efecto, esas novelas, si no comprendían toda
la verdad, no hay duda que sus observaciones eran lo
bastante directas para que sirvan a los estudiosos. Son
útiles para la geografía y la etnografía, pues describieron
la vida en todas las regiones del país. Buenos Aires había sido siempre el centro de la actividad literaria, y
de sus calles sacaron sus novelas: Julio Fingerit (1901),
Isidoro Sagüés, Joaquín Gómez Bas, Enrique González Tuñón (1901), Roger Pla (1912). Surgieron
también narradores de los rincones del interior del país:
de las islas del Delta (Ernesto L. Castro), de la
Patagonia (Lobodón Garra; Enrique Campos Menéndez, 1914); del litoral y la selva chaqueña (Raúl Larra;
Alfredo Varela); de las pampas (Aristóbulo Echegaray, 1904); de los pueblos y ciudades provincianas
(Antonio Stoll, 1902; Silverio Boj, 1914?). A veces
el mismo autor era el que cambiaba de lugar (Max
Dickmann, 1902; Juan Goyanarte, 1901). Esas novelas son útiles también para la sociología y la historia,
pues describen los sucesivos quebrantos morales que

fueron debilitando el alma nacional. Útiles, por último, para la política, pues pusieron en acción ideologías y plataformas tradicionalistas, liberales, fascistas, anarquistas, comunistas. Apenas si podremos destacar unos pocos. Ante todo, a ROBERT ARLT (1900-1942). Fue el narrador que con más originalidad continuó en estos años la obra emprendida por el "grupo de Boedo": Álvaro Yunque, Roberto Mariani, Elías Castelnuovo, Lorenzo Stanchina. Como ellos, había leído a los rusos y, ciertamente, fue el pequeño Dostoievski de la familia. Neurótico, preocupado, irritable, imaginativo, apasionado apareció con *El juguete rabioso* (1927) en los años en que las muchedumbres empezaban a apoderarse del país. De esa vida tumultuosa —de la que era testigo y actor— sacó sus novelas. Llamó la atención con *Los siete locos* (1929) —en la que creó al personaje Erdosain— y su continuación *Los lanzallamas* (1931). Siguieron la novela *El amor brujo* (1932), las crónicas y cuentos de *Aguafuertes porteñas* (1933) y *El jorobadito* (1933). También es interesante su teatro: *África, 300 millones, La isla desierta.* Para Arlt "los seres humanos son monstruos chapoteando en las tinieblas", hundidos, perdidos, fracasados en los parajes más lóbregos de una ciudad vulgar. Creó personajes exasperados como pretextos para ostentar sus propios odios y protestas ante un Buenos Aires que él veía como un gran lupanar. Fue el novelista de las esperanzas frustradas de la clase media argentina, en el mojón histórico de 1930. Pero no fue un mero cronista de hechos sociales. Era un torturado y torturó la realidad de sus novelas. Creía en el mal, y su imaginación llevó al arte un mundo de rufianes, perversos, prostitutas. Parecen más soñados que vistos. Soñados con resentimiento, con malas palabras, en una pesadilla que Arlt padece. Esas sombras humanas están demasiado sucias para que sus rebeldías sean heroicas. Se reconcomen y también son la carcoma del mundo en que habitan. El sincero empuje de Arlt tenía, desgraciadamente, fallas en su arte de componer el relato. Arlt fue popular; y lejos de ser olvidado le están saliendo nuevos lectores. LEONIDAS BARLETTA (1902) es otro de los que forman el "grupo de Boedo". Su iniciación con *Royal Circo* fue tan mediocre como las cosas que describía, pero en *La ciudad de un hombre* logró una buena novela realista. Escribía sus novelas y cuentos con una prosa lenta, popular, sencilla, sin pretensiones, pero poderosa porque era el vehículo de su amor a las vidas más humildes. Más humanidad que literatura, más nobleza moral que estética; pero a pesar de su tema ingrato —gentes de suburbio sin refinamientos, metidas en casitas deprimentes—, Barletta es capaz de convertir la pobreza en poesía. Aunque se aflige por el dolor de sus personajes (consecuencia de la injusticia social) y por su soledad (consecuencia de la falta de solidaridad entre los hombres) su tono no es pesimista. Cree que el hombre es fundamentalmente bueno, y supone que una revolución proletaria (Rusia, que le dio modelos literarios también le da incitaciones políticas) podrá asegurar la plena dignidad humana. Entretanto, describe en gris los contrastes de blanco y negro que ve en sus negativos fotográficos. Otros de los narradores de destinos humildes: LORENZO STANCHINA (1900), novelista de *Endemoniados* y *Excéntricos*, en las cuevas de la ciudad. De técnica realista más imaginativa es MAX DICKMANN (1902). Su selección del detalle colabora en la interpretación de la vida social y en la comprensión de los personajes. Las novelas —*Madre América, Gente, Los frutos amargos, Esta generación perdida, El motín de los ilusos, Los habitantes de la noche*— tienen una estructura compleja y dinámica. JUAN GOYANARTE (1900), el recio novelista de las luchas del hombre con la naturaleza (*Lago argentino*), es también el novelista de los horrores morales de la ciudad de Buenos Aires (*Lunes de carnaval, Tres mujeres*). Un narrador ágil, chispeante, de hondo sentido humano: LUIS GUDIÑO KRAMER (1898), autor de *Aquerenciada soledad, Tierra ajena, Caballos.* Fernando Gilardi (1902), cuidadoso prosista que en *Silvano Corujo* captó el espíritu del antiguo suburbio. Augusto Mario Delfino (1906) cuenta hacia dentro: situaciones, cosas, vienen de la ciudad, pero él las absorbe en materia psíquica. *Fin de siglo, Márgara que venía de la lluvia, Cuentos de Noche Buena* y *Para olvidarse de la guerra* tienen un ritmo de tiempo interior. Los narradores realistas que vivieron entre las dos revoluciones, la fascista oligárquica de 1930 y la fascista popular de 1945, con el espectáculo de la segunda Guerra Mundial al frente, siguieron completando, a grandes pinceladas, el mural de la Argentina. Bernardo Verbitsky (1907) describe las costumbres de la ciudad, con preferencia por personajes juveniles y siempre atento al hecho social: desde *Es difícil empezar a vivir* (1941) a *Villa Miseria también es América* (1957) ha escrito siete novelas. Un humorista, por lo menos, en todo este grupo: Florencio Escardó (1908), de un humorismo elaborado, intelectualizado, muy personal en el contenido y en la forma: *Oh, Nuevos Oh, Cosas de argentinos,* etc.

2. Teatro

El teatro de los últimos años vive de los profesionales que buscan el éxito económico, de los autores que con nobleza y vocación se dedican por entero a experimentar con nuevas formas en salas pequeñas y ante públicos reducidos y de los escritores que se destacan en otros géneros pero que, al escribir comedias y dramas, suelen dignificar ocasionalmente la literatura dramática. Sobre todo en México y Argentina hubo movimientos teatrales autónomos.

México. Años de maduración del realismo anterior y de experimento con las técnicas europeas y norteamericanas. La historia y la política revolucionaria mexicana alimentaron la renovación teatral que emprendieron juntos, en el grupo Teatro de Ahora (1932), Juan Bus-

TILLO ORO (1904) y MAURICIO MAGDALENO (1906). Por ser antiindividualista uno esperaría que este teatro de problemas fuera de escaso valor psicológico. No es así, sin embargo. Magdaleno, que en sus novelas de protesta social se ha mostrado buen observador de conflictos humanos y muy capaz de crear con ellos sus personajes, ha llevado finura psicológica a su *Teatro Revolucionario Mexicano: Pánuco 137, Emiliano Zapata, Trópico*. Pero es innegable que el propósito es político-social, no de sondeos del alma o de juegos escénicos. Lo mismo podría decirse de *Tiburón, Los que vuelven* y *Una lección para maridos* de Bustillo Oro. De todos los autores mexicanos el más profesional, el más traducido es RODOLFO USIGLI (1905). Comedias de costumbres, sátiras sociales y políticas, dramas psicológicos e históricos revelan la maestría escénica de Usigli y su inquietud intelectual. La acción de *El niño y la niebla* (1936) se entrelaza débilmente con algunos episodios de la vida política mexicana: el asesinato de Venustiano Carranza y la designación de De la Huerta como presidente, en 1920. Desgraciadamente, la técnica del drama mismo es anterior a esa realidad histórica: Usigli recurre a gastados procedimientos y temas del siglo XIX (la locura hereditaria, el sonámbulo armado...). En *El gesticulador* (1937), "pieza para demagogos", con una situación a la que Pirandello hubiera tratado en tono de farsa (como que trató una parecida, en *Enrico IV*), Usigli hizo un melodrama. César Rubio, profesor de historia, se hace pasar por César Rubio, general de la Revolución Mexicana, asesinado misteriosamente muchos años atrás. Primero es sólo una impostura para ganar dinero y así salir de la pobreza; pero después es patriótica identificación con los ideales revolucionarios. Irónicamente, el César Rubio profesor muere asesinado por el mismo que asesinó al César Rubio general. Cuando Usigli critica la violencia y sordidez de la política mexicana lo hace con solemnidad. Usigli se ha perjudicado al manifestar públicamente su admiración por Bernard Shaw. Uno la reconoce en *La familia cena en casa* (1942), pero la comparación de Usigli con Shaw es cruel. Usigli comienza su carrera en el punto en que Shaw la terminó: puro diálogo, sin construcción. Además, a Usigli le falta una filosofía —por lo menos una filosofía original—, capacidad dialéctica y aun sentido humorístico. En cambio, le sobra lo que Shaw no apreciaba: sentimentalismo. *La familia cena en casa*, aunque transcurre en México, poco tiene de mexicana. Si presenta un problema es el de la mezcla —en salones de fiesta— de las clases sociales: aristocracia de ricos, diplomáticos y viejas familias; burguesía de medio pelo; y el plano bajo de boxeadores, toreros y bailarinas de cabaret. El problema, en México, se da de otra manera. Tampoco convence la situación central de la comedia porque Usigli se descuida en los detalles y la hace inverosímil. *Corona de sombra* (1943) es una de sus obras más ambiciosas. Pieza antihistórica, dice él, sobre un tema histórico: las trayectorias trágicas de las vidas de Maximiliano y Carlota. No es, en verdad, antihistórica. En todo caso, podríamos llamarla defectuosamente histórica. Usigli parte a veces de los hechos conocidos o los interpreta de modo poco satisfactorio para un historiador. Antihistórica sería su pieza si mostrara irreverencia por la historia o si recurriera a anacronismos para iluminar su tema con las luces de una filosofía personal. Pero Usigli ha escrito escenas con efectismos de melodrama histórico y diálogos en que las frases siguen las líneas convencionales de un melodrama histórico. Lo más antihistórico de su pieza consiste en que los personajes hablan demasiado solemnemente, como si hubieran leído una historia del Imperio de Maximiliano escrita por Rodolfo Usigli. Es lástima, porque la concepción escenográfica de *Corona de sombra* —el título alude a la locura que durante sesenta años ciñó las sienes de Carlota— reclama un tratamiento más novedoso, original y brillante. La acción está bien multiplicada en planos temporales: ocurre en

1927, fecha de la muerte de Carlota, y ágiles saltos retrospectivos evocan episodios del imperio mexicano de Maximiliano. El pensamiento no se multiplica con tanta fortuna en planos dialécticos, sin embargo. CELESTINO GOROSTIZA (1904) comenzó con sutiles conflictos psicológicos e intelectuales pero después dramatizó la vida social mexicana. Uno de sus más celebrados dramas es *El color de nuestra piel* (1952). Su técnica es la del viejo realismo: escenografía mimética, diálogos acartonados, efectismos exagerados, personajes-razonadores, con su acopio de reflexiones y tesis. El tema también parece realista: el color de la piel de los mestizos visto como problema social. Problema —más bien: seudoproblema— porque produce sentimientos de inferioridad en los de piel oscura, sentimientos de orgullo en los de piel blanca; problema porque —como dice Manuel, que es el razonador de la obra— México se siente inseguro y por despreciar al indio se cae en una boba admiración al extranjero, quien no se preocupa del engrandecimiento nacional. Tesis simple, de afirmación de la base mestiza de la nacionalidad. Y está defendida de un modo también simple. No hay ingenio, brillo, paradoja, sorprendentes puntos de vista. Es el pensamiento que se espera de cualquier persona de buen sentido. Más: lo que sorprende es que Gorostiza, que muestra tan buen sentido, no haya comprendido que su tesis, aunque verdadera, es demasiado obvia. Obvia sobre todo en México. EDMUNDO BÁEZ (1914), en su obra *Un alfiler en los ojos* (1950), dramatiza con unos pocos símbolos —el pájaro al que le clavaron un alfiler en los ojos para que cantara mejor es uno de ellos— las pasiones del amor y del odio prohibidos: amor al cuñado, odio a la madre, que llevan a Quintila al suicidio. Ni la situación ni los caracteres ni el diálogo convencen lo bastante. Otros autores teatrales: FEDERICO S. INCLÁN (1910), MARÍA LUISA OCAMPO (1907), MIGUEL N. LIRA (1905), MAGDALENA MONDRAGÓN (1913).

Centroamérica. Se han destacado el guatemalteco Manuel Galich (1912) y el costarricense Manuel G. Escalante Durán (1905).

Antillas. En Puerto Rico, Emilio S. Belaval (1903) y Manuel Méndez Ballester (1909).

Perú. Juan Ríos (1914).

Bolivia. Joaquín Gantier (1900).

Argentina. Entre los mejores profesionales del teatro se cuentan Enrique Guastavino (1898), Armando Discépolo y Roberto A. Tálice. Otros de los que contribuyeron con obras valiosas al teatro no fueron profesionales, sino que venían de la poesía, de la novela o de otras actividades. Apartemos uno: Conrado Nalé Roxlo (1898). Lo estudiaremos aquí como comediógrafo, pero es sobre todo un poeta y antes de referirnos a su teatro debemos presentar su poesía. En *El grillo* (1923), gracia juvenil, travesura lírica, frescura, retozo inocente: "Mi corazón eglógico y sencillo / se ha despertado grillo esta mañana." Este Nalé Roxlo se asombra todavía de Lugones, padre, de Darío, tío. Al crecer perdió el parecido al padre y al tío. En cambio, conservó el parecido al abuelo Heine: ternura lírica y punzante humorismo. En *Claro desvelo* (1937) el tono es más grave, reflexivo, melancólico y aun amargo. El superrealismo le presta algo de su surtidor oscuro. Aquel que ayer no más decía que se despertó grillo nos dice ahora: "No sé quién soy, ni sé para qué existo." Nos dice que está "escribiendo al azar palabras vanas". En *De otro cielo* (1952) el poeta, maduro, sigue creciendo en frutos cada vez más tristes. Los tres libros mencionados parecen ser sólo uno; y, en efecto, el primero fue ya perfecto y los otros se agregaron a su perfección. Nalé, tan serio en su poesía, ha dejado una serie de libros humorísticos: los firma "Chamico". Lo que aquí nos interesa es su teatro. En *La cola de la sirena* (1941) Nalé toca en todo su teclado: el lírico y el humorista. Como lírico, del júbilo de vivir a la desilusión, amarga; como humorista, del chiste a la sutileza. Una sirena, enamorada de Patricio (tema de un cuento de Andersen), se arroja a las redes y se deja pescar cuando Patricio cree en ella. Tan enamorada está que quiere ser mujer y se hace operar para ser mujer. Pero Patricio amaba lo maravilloso de la sirena, no lo humano de ella. Ya Alga —que así se llama la sirena— no puede cantar ni nadar. Patricio se enamora de otra mujer —aviadora— porque la ve como un pájaro maravilloso. Alga, comprendiendo que ha perdido la partida, se arroja al mar, donde será castigada. En el fondo el asunto es la imposibilidad del amor; o, por lo menos, la imposibilidad de que el hombre ame. El hombre se enamora de sus sueños; cuando estos sueños, al hacerse reales, deben mutilarse, el hombre los aparta, disgustado. *Una viuda difícil* (1944) es una "farsa" porque la acumulación de tantas situaciones anormales es inverosímil, pero sobre esa base Nalé ha edificado una fina comedia del Buenos Aires colonial, poco antes de la revolución de 1810. En el drama *El pacto de Cristina* (1945) el tema parece elemental: Cristina, enamorada de un cruzado que parte a la reconquista del Santo Sepulcro, pacta con el Diablo para ganar su amor; se casan Cristina y Gerardo, pero cuando ella comprende que lo que el Diablo quiere es el hijo que esa misma noche de bodas han de concebir, se suicida, todavía virgen. Nalé Roxlo anda entre temas, situaciones y personajes tradicionales; no se deja caer, sin embargo, en lugares comunes. Su ingenio paradójico sorprende en el instante mismo en que ya empezábamos a reconocer una vieja escena medieval. Que el amor de Cristina, humano, no divino, sea tan puro que el Diablo no quiera comprarle el alma, es toque nuevo; que el mismo milagro del haya desplomada parezca a Gerardo de Dios y a Cristina del Diablo, otro; que el pacto sea inútil, puesto que Gerardo amaba de todos modos a Cristina y la intervención del Diablo fue superflua, es un hábil desvío del folklore; que lo que el Diablo espera de Cristina es que dé a luz el Anticristo, es un inusitado juego teológico.

Y así podríamos seguir enumerando la viva inteligencia, la lírica invención con que Nalé Roxlo compuso los pormenores de su drama. Joya bien labrada. La última pieza de Nalé es *Judith* (1956).

3. ENSAYO

Gracias a los éxitos de André Maurois, Stefan Zweig, Emil Ludwig y otros, se puso de moda en América la biografía novelada. También los ensayos de tipo histórico o sociológico. En estas direcciones se destacó LUIS ALBERTO SÁNCHEZ (Perú; 1900), autor de *Don Manuel* (1930) y *La Perricholi* (1936). MARIANO PICÓN-SALAS (Venezuela; 1901) apareció con Uslar Pietri en el grupo de vanguardia, poco después de la primera Guerra Mundial. Como Uslar Pietri, fue narrador: su novela *Los tratos de la noche* es de 1955. Pero sus narraciones, muy intelectuales, ocupan un sitio menor dentro de su vasta labor de historiador, crítico y ensayista. Sus historias de la cultura son excelentes, como *De la conquista a la independencia* (1944). Ha cultivado también la biografía novelada: *Pedro Claver, el santo de los esclavos* (1950). Y sus colecciones de ensayos revelan una de las inteligencias más alertas del continente. GERMÁN ARCINIEGAS (Colombia; 1900) es un ágil y brillante ensayista, con puntos de vista siempre imprevistos. Ha intentado escribir novela (*En medio del camino de la vida*, 1949), pero es evidente que sólo se siente cómodo cuando toma la palabra y da opiniones. Periodista de garra, sus opiniones suelen aparecer en forma de artículos breves. Luego los reúne, y así van apareciendo sus colecciones de ensayos sueltos, como las admirables de *El estudiante de la mesa redonda* (1932), *América, tierra firme* (1937) y *En el país del rascacielos y las zanahorias* (1945). Otras veces, sus páginas persiguen un tema central, y se organizan en libros unitarios, como *Los comuneros* (1938), *Los alemanes en la conquista de América* (1941), *Este pueblo de América*

(1945), *Biografía del Caribe* (1945), etc. Cualquiera que sea la forma exterior de sus escritos, la obra de Arciniegas revela una profunda unidad: la de una mente lúcida, original, preocupada por nuestra América. Con simpatía por el indio y por el pueblo humilde, con viva sensibilidad para el pasado histórico y sus figuras heroicas, con una militante fe en las buenas causas de la democracia, la cultura y el progreso, ha ido escribiendo una versátil enciclopedia americana. Sólo que, en Arciniegas, el saber no es mera erudición: se da junto con una visión rica en buen humor, en lirismo y en anécdotas significativas. Uno de los temas favoritos del ensayo es esclarecer las esencias de cada realidad nacional: se distinguen en este género los mexicanos Daniel Cosío Villegas (1900), Fernando Benítez (1910) y Leopoldo Zea (1912); los cubanos Jorge Mañach (1898), Juan Marinello (1898), Francisco Ichaso (1900), Raúl Roa (1909) y José Antonio Portuondo (1911); los puertorriqueños Antonio S. Pedreira (1899-1939) y Tomás Blanco (1900); el colombiano Jorge Zalamea (1905), el ecuatoriano Benjamín Carrión (1898); el peruano Héctor Velarde (1898); los argentinos Carlos Alberto Erro (1903), Dárdo Cúneo (1914), Romualdo Brughetti (1913) —quien, en *Prometeo*, 1956, ha hecho hablar a ese personaje mítico de manera que su autobiografía se convierte en una historia de la libertad.

Ensayistas, críticos y estudiosos de la literatura los hay notables. México: Arturo Rivas Sainz (1905), José Luis Martínez (1918). Puerto Rico: Concha Meléndez (1904), Nilita Vientós Gastón (1908), Margot Arce de Vázquez (1904). Chile: Ricardo Latcham (1902?). Bolivia: Guillermo Francovich (1901). Argentina: Luis Emilio Soto (1902), Raimundo Lida (1908), María Rosa Lida de Malkiel (1910), Aníbal Sánchez Reulet (1910), Ana María Barrenechea, María Hortensia Lacau.

CAPÍTULO XIV

1940 - 1955

[Nacidos de 1915 a 1930]

Marco histórico: La segunda Guerra Mundial termina con el triunfo de los países liberales, pero en Hispanoamérica continúan algunas dictaduras totalitarias. Sólo caerán al final de este período. La "guerra fría" entre los Estados Unidos y Rusia obliga a nuevos alineamientos políticos. En general, tanto bajo las dictaduras como bajo los regímenes democráticos —que se alternan en sucesivas revoluciones— el fenómeno nuevo parece ser una evolución hacia las economías planificadas.

Tendencias culturales: Superrealismo. Existencialismo. Neonaturalismo. Literaturas comprometidas y literaturas gratuitas, con predominio de estilos existencialistas y neonaturalistas por un lado y de estilos de inspiración clásica por otro.

Los que nacieron después de 1915 tuvieron que hacerse escritores en medio del horror. La segunda Guerra Mundial tuvo sobre ellos un efecto contrario al que la primera Guerra Mundial de 1914 había tenido en los ultraístas. Los de la posguerra del 14 aparecieron con gestos de acróbatas y payasos. Se burlaban de la literatura. La querían deshumanizar. Cultivaban lo absurdo. Despojaban el verso de toda regularidad. Después se arrepintieron y trataron de justificar su nihilismo. Descubrieron que en el fondo de su desafío a todas las convenciones literarias había un sentimiento patético: nada menos que el descontento del mundo. Los jóvenes nacidos después de 1915 no conocieron esa primera etapa de frivolidad: aparecieron con patetismo. Hasta tomaron a la tremenda las contorsiones acrobáticas y clownescas de sus hermanos mayores. La poesía, por oscura que sea, aspira ahora a dar un mensaje. Antes la poesía había sido absurda; ahora, sin dejar de ser absurda, tiene un propósito: demostrar que la existencia misma es absurda. Un acento casi trágico se oye en la nueva literatura: los jóvenes viven preocupados por problemas morales, por lo mismo que, al abrir los ojos, vieron que los valores estaban por el suelo. El superrealismo, al que los ultraístas llegaron sólo después de ponerse graves, fue el punto de partida de los jóvenes. Es que los rescoldos del superrealismo acababan de reanimarse y de echar nuevas llamas en Francia y en todos los países. Pero ese superrealismo se combinó en los jóvenes con filosofías existencialistas. En español teníamos nuestro propio existencialismo, el de Unamuno, Antonio Machado y Ortega y Gasset. Pero fueron Heidegger, Sartre *et al.*, quienes tiñeron el pensamiento juvenil. El estilo quería ser "ónticamente lírico", quería expresar "la verdad del ser". Además, hubo estilizaciones de lo popular (como las de García Lorca en la generación anterior). Entre el personalismo y el popularismo surgieron tendencias neorrománticas, neonaturalistas. Se hizo "literatura gratuita" y "literatura comprometida", con espiritualismos y materialismos, con bellezas y fealdades, con angustias desesperanzadas e iracundias revolucionarias... Años babélicos. ¿No ha sido siempre así la vida literaria? Sí. El historiador sabe muy bien que, al pegar el oído a cada época, lo que oye es una confusión babélica de lenguas literarias. Sin embargo, estos años que aquí resumimos han sido más babélicos que nunca. La literatura vino a complicarse ahora con nuevos fenómenos. La mayor densidad demográfica de la república de las letras —nunca tantas personas han escrito tanto como ahora en nuestra América— dio representación a todos los gustos. Fue como un terremoto que desenterrara todas las capas geológicas y las yuxtapusiera. Sin perspectiva, ya no sabemos qué es lo superior. Además, la cultura del mundo ha sido re-estructurada con violentos cambios en los prestigios nacionales, con simultaneidad de varios centros creadores de valores reñidos entre sí. Las técnicas de información ofrecen cada día un completo panorama universal. La literatura no vive ya de París, ni siquiera de Londres, de Madrid, de Moscú o de Roma: es planetaria. El resultado es que en el menor círculo literario se da un microcosmo donde hay de todo. Ni siquiera es posible excluir la literatura "mal escrita" porque escribir mal —el feísmo, el "qué me importa", el chorro abierto por donde sale aun la inmundicia— viene a dar expresión al alma desesperada de nuestra época. En las tres direcciones de la literatura contemporánea —una literatura comprometida con realidades no literarias, una literatura dirigida desde fuera de la literatura y una literatura regulada por leyes puramente literarias— se dan todas las posturas estilísticas.

A. PRINCIPALMENTE VERSO

Los poetas que aparecen en estos años tienen, por lo general, un tono melancólico, elegiaco, grave, pesimista, introspectivo. Podría llamárseles neorrománticos, a condición de que agregáramos en seguida que sus poetas favoritos no eran románticos, sino superrealistas como Neruda, simbolistas como Rilke, concentrados como T. S. Eliot, fabuladores como Saint-John Perse, y, si miraban hacia el pasado, era más bien para admirar las formas de los poetas españoles del Renacimiento. Esas influencias anotadas —ya de por sí contradictorias— son todavía más complejas si las observamos de cerca. El superrealismo, por ejemplo, se transforma en un existencialismo; en otros —por el camino social y político de Neruda y Vallejo— se transforma en comunismo más o menos lírico; en otros, en un catolicismo que, por el lado del culto a la tradición, lleva hacia el culto a la patria.

Respetuosos de las innovaciones del vanguardismo, prefirieron —dijimos— continuarlas con seriedad. Por eso admiraban a Neruda, que no jugó con la literatura. El Neruda de la última época, desde *Tercera residencia* en adelante, el Neruda que afirmaba la existencia de cosas reales, que no intentaba crearlas. Es una vuelta

a la realidad, pero no directamente, sino por los su-
burbios de la metafísica. El resultado es que muchos
de los que decían afirmar lo humano, lo nacional, lo
vital, se perdieron en el camino y no llegaron nunca
a la realidad. En vez de metáforas creacionistas, men-
cionaban las cosas mismas: creían que eso era "fundar ontológicamente la poesía", aunque es evidente que
tales menciones eran, en el fondo, también metáforas.
Metáfora, por ejemplo, es afirmar que "la poesía no
crea", sino que "descubre y recupera lo que está nau-
fragando en la oscuridad de nuestro ser". Los poetas
católicos, por su parte, afirmaban la vida en actitud de
atención y aun de amor al hombre y todos sus bienes.
Las cosas reales se les ofrecían para que las celebraran
haciéndolas entrar en el canto. Pero al fundar así la
realidad, reconocían lo sobrenatural, el lazo con el misterio. Juzgar esta poesía es imposible en un breviario.
Es más fácil señalar alabanzas mutuas, estimaciones
colectivas, la energía con que unos poetas irradiaban
sobre otros. Irradiaciones sobre los contemporáneos que,
como el uranio, quizá dentro de poco pierdan su radio-
actividad y se queden en plomo. La sensación del crítico, al leer a todos estos poetas, es parecida a esa
sensación de "déjà vu, déjà lu"; es muy natural,
estamos mirando una abundante materia todavía no
seleccionada, en que no se ha decantado la escoria.
Como nuestra historia ha terminado, no se nos repro-
che nuestras enumeraciones de rematador.

i) *México*

En este país de ininterrumpida y diversa producción
poética no quedó desierto ninguno de los caminos de
la nueva poesía. Estetas puros, contempladores del
mundo, preocupados por los problemas sociales, exploradores del subconsciente, los orgullosos de su hermetismo y los de aire transparente y gustos clásicos, los
religiosos, los nuevos románticos. A los poetas de la

generación de *Contemporáneos* siguen ahora los de la generación de *Taller* (1938-1941): Paz, Huerta, Quintero Álvarez, Beltrán. Se internan por el mismo camino: cultura europea, conciencia artística, rigor técnico. Sus experiencias, sin embargo, son diferentes. El marxismo, el superrealismo, el deseo de revolucionar al hombre y la sociedad mediante el amor y la poesía. Uno de los mayores poetas de esta generación es OCTAVIO PAZ (1914). Poeta profundo y decidido a internarse por su profundidad. Se inició, adolescente, con *Luna silvestre* (1933), y maduró de pronto durante la guerra civil en España, con *¡No pasarán!* (1936). Los libros que siguieron son definitivos: *Raíz del hombre* (1937), *Bajo tu clara sombra* (1937), *Entre la piedra y la flor* (1941), *A la orilla del mundo* (1942), *Libertad bajo palabra* (1949), *Semillas para un himno* (1952), *Piedra de sol* (1958), *La estación violenta* (1958). El título de uno de sus libros ("a la orilla del mundo") y las claves de sus poemas ("orilla", "límite", "frontera", "espejo", "río", "instantánea") muestran, no el apartarse indiferente del mundo, sino el sentimiento trágico y doloroso de querer identificarse con él. Poemas patéticos de desterrado que, a fuerza de sentir el mundo más allá de sí mismo, lo recrea en sí con el ardor de una angustiosa llama. Paz da cuerpo a las lánguidas neblinas en que se quedan otros poetas de lenguaje parecido. La imaginación —y no todo es imaginación: hay una inteligencia ejercitada en pensar temas metafísicos— tiene una profunda seriedad. Siente que su existencia emerge del Ser; pero del Ser no puede saber nada. Es el anverso, el cero. Su existencia es la única parte iluminada del Ser. Entre el Ser y la Existencia, un inmenso espejo, última pared de la conciencia, donde tropezamos y nos desesperamos. Pero esta desesperada soledad de nuestra existencia es puro Tiempo; y a los instantes de nuestra existencia podemos objetivarlos y eternizarlos en Poesía. En la Poesía, como en un espejo, nos encontramos y nos per-

demos. En su más ambicioso poema, *Piedra de sol*, Paz
nos da una síntesis de su lirismo. Con un continuo
río de imágenes que da vueltas por un cauce cíclico,
redondo como un yo, confluyen intuiciones que sólo si
las pensamos lógicamente parecen contradictorias: la
radical soledad y la trascendencia que busca compañía,
el mundo del sujeto y el mundo del objeto, la rebeldía en las íntimas galerías y la rebeldía en las ruinas de
la sociedad, el minuto y el milenio, la singularidad y la
totalidad, y el amor, en que una mujer y una tierra se
prestan sus formas y se van, como una sola ola, por
el encrespado río de su lirismo. Lirismo cuyo secreto
está en un afán de resolver tesis y antitesis en una síntesis que restablezca la perdida unidad del hombre.
Entre la soledad y la comunión, Paz canta líricamente
a su instante personal, pero se preocupa por lo social,
es introvertido y extravertido, desesperado y esperanzado, en blasfemos impulsos de destrucción y fe salva-
dora. Su voluntad de trascender hacia otras vidas suele
asumir intensidades eróticas. Ha pasado por las experiencias intelectuales de nuestro tiempo: el marxismo, el
superrealismo, el descubrimiento de Oriente. Pero su
pensamiento busca nuevos caminos. Este pensamiento
se despliega en penetrantes ensayos: *El laberinto de la
soledad, El arco y la lira, Las peras del olmo.*

EFRAÍN HUERTA (1914), que había escrito primero
poemas de amor, bajó a la calle, se mezcló con las masas
y quiso hablarlas en verso, incitándolas a la revolución
proletaria. Su intención política se precipita a veces en
mensajes malogrados. La circunstancia se los traga, sin
dejar restos. En *Estrella en alto* (1956) están las dos
notas, las del amor y las del odio. NEFTALÍ BELTRÁN
(1916) trasegó en sus sonetos, bien torneados, muchos
vinos líricos: el amor, la muerte, el desamparo. Su libro:
Soledad enemiga (1949).

Un nuevo grupo, el de *Tierra Nueva* (1940-42), re-
tomó la lección de arte puro que habían dado Villaurrutia y sus compañeros. Se defendieron contra los

estrépitos de las luchas sociales y celebraron el placer de la palabra desnudamente poética. El más importante es ALÍ CHUMACERO (1918). Ofrece una poesía inteligentemente construida; es un lírico atento a su sentimiento, pero sabe que el poema debe salir con una austera estructura. Las menciones a temas cultos no son postizas, sino puntos clásicos en los que va a cristalizar la sustancia de su poesía. La espontaneidad de *Páramo de sueños* (1944) se vigiló en *Imágenes desterradas* (1948) y, ya totalmente disciplinada, se concentró en *Palabras en reposo* (1956). Es poeta más esencial que sensual, más confidencial que imaginativo, más pensaroso que delirante. Su afán de encerrar sus meditaciones en medidas estrictas es un culto de solitario. El impulso enamorado, la densa percepción del tiempo, el desdén a la vulgaridad, el saberse acompañado de la muerte, el desgarramiento del ánimo se reflejan en el inteligente espejo de su conciencia y de allí salen imágenes clásicamente organizadas. En la forma Chumacero toma posesión de sí y se sosiega.

JAIME SABINES (1926) es también de los más personales, esto es, de los menos agrupables. Amargo, escéptico, burlón, doliente, inadaptado, pesimista nos habla de sí, sobre todo de su carne enamorada. Sus ojos, más que ver, parecen tocar las cosas: *Horal, La señal, Tarumba.* MARGARITA PAZ PAREDES (1922), poetisa de las penumbras íntimas, del amor, de la maternidad, de la solidaridad humana y el mejoramiento social: ocho volúmenes de poesía, entre los que se destacan *Andamios de sombra* y *Dimensión del silencio.* RUBÉN BONIFAZ NUÑO (1923) comenzó con una poesía de impecable corte clásico (*Imágenes,* 1951). Después, en *Los demonios y los días,* bajó al pueblo, con versos de contenido social y forma a veces prosística. Su poemario de amor *El manto y la corona* (1958) balancea estos dos movimientos de su lirismo. Bonifaz Nuño no se desborda como un río, sino que va corriendo, ordenadamente, por un cauce de versos bien construidos.

Mientras construye su poesía, en formas cuidadosas, construye también su imagen de la vida. Siente que el hombre, en la soledad o en medio de los males de la civilización contemporánea, se deforma o pierde su plenitud. Su amargura es, en el fondo, optimista, pues afirma un porvenir en el que, rehecha la sociedad sobre nuevas bases, el hombre se erguirá completo y altivo. ROSARIO CASTELLANOS (1925) se confiesa con una de las voces más sinceras, graves e interesantes de esta generación. Su confesión nos habla de sí misma —amores, lamentaciones, tristezas— pero también de sus orígenes, de toda la raza y la tierra mexicanas. Además de sus poemas —*De la vigilia estéril, El rescate del mundo, Al pie de la letra*— publicó una excelente novela: *Balún Canán*. TOMÁS SEGOVIA (1927), si no poeta puro, es al menos poeta de una gran pureza, conseguida a fuerza de contemplar su alma, hasta serenarla: *La luz provisional, Siete poemas, Luz de aquí*.

Otros poetas de estos años: JAIME GARCÍA TERRÉS (1924), sobrio, mesurado, hondo pero circunspecto, construye sus versos con clara conciencia, en contraste con los poetas de fluida oscuridad; JESÚS ARELLANO (1923) comenzó con poemas de zozobra pero después le fueron brotando otros más optimistas y combativos; JORGE GONZÁLEZ DURÁN (1918), que con puñales de hielo diseca su alma abrasada de desencanto; el nostálgico y elegiaco JOSÉ CÁRDENAS PEÑA (1918); MANUEL CALVILLO (1918), uno de los más delicados en los matices de la ternura y de la memoria; MIGUEL GUARDIA (1924), que baja a las prosas de todos los días —al bajar también sus versos suelen hacerse prosaicos—, se queja de la opresión social y, compadecido del prójimo, busca el diálogo con posibles compañeros de lucha; MARGARITA MICHELENA (1917), EMMA GODOY (1920), JORGE HERNÁNDEZ CAMPOS (1921), GUADALUPE AMOR (1920).

ii) Centroamérica

Guatemala. En estos años irrumpió, batallando, la revista *Acento,* órgano de la "generación del 40". Habían formado su gusto con lecturas de Rilke, Joyce, Valéry, Kafka; y, de nuestra lengua, Neruda, Alberti, García Lorca; pero el tono fue de abierta afirmación democrática, de claro optimismo humano. Constituyentes de esta promoción: RAÚL LEIVA (1916), el más productivo, salió de una poesía desolada y oscura a las calles de una poesía más popular: de *Angustia* (1942) a *Oda a Guatemala* (1953) y *Nunca el olvido* (1957); CARLOS ILLESCAS (1919), autor de *Friso de Otoño* (1959); ENRIQUE JUÁREZ TOLEDO (1919), autor de *Dianas para la vida* (1956); OTTO RAÚL GONZÁLEZ (1921), inspirado por nobles causas humanas: *Viento claro* (1953), *El bosque* (1955) y varios poemarios de igual distinción; ANTONIO BRAÑAS (1922) y otros. Después vino otra oleada: el grupo Saker-Ti, más militante aún en los movimientos de izquierda, más volcado al pueblo. HUBERTO ALVARADO (1925) fue el portabanderas; y le acompañaban RAFAEL SOSA, MIGUEL ÁNGEL VÁZQUEZ, WERNER OVALLE LÓPEZ, MELVIN RENÉ BARAHONA, ÓSCAR ARTURO PALENCIA, ABELARDO RODAS.

Honduras. Se distinguen las voces de CARLOS MANUEL ARITA y DAVID MOYA POSAS.

El Salvador. CLARIBEL ALEGRÍA (1924), de lirismo sincero y sencillo —*Vigilias,* 1953; *Acuario,* 1955—, también prosista en *Tres cuentos* (1958). WALDO CHÁVEZ VELASCO (1925), poeta combativo, uno de los más destacados del Grupo Octubre, autor de "Biografía del pan"; DORA GUERRA (1925), que ha callado últimamente; OSWALDO ESCOBAR VELADO, primero poeta amatorio, se volcó luego a la poesía social: *10 sonetos para 1 000 y más obreros, Árbol de lucha y esperanza, Volcán en el tiempo.*

Nicaragua. Continuando con entusiasmo las tendencias de vanguardia que desataron Coronel Urtecho y otros a quienes examinamos en el capítulo anterior, sobresalieron ERNESTO MEJÍA SÁNCHEZ (1923), uno de los más agudos, autor de *Ensalmos y conjuros* (1947) y *La carne contigua* (1948); y ERNESTO CARDE-NAL (1925), iconoclasta pero laborioso en la creación de nuevos iconos, que ha publicado *La ciudad deshabitada* (1946). Otro: CARLOS MARTÍNEZ RIVAS (1924). Fuera de ese grupo: MARÍA TERESA SÁNCHEZ (1918), RODOLFO SANDINO (1928) y ERNESTO GUTIÉRREZ (1929).

Costa Rica. El poeta de más quilates, en este período, es ALFREDO CARDONA PEÑA (1917). Su producción, en verso y en prosa, es copiosísima: sus libros más importantes los publicó en México, donde reside, aunque el recuerdo de su infancia, en la tierra nativa, sigue inspirándole: *v. gr.*, *Primer paraíso* (1955). Es poeta culto, enfático, elocuente, versátil en ritmos libres o tradicionales. Otros nombres: EDUARDO JENKINS DO-BLES (1926); ARTURO MONTERO VEGA (1915), de inquietud social; MARIO PICADO UMAÑA (1928), original y desconcertante rebuscador de novedades; SALVADOR JIMÉNEZ CANOSSA (1922).

Panamá. La nueva poesía ofrece estos nombres: el monótono EDUARDO RITTER AISLÁN (1916) y la polítona ESTHER MARÍA OSSES (1916); el preciso TOBÍAS DÍAZ BLAITRY (1919), la vital STELLA SIERRA (1919) y el recogido TRISTÁN SOLARTE [Guillermo Sánchez] (1924), autor también de una buena novela, *El ahogado*; y siguen HOMERO ICAZA SÁNCHEZ (1925), JOSÉ DE JESÚS MARTÍNEZ (1928), JOSÉ ANTONIO MONCADA LUNA (1926).

iii) *Antillas*

Cuba. Asombrados por lo mucho que leía, los jóvenes cubanos eligieron a Lezama Lima como guía de sus lecturas, abrieron la boca y así casi perdieron el habla. Cuando se recobraron y pudieron hablar lo hicieron con oscuras y arduas sutilezas. Fueron antirrealistas;

o, si se quiere, anhelaban traspasar lo que llamamos realidad y acercarse a lo absoluto. Como dijo uno de ellos, Cintio Vitier, no se empeñaron en avanzar, como los de la *Revista de Avance*, de 1927, sino en sumergirse en busca de los orígenes: y *Orígenes* (1944-1956), en efecto, se llamará la revista que los agrupe. Dieron a su credo estético el nombre de "trascendentalismo" porque no gozaban de esas experiencias inmediatas fácilmente expresables por la palabra, sino que partían hacia lo desconocido en busca de entes absolutos. Los primeros en destacarse fueron Gaztelu, Piñera, Baquero y, a un costado del grupo, Rodríguez Santos. Entraron en la literatura en dos pelotones. En el primero iba adelante GASTÓN BAQUERO (1916). Con desgano, escribe para decirnos que todos, él, nosotros, todos, nos transfiguramos constantemente y asistimos, como en sueños, a las metamorfosis del mundo, pero que la forma final será la de la muerte. Ni siquiera las formas del arte nos salvarán. Después de *Poemas* y *Saúl sobre su espada* (ambos de 1942) el poeta, tempranamente, abandonó su oficio. Su desilusión de poeta ya nos la había contado en "Soneto para no morirme". Bien educado en clásicos latinos y españoles el Padre ÁNGEL GAZTELU (1914) nos dio en su *Gradual de laudes* (1955) sus ejercicios poéticos sobre temas católicos, paisajes cubanos y lecturas. VIRGILIO PIÑERA (1914), duro y furioso en el verso, prefirió la prosa y como narrador lo veremos en su lugar. JUSTO RODRÍGUEZ SANTOS (1915) es, de todos los mencionados, el más esteta, el que menos se desvía del viejo camino de la lírica: decir bellamente cuáles son las visitas que recibimos del mundo a través de nuestros sentidos y también con qué ánimo las recibimos. El ánimo de Rodríguez Santos era elegiaco. Y otros: ALCIDES IZNAGA (1914), ALDO MENÉNDEZ (1918). En el segundo pelotón vino a la cabeza CINTIO VITIER (1921). *Vísperas* (1953) recogió toda su obra, desde 1938, publicada e inédita. Obra áspera, montuosa, irregular, con precipicios de sombra —en cuyo fondo Cintio Vitier cavila— y agudas cumbres que levantan las cosas —sitios, nostalgias— hasta llevarlas a un cielo de belleza. El tema de su poesía es la extrañeza ante el mundo, el imposible afán de captarlo y, en ese afán, el recurrir a sus experiencias más oscuras. *Canto llano* (1956) es poesía reflexiva: o sea, una poesía hecha con reflexiones sobre lo que el poeta se está viendo en los adentros. Es como un juego de espejos que multiplica sus objetos: el Cintio Vitier que escribe los poemas reflexiona sobre el Cintio Vitier que vive. Las imágenes, al saltar de espejo en espejo, se cansan y debilitan. Por su actitud reflexiva *Canto llano* es rico en definiciones, programas estéticos, teorías de la creación literaria, confesiones y secretos profesionales. Podemos usar este "canto llano" como llave para los otros libros anteriores. La llave, en sí, no es hermética: nos sirve para abrirnos el hermetismo. Segura de sus propias visiones, FINA GARCÍA MARRUZ (1923), en *Las miradas perdidas* (1951), se da el lujo de una expresión sencilla (aunque no simple), natural (aunque artística), humana (aunque no común), sincera siempre en sus creencias religiosas, en sus recuerdos y en sus impresiones del pasaje: "Quién te recoge, polvo fugaz, tarde perdida / que dejas en mi alma la sensación del lila." OCTAVIO SMITH (1921) siente la presencia de Dios en el temblor de todas las cosas. Cada cosa es un adjetivo de la sustancia de Dios. Comunicados por esa irradiación universal, los versos del poeta ascienden también en vibrantes adjetivos: *Del furtivo destierro* (1946). Otros: RAFAELA CHACÓN NARDI (1926), ELISEO DIEGO (1920), LORENZO GARCÍA VEGA (1926). A los dos últimos los encontraremos también entre los narradores.

Santo Domingo. El mayor acontecimiento de este período fue la fundación de la revista *La Poesía Sorprendida* (1943-1947). Sus animadores, directores y colaboradores pertenecen a tres generaciones. El poeta chileno ALBERTO BAEZA FLORES (1914), junto con

Rafael Américo Henríquez y Flanklin Mieses Burgos a quienes ya nos referimos, y con Freddy Gatón Arce, a quien nos referiremos, la fundaron. También la dirigieron Lebrón Saviñón y Fernández Spencer. Pertenecían a la junta directiva, entre otros, Manuel Llanes (1899), AÍDA CARTAGENA PORTALATÍN (1918), MANUEL VALERIO (1918), MANUEL RUEDA (1921) y JOSÉ MANUEL GLAS MEJÍA (1923). El tono de *La Poesía Sorprendida* fue de exigencia estética: se desprendió del peso de los temas locales y de la coerción de las formas tradicionales pero no para entregarse a la facilidad sino para imponerse un nuevo rigor. Se mantuvo atenta a las novedades de la literatura mundial y así fue refinando sus modales imaginativos. El superrealismo pasó por sus páginas, pero no hubo una estética que prevaleciera. Al contrario: buscaba la integración de antiguos y modernos, de europeos y americanos, de simbolistas y existencialistas. Respetaba todo aquello que incitara al esfuerzo y concertara la cultura dominicana con la del mundo. Uno de los poetas más afamados de estos años es ANTONIO FERNÁNDEZ SPENCER (1923). Abre la boca con ingenuo gesto, y canta su asombro ante la vida, la naturaleza, el amor y la muerte. Es sencillo, con frecuencia prosístico, siempre espontáneo y afectuoso. "Contar lo que en la vida sucede" fue su definición de la poesía. Afortunadamente, cantó más de lo que contó en *Vendaval interior* (1942) y *Bajo la luz del día* (1952). FREDDY GATÓN ARCE (1920) había comenzado en *Vlía* (1944) con prosas poemáticas, oscuras, bullentes, demoniacas. Pero al pasar al verso, sin serenarse, subió a un estrado iluminado y desde allí recitó sus meditaciones líricas. MARIANO LEBRÓN SAVIÑÓN (1922), poeta inspirado, musical, también ensayó el drama. El desolado MANUEL RUEDA (1921), magistral sonetista y autor teatral, es una de las personalidades poéticas más interesantes. En otros grupos poéticos encontramos poetas tan desiguales como SÓCRATES BARINAS COISCOU (1916), RUBÉN SURO

García Godoy (1916), Manuel de Jesús Goico Castro (1916), Héctor Pérez Reyes (1927), Carmen Natalia Martínez Bonilla (1917), etc.

Puerto Rico. Una de las voces más arrebatadas, no sólo por el lirismo, sino también por los ideales patrióticos, es la de Francisco Matos Paoli (1915). Poesía la suya que a veces nos sorprende por su pureza y hermetismo (*Habitante del eco, Teoría del olvido*) y otras por su honda captación de lo criollo (*Cardo labriego*); tan pronto lo vemos sensualmente entregado a las solicitaciones de la carne y de la naturaleza tropical como nos canta su soledad, su casto espiritualismo, sus hondas preocupaciones. Gran poeta en todos sus momentos. Otros poetas de consideración: Francisco Lluch Mora (1925), autor de *Del asedio y la clausura*, 1950, y *Canto desesperado a la ceniza*, 1955; y Juan Martínez Capó (1923).

iv) *Venezuela*

Los que aparecieron en 1940, aunque no formasen un solo grupo con un solo programa, tenían de común por lo menos la voluntad de alejarse tanto de la poesía nativista, vernácula, como del superrealismo y el versolibrismo de la generación de *Viernes*. Aspiraban, en cambio, a expresar valores humanos universales con rigor formal. Cultivaron el soneto, la lira y otras formas que admiraban en los clásicos castellanos. Eran jóvenes cultos, los más con educación universitaria, y se prepararon intelectualmente para la creación de sus poemas. Juan Beroes fue de los primeros en dar arquitectura clásica a sus poemas, con un oído entrenado en las medidas y ritmos de la Edad de Oro. Y también Luis Pastori (1915), Pedro Francisco Lizardo (1920), Tomás Alfaro Calatrava (1922-53), Alarico Gómez (1922-1955), Ana Enriqueta Terán, Aquiles Nazoa (1920).

Pocos años después, en 1945 más o menos, otro grupo de poetas llegó a reforzar el trabajo de los que acabamos de caracterizar. Más líricos que formalistas, más vitales, más libres, a veces más traviesos fueron BENITO RAÚL LOSSADA (1923), JEAN ARISTEGUIETA (1925), LUZ MACHADO DE ARNAO (1916), J. A. DE ARMAS CHITTY, ERNESTO LUIS RODRÍGUEZ, ARÍSTIDES PARRA, RAFAEL ÁNGEL INSAUSTI (1916), JOSÉ RAMÓN MEDINA (1921), PEDRO PABLO PAREDES (1917), J. A. ESCALONA-ESCALONA (1917), ELISEO JIMÉNEZ SIERRA (1919). Después vienen PEDRO LHAYA (1921), RAFAEL PINEDA (1926), FRANCISCO SALAZAR MARTÍNEZ (1925), RUBENÁNGEL HURTADO (1922), ALÍ LAMEDA (1920), DIMAS KIEW (1926), RAFAEL JOSÉ MUÑOZ (1928), PALMENES YARZA (1916). Una de las poetisas más originales, por la fuerza expansiva de su lirismo, que irradia tanto en el verso (*Poemas, La vara mágica*), el teatro (*La hija de Juan Palomo, Belén Silvera*) y la narrativa (*Juan sin miedo*) es IDA GRAMCKO (1925). Aun sus sentimientos más intensos (como los amorosos) se subliman, delicadamente, en materia metafísica. Su imaginación elabora libremente mitos, ensueños y experiencias vividas, pero con respeto por las formas. Su poder creador es extraordinario, por la abundancia y facilidad con que convierte la menor incitación (un recuerdo, una palabra oída, una piedra o un pájaro) en motivo de alta poesía.

v) *Colombia*

Después del grupo "Piedra y Cielo", y sin la misma cohesión de estilo, se presentó una nueva generación de poetas, menos brillante pero más preocupada por la posición del hombre en el mundo. Más que a Juan Ramón Jiménez leen a Antonio Machado. Leen también a los superrealistas. Y a los poetas ingleses. Y a los teóricos de la poesía. Reprochaban a los piedracelistas el confiar demasiado en la virtud de un preciosismo poético muy repetido y al interrogar, con más sentido crítico, los problemas de la existencia, usaron el lenguaje coloquial, cotidiano. Por querer comunicarse con el público no compartieron la altivez de los poetas herméticos. Los más oídos de estos poetas colombianos son (sin contar a quienes mencionaremos en otras secciones) FERNANDO CHARRY LARA (1920), el de los anhelantes pero serenos *Nocturnos y otros sueños*; MEIRA DELMAR (1922) y MARUJA VIEIRA (1922); JORGE GAITÁN DURÁN (1925), HELCÍAS MARTÁN GÓNGORA (1920), CARLOS CASTRO SAAVEDRA (1924) y ÓSCAR ECHEVERRI MEJÍA (1918).

vi) *Ecuador*

En un primer plano: CÉSAR DÁVILA ANDRADE (1917), uno de los líricos de más intensidad imaginativa; FRANCISCO TOBAR GARCÍA (1920), católico, original en su ímpetu humano, también dramaturgo; JORGE ENRIQUE ADOUM (1923), comunizante, nerudiano, vital y desbordante; y ALEJANDRO CARRIÓN (1915). Este último es un desilusionado que nos va dando la crónica de sus desilusiones. Pero razona, enumera, repite; y con estos pesos su lirismo se hace lento. Lirismo noble, sin embargo, en *Poesía de la soledad y el deseo* (1946) —título definitorio— y en *Agonía del árbol y la sangre* (1948). Como prosista reunió en *La manzana dañada* cuentos de evocación infantil. Es irónico, de suave fraseo, aunque en su novela *La espina* (1959) el tema de la soledad está tratado con un negro desorden. Otros poetas: ALFONSO BARRERA VALVERDE (1925?) y EDUARDO VILLACÍS MEYTHALER (1925?).

vii) *Perú*

Los poetas puros cantan ahora con seriedad, con gravedad, con responsabilidad. Cantan todas las emociones que les parecen valiosas, sin limitarse a temas de moda, sin mutilar la totalidad del hombre. Cantan en todos los modos, sean tradicionales o novísimos. A ve-

ces, versos libérrimos; a veces, versos medidos en cada
elemento. Más aún; se advierte en ellos respeto a las
formas poéticas bien estructuradas: JORGE E. EIELSON
(1922), autor de *Reinos*, y JAVIER SOLOGUREN (1922),
autor de *Detenimientos* y *Dédalo dormido*. En la tendencia nativista uno de los más distinguidos es MARIO
FLORIÁN (1917). Ambas tendencias concurren en la
poesía de algunos poetas, como WASHINGTON DELGADO
(1926), de ya probada calidad, y ALBERTO ESCOBAR
(1929). Los poetas ahora no piensan en el indio ni
en el mestizo como clases raciales, sino en un "nuevo
hombre americano", crisol de todos los metales étnicos.
Y acusan también una voluntad de usar metros y estrofas clásicas. De los más recomendables poetas sociales:
ALEJANDRO ROMUALDO (1926) y GUSTAVO VALCÁRCEL
(1921). De un tenue y melancólico superrealismo,
BLANCA VARELA (1926).

viii) *Bolivia*

Comencemos por destacar a YOLANDA BEDREGAL
(1916), lírica de acento religioso que canta a los niños
y se lamenta del sufrimiento humano: *Nadir*, 1950,
Del mar y la ceniza, 1957. La novedad de estos años
es el surgimiento de una generación que, en tanto gene-
racion, es la más numerosa en la historia de la poesía
boliviana: se la denomina "Gesta Bárbara". Apartemos,
por lo menos, a tres poetas significativos. JULIO DE LA
VEGA, abriéndose paso entre las formas clásicas y las
formas del superrealismo, celebró con sentido americano las nobles causas del mundo. OSCAR ALFARO tan
pronto aparece con poesías de recuerdos infantiles y
su lirismo se enternece como desaparece en poemas de
la pasión política: *Alfabeto de estrellas*. ALCIRA CAR-
DONA TORRICO es de voz honda, sincera, preocupada por
el destino humano. Podrían agregarse los nombres de
ENRIQUE KEMPFF MERCADO (1920); GONZALO SILVA
SANGINÉS, de acento doloroso; CARLOS MONTAÑO DAZA,

que cultivó la poesía infantil; JORGE ALVÉSTIGUE, suave, delicado; CARLOS MENDIZÁBAL CAMACHO y JACOBO LIBERMAN, poeta de temática social.

ix) *Chile*

Después de 1938 —ya Neruda y Rokha alumbraban muy alto, como Alpha y Beta en Geminis— dos nuevas constelaciones aparecieron. (Como en las constelaciones, el ojo puede ver las mismas estrellas ya en una, ya en otra.) Una fue la de Mandrágora, superrealista. El grupo de la alucinante revista *Mandrágora* (seis números, de 1938 a 1941) buscó negros connubios entre un mundo irreal y una poesía irracional. En sus laberintos la geografía perdía sus fronteras, la historia evocaba sólo hechos de criaturas inventadas, la literatura proclamaba que el derretimiento de las formas era necesario para la libertad humana. Sus trucos a veces resultaron mágicos: a veces, fracasos. Los mandragoristas se abrieron paso a codazos, rompiendo salvajemente con todo: gritos, improperios, insultos al medio, sin preocupación por las buenas formas. El cabecilla fue Braulio Arenas. Las otras figuras principales fueron ENRIQUE GÓMEZ CORREA (1915) y JORGE CÁCERES (1923-1949). Se incorporó al grupo Gonzalo Rojas. Colaboró en *Mandrágora*, sin formar parte de ella, Gustavo Ossorio. Podría nombrarse también entre los mandragoristas a TEÓFILO CID (1914) y FERNANDO ONFRAY (1921?). El cabecilla, BRAULIO ARENAS (1913), no construye imágenes objetivas, como el creacionista Huidobro, ni envuelve sus imágenes espontáneas en una redonda emoción, como Neruda, sino que emborracha la lengua y la hace andar, deshilachada y balbuciente, incapaz ya de comunicarse con nada ni con nadie. Sus formas iniciales fueron violentas, pero otros poetas las aceptaron con ánimo tan tranquilo que Arenas, en 1941, descontento de esa paz a la que se había llegado, rompe con *Mandrágora* y funda *Leitmotiv* (tres números, de 1942 a

1943). Eran los años en que Europa se dislocaba.
Hitler había invadido Francia; Francia enmudece; los
superrealistas se refugian en los Estados Unidos y, dirigidos por Duchamp, Breton, Char, etc., inventan una
nueva letra del alfabeto, la triple V, no la simple V
de la Victoria, y fundan la revista VVV. Braulio Arenas, combatiendo contra el espíritu provinciano, se soli-
dariza con el superrealismo internacional. Se trata de
no dejar morir la lengua castellana, de convertirla en
el sujeto de la poesía, con mayor libertad e intrepidez.
GONZALO ROJAS (1917), en sus paseos nocturnos entre
Huidobro y Neruda, se juntaba a veces con los sonám-
bulos del grupo Mandrágora. Después, sin salir de la
oscuridad, que es su elemento, se puso a hablar más
de sus emociones que de sus pesadillas. Cosa de acentos, pues todo se daba en su poesía introspectiva: romanticismo, creacionismo, superrealismo, existencialismo. Menos en los bellos instantes eróticos, su humor
es desalentado: el poeta se siente perdido en una realidad estúpida y cruel, sin saber qué es lo que nos pasa
a los hombres ni quién nos prestó el cuerpo. No es la
certeza de la muerte lo que lo angustia, sino la incerti-
dumbre del vivir en una indisoluble soledad. Arrojado
en el vacío, se siente efímero y canta mientras él, "gusano", se deshace en la "oscuridad hermosa", "hija de
los abismos". *La miseria del hombre* es el título clave
de su libro de 1948. Mientras en la tendencia mandra-
gorista las imágenes en libertad, con sus aletazos, apa-
gaban la luz y daban intensidad poética a la oscuridad,
poetas de otra tendencia nos dieron una poesía clara;
clara, no porque estuviera configurada por la razón, sino
porque era consciente del sentimiento continuo que la
inspiraba. En general los poetas claros, naturales, populares, se volvieron hacia el paisaje nativo y, como en los
románticos, lo convirtieron en dulce confidente. Eran
Nicanor Parra, Luis Oyarzún, Óscar Castro, Jorge Millas, ALBERTO BAEZA FLORES (1914), Venancio Lisboa,
Vicario. No avanzaban por el camino de la renova-

ción artística: más bien retrocedían para entenderse mejor con el gran público. Eran diferentes, sin embargo. Óscar Castro (1910-47), conocedor del romance español, nos dio una poesía nativista, provinciana. Jorge Millas (1917) y Luis Oyarzún (1920) intentaron una poesía filosófica; Oyarzún es, además, ensayista notable, en temas de filosofía y estética. Parra es el que se acercó más al folklore. Nicanor Parra (1914) es el más complejo. Comenzó con romances populares y pintorescos (*Cancionero sin nombre*, 1937) y cada vez fue acentuando su desenfado y su sarcasmo ante los absurdos de la vida diaria (*La cueca larga*, 1958). Su experimento más celebrado fue el de los antipoemas. Consisten en poemas tradicionales, de materia narrativa, que, después de beberse unas copas de superrealismo, se ponen con la cabeza para abajo. Visto patas arriba, el mundo de todos los días aparece grotesco. "La vida no tiene sentido", concluye, prosaicamente, el "Soliloquio del Individuo". Frases coloquiales, deliberadamente ordinarias, y una imaginación que prefiere ser ingeniosa y no lírica, van comunicando el pesimismo y la ironía del antipoeta. (Huidobro se había llamado a sí mismo "antipoeta y mago".) La segunda edición de *Poemas y antipoemas* es de 1956. Hemos visto que de la poesía nocturna salía un Gonzalo Rojas con palabras blancas, y que de la poesía diurna salía un Nicanor Parra con palabras negras. Es que, en realidad, no hay grupos poéticos: hay destinos poéticos, y sus trayectorias individuales, por mucho que se ignoren, acaban por entrecruzarse. Al margen de estos grupos, pues, deberíamos estudiar a los católicos Eduardo Anguita (1914), el más importante, y a Venancio Lisboa (1917).

Vinieron después otros poetas que manifestaron con firmeza su desconformidad con lo que había hecho la generación inmediatamente anterior. Para estos jóvenes el versolibrismo de Huidobro, Rokha, Neruda, Díaz Casanueva y Rosamel del Valle, los balbuceos oníricos de Braulio Arenas y el guitarreo de Nicanor Parra eran

subterfugios para escaparse de la única responsabilidad
del poeta: construir el poema con máximo rigor formal.
Lo que los jóvenes quieren es continuar la gran tradición de la poesía hispánica, respetar el ritmo, la rima
y la estrofa y renunciar a las actividades no estéticas
del espíritu, apartarse de los temas propios de la prosa
y conservar la gracia lírica, que mana siempre de la
intimidad. A la presión poética hay que disciplinarla
hasta que adquiera una nítida estructura de visión y
lenguaje. Aun el verso libre debe tener una arquitectura interior. El sentido de la composición puede ejer-
cerse tanto en versos regulares como irregulares: lo
importante es la proyección unitaria de una visión valiosa, que las imágenes queden amarradas a un núcleo
central. Uno de los más terminantes —y lúcidos— en
la teoría y práctica de este programa fue MIGUEL AR-
TECHE (1926), poeta formalista, de gran pureza e intensidad en la expresión del sentimiento religioso: sus
últimos poemarios son *Solitario, mira hacia la ausencia*
(1953) y *Otro continente* (1957). A su lado hay que
poner, en primer lugar, a DAVID ROSENMANN TAUB
(1926). Menos formalistas: ALBERTO RUBIO (1928),
y ENRIQUE LIHN (1929).

x) *Paraguay*

Después de Campos Cervera —a quien ya estudiamos— los dos poetas importantes fueron Augusto Roa
Bastos y Elvio Romero. Al primero lo encontraremos
también entre los prosistas. ELVIO ROMERO (1927) es
poeta social, de excepcional fuerza expresiva. Ha publicado: *Días roturados*, con temas de la guerra civil
de 1947; *Resoles ávidos, Despiertan las fogatas* y *El sol
bajo las raíces*. Su visión es dramática; vale decir, anima
los conflictos entre la naturaleza y el hombre y, dentro
del hombre, entre las fuerzas del bien y del mal. Otros
poetas: HUGO RODRÍGUEZ ALCALÁ (1919), quien, en
Estampas de la guerra, nos dio una especie de crónica
en verso de la contienda chaqueña; JESÚS AMADO RE-

CALDE (1921), preocupado por lo social; JOSÉ ANTONIO
BILBAO (1919), más eglógico; EZEQUIEL GONZÁLEZ AL-
SINA (1922), de cultura francesa; RODRIGO DÍAZ PÉREZ
(1924), con su amor por todo lo humano.

xi) *Uruguay*

Como en otras partes de Hispanoamérica los poetas
de estos años visitan los lugares del turismo poético: la
poesía española (Antonio Machado, García Lorca y,
claro, Juan Ramón Jiménez, Salinas, Guillén, Aleixandre), la poesía francesa (de Valéry a Supervielle), la
poesía nuestra (Neruda, Vallejo). Pero los poetas que
valen son los que regresan del turismo y se ponen a
vivir sus vidas. Primero, estos: PEDRO PICATTO (1914-
1950) continúa un lenguaje poético de imágenes que
siempre han sido celebradas por su belleza, lenguaje enternecido, suave y a veces doliente. CARLOS DENIS MO-
LINA (1917) comenzó como un poeta rodeado de decoraciones superrealistas, parecido, en su autoexigencia, al
compatriota Fernando Pereda, y después se orientó hacia el teatro (*Si el asesino fuera inocente*) y la novela
poemática (*Lloverá siempre*). LUIS ALBERTO VARELA
(1914) ya en el título de *Costado triste* (1958) diag-
nosticó su corazón. En sus lecturas de poetas superrealistas descubrió las posibilidades del símbolo y de la
metáfora, pero supo renunciar a la facilidad verbal y se
adentró en su tristeza para ordenarla cada vez más poéticamente. Otros: ALEJANDRO PEÑASCO (1914), WALTER
GONZÁLEZ PENELAS (1915), GONZÁLEZ POGGI (1915),
BELTRÁN MARTÍNEZ. Los poetas que se hacen oír cuando termina la Guerra Mundial no son ni optimistas ni
pacíficos. Al contrario, se aparecen con las almas emo-
cionadas y decididas a emprender su propia guerra contra reputaciones y estilos que hasta entonces eran respetables. Esta común actitud negativa los unió. Su tono
fue elegiaco y desesperado. Por eso les disgustaba el
desborde vital de Sabat Ercasty, Ibarbourou, Silva Valdés y, del pasado, sólo toleraban a los taciturnos, como

Basso Maglio. Las raíces uruguayas de esta nueva floración poética han de encontrarse más bien en Cunha y en Liber Falco. En general se retraen de la sociedad, y, sumidos en su interioridad, desdeñan o ignoran la Iglesia, el Partido político y el Estado. El estilo es humano, directo, áspero, desaliñado; parecen creer que empeñarse en la perfección de la forma estética es una insinceridad. Absorben las sales, aun las prosaicas, de la vida cotidiana, y eluden ritmos, rimas, estrofas y metáforas suntuosas. El tiempo late trágicamente en ellos: caminando por ruinas y escombros a veces se detienen a cantar un instante dichoso pero en seguida tropiezan y piensan en la muerte (Vilariño, Vitale, Brandy, Paseyro). Aun los menos acongojados están lejos del optimismo de la generación anterior (Sarandy Cabrera, Ariel Badano, Hugo Emilio Pedemonte, Silvia Herrera, Dora Isella Russell, Orfila Bardesio). Acaso sea IDEA VILARIÑO (1928) la que mejor ilustra el nuevo modo poético de esta generación. Apareció en 1945 con *La suplicante* y desde entonces, con sus breves poemarios, nos da una poesía con mal sabor de boca, sabor a muerte. Esa boca, sin embargo, va entonando su desaliento con entrecortados y conmovedores ritmos. Es dura, intensa, obsesionada por la ardiente posesión con que la muerte nos cubre, angustiada por la enfermedad, el dolor y la desolación. IDA VITALE (1925), desde *La luz de esta memoria* (1949), viene registrando los fuertes tonos de su sensibilidad. CARLOS BRANDY (1923) al desprenderse de afectadas maneras superrealistas, y cuando sabe renunciar a ciertas fórmulas en boga, desnuda su original sentimiento de existir desde un cuerpo, en cuya experiencia va profundizando, cada vez más melancólicamente. Ha vertido también la poesía hacia lo social. RICARDO PASEYRO (1927), melancólico, torturado, vigilante de sus fuegos y de sus formas. SARANDY CABRERA (1922), aunque en su primer libro —*Onfalo*, 1947— nerudizó y vallejizó, pasó los ojos por las cosas con tal voluntad de mirarlas una a una hasta reconocerlas como familiares presencias en un desorden universal, que acabó por crear un convincente mundo lírico. Cuando después salió a los temas sociales no rompió la unidad de ese mundo. SILVIA HERRERA (1927), repentina y apresurada en sus versos confidenciales de tristeza y ternura. AMANDA BERENGUER (1924), que ya en *El río* (1952) había logrado una poesía, no de imitación, sino de experiencia vivida (el recuerdo, el viaje, el amor), en los ocho poemas de *La invitación* (1957) se nos muestra concentrada, huraña, hastiada. Es una melancólica consciente de su melancolía en medio de una vida que la convida a la fiesta. Imágenes opacas, sonidos asordinados. Porque se sabe sincera, y llena de un hastío propio e inconfundible, no le teme a la prosa y deja que giros del lenguaje corriente se encarguen de expresarla. DORA ISELLA RUSSELL (1925) es copiosa, de moldes tradicionales. Un aire muy íntimo ventila la arquitectura clásica de sus poemas. Su subjetividad —anhelos, amores presentidos, congojas— toca a veces un fondo metafísico. Una técnica cuidadosa contiene sus sentimientos y nos los sugiere, más que describirlos. ORFILA BARDESIO vela su poesía de amor, rehuyendo lo episódico.

xii) *Argentina*

En 1940 aparece un grupo —"la generación del 40"— que encuentra demasiado formales y equilibrados a los poetas inmediatamente anteriores y, del pasado, sólo estima a Borges, Molinari y Mastronardi. Son graves, melancólicos, elegiacos, recatados. Han visto el mundo hecho pedazos, y no tienen ganas de jugar a la literatura. No cultivaron ni el ingenio por el ingenio ni la metáfora por la metáfora. Prefieren la forma tradicional (como la del soneto) y a veces la inspiración popular. Conocen el existencialismo y cuando no cantan lo que ven en sus visiones locales cantan los temas universales del existir.

Entre los primeros en aparecer se destacaron JORGE CALVETTI (1916) y LEÓN BENARÓS (1915), que representan una poesía narrativa; OLGA OROZCO (1920); MIGUEL D. ETCHEBARNE (1915); ROBERTO PAINE (1916); ALFONSO SOLA GONZÁLEZ; BASILIO URIBE (1916); ALBERTO PONCE DE LEÓN (1916); DAMIÁN CARLOS BAYÓN (1915), ERNESTO B. RODRÍGUEZ (1914); JUAN RODOLFO WILCOCK (1919) se pone, con arranque romántico, a hablar de sus propios sentimientos pero, con respeto a cánones clásicos, los ordena; raro equilibrio de quien ni se avergüenza de la intensidad de su nostalgia ni de la fuerza con que metros y rimas antiguos moldean su expresión. Uno de los poetas de este grupo que hemos leído más es DANIEL DEVOTO (1916). Gracia, fantasía, cultura, maestría técnica, largo lirismo, desde la raíz oscura, allá en lo más hondo de su soledad, hasta la flor clara allá en lo más alto de su canto. *El arquero y las torres* (1940) fue su momento más metafórico. Las imágenes, entrecortadas, duras, oscuras, provocativas, necesitan allí que la imaginación y la sensibilidad de un lector afín las penetre como una corriente eléctrica; entonces de imagen a imagen salta de pronto la luz de un arco voltaico; y queda iluminada la soledad y la melancolía del poeta. En *Libro de las fábulas* (1943) se ve que Devoto ha aprendido, meditando en su propia tristeza, que por abajo tocamos el espanto y, más abajo todavía, el vacío. Sombras le trepan por los recuerdos. Escalofrío de sombras. Pero el lirismo, al subir, lava las llagas y las cura. Devoto, piadosamente, bondadosamente, optimistamente, busca la belleza parcial de las cosas y las quiere salvar. En su "Cántico de David" agradece lo que, para otros, es fuente de angustia. Después Devoto se aplicó a los problemas formales. En *Canciones contra mudanza* (1945), *Canciones despeinadas* (1947), *Dos rondeles con maderas del país* (1948), *Canciones de verano* (1950), *Hexasílabos de los tres reinos* (1959) concilió la extrema complicación de las formas con la máxima facilidad expresiva. Es un programa de rigor técnico, con acrósticos cifrados de acuerdo a un código de difíciles claves, encabalgamientos sorprendentes, contrapuntos de versos cortos y largos, regulares y libres, entrecruzamiento de rimas, experimentos y manipuleos traviesos de las preceptivas. Pero en el fondo de esta creación y recreación de procedimientos métricos se oye la voz doliente, hecha canto. El amor le suscita, por un lado, dolor, y, por otro, poesía. En las *Canciones para nadie* el verso se ciñe más a la intuición pura. MARIO BINETTI (1916), descontento de su propia época, viaja por los siglos: clásicos grecolatinos, Dante y Petrarca, Garcilaso y Fray Luis, los grandes románticos europeos, los simbolistas; y mientras viaja va cantando su propia soledad, en diez libros confidenciales que van desde *La sombra buena* (1941) a *El libro de los regresos* (1959). Prolongan la labor de este grupo inicial poetas que se alinean en dos tendencias: una, más conservadora y nacional; otra, más experimental y europea. En la primera —bien servida por provincianos— apartemos, entre los más importantes, a EMILIO SOSA LÓPEZ (1920), RAÚL ARÁOZ ANZOÁTEGUI (1923), MANUEL J. CASTILLA (1918), NICOLÁS CÓCARO (1926), ALFREDO A. ROGGIANO (1919), HORACIO ARMANI (1925), AMÉRICO CALI (1915), LEDA VALLADARES (1920?), MARIO BUSIGNANI (1915), NICANDRO PEREYRA (1917), ANTONIO ESTEBAN AGÜERO (1918), FRANCISCO TOMAT GUIDO (1922). JORGE VOCOS LESCANO (1924), con arquitectónicas formas, ha celebrado sentimientos de amor humano y divino, consciente de pertenecer a una ilustre familia, la de los españoles —de Garcilaso y San Juan de la Cruz a Góngora, Bécquer y Juan Ramón Jiménez— y de los argentinos —de Banchs a Bernárdez y Molinari—. GUILLERMO ORCE REMIS (1917) tiene una doble temática: el hombre, dolorido y desamparado; y Dios, esperándonos. En la otra tendencia, de menor tradición nacional, los poetas desconformes, anticonvencionales, miran qué se hace en otras partes: Eliot, Pound, Luc Deaunes, St-John Perse,

René Char, Vallejo, Ungaretti, Aleixandre. Antes se
había hablado de creacionismo: ahora se hablará de invencionismo. Juan Jacobo Bajarlía, Edgar Bayley
(1919), Raúl Gustavo Aguirre (1927), Mario Trejo (1926) y Jorge Enrique Móbili (1927). También
hacia este lado —no necesariamente por el mismo camino— andan Osvaldo Svanascini (1920), Miguel
A. Brascó y Horacio Jorge Becco (1924). Este último, en *Campoemas* (1952), sin alardes juveniles de
vanguardismo (aunque con las libertades que esa vanguardia conquistó), tranquilamente, con una voz sincera
que ni siquiera se propone ser musical, poetiza aquí
sus observaciones y emociones ante el campo argentino.
Tan pronto evoca figuras del pasado como se estira hacia las cosas, en actitud de espera. Recibe en las manos
la materia campesina y con ella forma sorprendentes
miniaturas, metáforas independientes unas de otras, ricas todas por el ingenio o la visualidad. Dos poetas se
acercaron, en los últimos años, al superrrealismo. César Fernández Moreno (1919), que en *Gallo ciego*
(1940) evocaba sus nostalgias con sencilla voz, en *Veinte
años después* (1953) dejó oír el rumor roto de esa voz
no articulada que es la que preferían los superrealistas.
Eduardo A. Jonquières (1918) comenzó con poesías
serenas, sinceras, sencillas: *Permanencia del ser* (1945),
Crecimiento del día (1949), *Los vestigios* (1952). En
Pruebas al canto (1955) la expresión se exaspera con
muecas de tormento interior. Otros: Aldo Pellegri-
ni, Carlos Latorre. Y ahora, uno de los poetas mayores de esta generación: Alberto Girri (1918). Sin
los automatismos expresivos del superrealismo, pero
ahincado en su fondo irracional, Girri quiere revelarse
en imágenes captadoras de esencias. Suelen ser hermé-
ticas; suelen enfriarse; suelen endurecerse. Pero entre-
vemos que detrás de ellas el poeta está aprehendiendo
el sentido temporal de la existencia. Desde *Playa sola*
(1946) hasta *Escándalo y soledades* (1952) Girri buscó
la palabra exacta, dura, fría donde quedara tallada, im-

placablemente, su visión de solitario apasionado, sensual
y trágico. A Murena —también poeta— lo veremos entre los prosistas. Y cerremos nuestro panorama con los
nombres de Carlos F. Grieben, Carlos Viola Soto,
Eduardo Ciocchini (1922), Gregorio Santos Hernando (1921), David Martínez (1921), Guillermo
Etchebere (1917).

B. PRINCIPALMENTE PROSA

1. Novela y cuento

Aparece un nuevo realismo, un nuevo naturalismo.
Se recordará que, en un capítulo anterior, hablamos
de la disolución de la novela; de la novela tal como se
la había practicado hasta 1910. Proust, Joyce, Mann,
Faulkner, Kafka, Woolf, Huxley, etc., rompieron sus
marcos. Y en Hispanoamérica surgieron novelas que pa-
recían proponerse solamente el llevarle la contra a la
realidad. Pero ahora, después de esos experimentos, se
quiso asir, una vez más, la realidad. Sólo que ya no
se podía volver al naturalismo del siglo xix. Zola y sus
seguidores habían escrito con la voluntad de probar
una doctrina más o menos científica. Pero los jóvenes
novelistas de 1940 a 1955 ya no leían a Zola. Ni a los
rusos. En todo caso, a los neonaturalistas italianos,
franceses y norteamericanos. Sobre todo a los norteamericanos. En vez de describir quisieron presentar
objetivamente la realidad. Presentarla como algo vivo,
desordenado, en bruto, algo que está ocurriendo entre
el novelista y el lector. O sea, que el novelista ya no
aspira a dirigir al lector. Desaparece el narrador como
testigo omnisciente, como obrero que desde dentro
arregla las cosas para que las entendamos mejor, como
dueño y empresario de un espectáculo al que se nos
invita para divertirnos. La novela hierve, pues, como la
vida misma. Los personajes están apenas entrevistos,
puesto que no hay quien los vea por completo. Y

como los personajes se entrevén unos a otros, y no nos aclaran (¡cómo iban a hacerlo si los personajes no saben que son personajes de novela, si no saben que nosotros, lectores, estamos leyéndolos!) desde qué móviles situaciones están entreviéndose, el orden cronológico y el orden espacial se confunden. Así es la realidad: absurda. Aunque este realismo no se parece al del siglo XIX, es realismo. Más: naturalismo, atrevido, crudo, agresivo, chocante. Pero las cosas no están narradas ni descritas por un autor que siente la forma estética de la novela, sino más bien presentadas por un autor que siente la informe fealdad antinovelesca de la vida de todos los días. Se presenta y se oculta al mismo tiempo: se presenta una realidad pero se ocultan los nexos artísticos. Los experimentos que antes habían emprendido unos pocos ahora se repitieron como si no fueran experimentos, sino maneras establecidas de novelar: representación del tiempo, alteración en la secuencia narrativa, múltiples perspectivas, las técnicas del fluir de la conciencia, acciones simultáneas, retrospectivas, entrecruzadas en varios planos, etc. Novelas, pues, con un mínimo de argumento, caracterización y descripción. Es como si la estructura novelesca se hubiera desintegrado. O la materia narrativa queda vertida dentro de la mente del autor o de los personajes —como se hacía en la generación de James Joyce— o se elimina la psicología y se da autonomía a los objetos mismos —como se hace en la generación de Alain Robbe-Grillet—. Se comprende que en estas novelas, o antinovelas, que parecen pedazos del caos, el criollismo fuera abandonado. El criollismo parecía identificar Hispanoamérica con la realidad agraria. Esto pudo haber convencido hasta la segunda guerra mundial; pero después la literatura tuvo que enterarse de que las ciudades habían crecido a expensas del campo, que el tono de la vida era el de la sociedad industrial: que el realismo tenía que reflejar las luchas de clases con estilos más urbanos.

i) *México*

Dos primeras figuras: Arreola y Rulfo. JUAN JOSÉ
ARREOLA (1918), con preferencias por el cuento fantástico o de juegos intelectuales ricos en humor, en
problemas y en paradojas: *Varia invención* (1949), *Con-
fabulario* (1952). Después publicó una farsa teatral, *La
hora de todos* (1954), en la que satirizó, con escenas
movidas y novedosas, la vida de un potentado. JUAN
RULFO (1918) amoldó la vida regional —con sus paisajes, sus nombres, sus palabras y sus situaciones de
inocencia, crimen, adulterio y muerte— en los cuentos
de *El llano en llamas* (1953). Más tarde, en *Pedro Páramo* (1955), trabajó en su tema campesino con una
complicada técnica de novela que debe algo a William
Faulkner. La complicación se debe a que se cuenta a
saltos, hacia delante, hacia atrás, hacia los costados, y
desde varios puntos de vista. El ojo que todo lo sabe
y lo ve es, naturalmente, el del autor; pero ese ojo entra
en la novela siguiendo a Juan Preciados, que cuenta en
primera persona cómo, por encargo de su madre mori-
bunda, fue a un lugar llamado Comala para ajustar
cuentas con su padre, Pedro Páramo. Sólo que Juan
Preciados se encuentra con que Comala es un pueblo
muerto, vacío: en el aire enrarecido sólo se oyen voces,
ecos y murmullos de fantasmas. El mismo Juan Preciados muere y su sombra sigue dialogando con otras almas
en pena. El autor, que ha bajado a Comala como quien
baja al Hades, va completando, en tercera persona, el
relato de Juan Preciados. O sea, que gracias a las escenas conjuradas por el autor se explican las voces, ecos y
murmullos que oye Juan Preciados. La atmósfera es sobrenatural, pero no subjetiva. El tiempo no fluye: está
eternizado. Por los agujeros abiertos en esa eternidad
vemos y oímos a los muertos, sorprendidos en instantes
que no se suceden como los puntos de una línea,
sino que están diseminados desordenadamente: sólo el
lector va dándoles sentido. El núcleo narrativo es

la vida de Pedro Páramo, desde su infancia hasta su
muerte, en la vejez, en los años que van de Porfirio
Díaz a Obregón. Es una vida violenta, despótica, brutal, codiciosa, vengativa, traicionera, sensual, pero dig-
nificada por un gran amor a Susana, su amiga de infancia, ya medio loca cuando se la lleva consigo. El
lector siente escalofríos, como si estuviera soñando una
pesadilla absurda; las imágenes, a veces de gran fuerza
poética, evocan tristemente el anonadamiento de todo
un pueblo mexicano. Otros narradores: ALBERTO BO-
NIFAZ NUÑO (1915), SERGIO FERNÁNDEZ (1926), LUIS
SPOTA (1925).

ii) *Centroamérica*

Guatemala. El cuentista más sobresaliente del grupo de *Acento* es AUGUSTO MONTERROSO (1921), que ha
publicado *Obras completas y otros cuentos;* también
cuentista, GUILLERMO NORIEGA MORALES (1918) y JOSÉ
MARÍA LÓPEZ VALDIZÓN, autor de *La carta* (1958).

Honduras. El mejor cuentista de estos años es VÍC-
TOR CÁCERES LARA (1915): su *Humus* es triste, aunque
humedecido con cierto suave humorismo. Con brocha-
zos cortos y ágiles nos cuenta de campesinos y de trabajadores de la ciudad. La novela con problemática
social, sobre los abusos de las grandes compañías frute-
ras, surgió con *Prisión verde*, de RAMÓN AMAYA AMA-
DOR. Otra de sus novelas, *Constructores*, levanta sus
andamiajes en la ciudad.

El Salvador. HUGO LINDO (1917) es una de las
figuras más sobresalientes. Es poeta —*Libro de horas,
Sinfonía del límite*— pero lo situamos aquí porque su
labor narrativa enriqueció con hondura psicológica la
dirección costumbrista que dominaba en las letras de
casi toda América: *Guaro y champaña* (1955), cuentos, y *El anzuelo de Dios* (1956), novela. RICARDO
TRIGUEROS DE LEÓN (1917), fino sonetista en *Presencia de la rosa*, se ha distinguido por su prosa impresionista, artísticamente matizada.

Nicaragua. FERNANDO SILVA ESPINOZA (1927).

Costa Rica. Después de Marín Cañas y de Fallas, a quienes ya hemos estudiado, apareció otra pareja de novelistas de consideración. FABIÁN DOBLES (1918), con sus forceps marxistas, ha sacado algunas novelas de la dolorosa realidad de injusticias, privilegios y miserias sociales. *Ese que llaman pueblo* (1942) es la historia de las penurias de un joven campesino. En *El sitio de las abras* aparece uno de sus temas preferidos: el injusto despojo de la tierra a los trabajadores. *Una burbuja en el limbo* muestra, aún más que las novelas anteriores, el lado personal y literario de Dobles. Ha cultivado, asimismo, el cuento y la poesía. También de franca actitud política, JOAQUÍN GUTIÉRREZ (1918) ha novelado temas del imperialismo, del trabajo en el bananal del Atlántico, pero lo hace a veces con las técnicas del monólogo interior. *Manglar* (1946) sigue los pasos —y los pensamientos— de Cecilia en sus peripecias como maestra y mujer, en la ciudad y en la serranía. *Puerto Limón* (1950), menos poética, es más rica en observaciones, si bien lo que se observa es más la masa que el individuo. Ha publicado *Poesía* (1937) y relatos infantiles (*Cocorí*, 1954). En el lado más subjetivo, y con estilo de más complejidad, se distinguieron YOLANDA OREAMUNDO (1916-1956), que representa sus experiencias del tiempo con técnicas del fluir psíquico en *Tierra firme* y en *La ruta de su evasión.*

Panamá. Los narradores de esta generación, en su mayor parte, se reconcentraron en la realidad nacional, rural o urbana, y con fe en el pueblo, pero con los ojos abiertos a los males de la sociedad, convirtieron la literatura en un medio de protesta. Lo que les faltaba en recogimiento estético les sobraba en militancia práctica. Sobreestimación de lo popular a costa de la virtud artística. JOSÉ MARÍA SÁNCHEZ B. (1918) —autor de *Tres cuentos*, 1946, y de *Shumio-Ara*, 1948— ha descrito, en el violento paisaje de una

región panameña, la vida de los trabajadores y las injusticias sociales. Mario Augusto Rodríguez (1919)
ha elegido como escenario más bien la franja en que
campo y ciudad se interfieren. Mario Riera (1920) y
Carlos Francisco Changmarín (1922) son también
narradores provincianos, desconformes y sentimentales.
José A. Cajar Escala (1915), que novela en *El cabecilla* (1944), con intención política, un fracasado alzamiento de campesinos. A diferencia de los mencionados
anteriormente, hay otros cuentistas de tema urbano:
Juan O. Díaz Lewis (1916), Fermín Azcárate
(1922). Pero en general los escritores panameños sentían que las ciudades negaban lo nacional o que, en
todo caso, lo que podía justificar una novela de ciudad
era la descripción de sus masas populares. Adrede
hemos dejado para el final, en este grupo realista, a
los dos mayores novelistas: Beleño y Jurado. Joaquín
Beleño (1921), en *Luna verde* (1951), documenta
sus propias experiencias de trabajador vejado en la
zona norteamericana del Canal. Es un cuadro de
miseria y desamparo, en contraste con la ciudad de Panamá, falsamente próspera, cuadro trazado sin disimu-
lar el resentimiento. Ramón H. Jurado (1922) es de
temas más variados. *San Cristóbal* (1947) es la novela,
lenta y a veces emocionada, de la explotación del
azúcar. *¡Desertores!* (1952) reconstruye la "guerra de
los mil días" (entre 1899 y 1902), con el legendario
caudillo indígena Victoriano Lorenzo. En *El desván*
(1954) —basándose en el extraño libro de Francisco
Clark, *A través del tormento*, 1931— Jurado analiza
la psicología de un personaje que es testigo de su
macabro y horroroso anquilosamiento.

iii) *Antillas*

Cuba. Virgilio Piñera (1914), de actitud irónica,
desesperanzada, angustiosa y filosofante. En sus *Cuentos fríos* —un frío de infierno— la imaginación llega

al dolor. Aunque hermético, pule sus imágenes con tanto cuidado que a su través vemos, aumentado, el sinsentido del mundo y los absurdos movimientos de nuestra existencia. Los cuentos de HUMBERTO RODRÍGUEZ TOMEU (1919) están en la corriente irracionalista, sobrenadando en lo absurdo y grotesco de la vida. GUILLERMO CABRERA INFANTE (1929) es narrador de la vida interior (por lo menos de esa interioridad iluminada por sus autores norteamericanos favoritos: Faulkner, por ejemplo). LORENZO GARCÍA VEGA (1926), en sus *Espirales del Cuje* (1951), evoca recuerdos personales. SURAMA FERRER (1923) es novelista en *Romelia Vargas* (1950) y cuentista en *El girasol enfermo* (1953). RAMÓN FERREIRA (1921) entra en la vida cubana pero buscando los resquicios psicológicos, las atmósferas claroscuras: *Tiburón y otros cuentos* (1952). RAÚL GONZÁLEZ DE CASCORRO (1922), después de sus narraciones rurales y enternecidas, se ha dedicado al teatro: *Árboles son raíces* (1960).

Santo Domingo. Predominó la tendencia a reflejar la vida nacional, con sus problemas sociales. JOSÉ RIJO (1915), cuentista esmerado, mesurado; NÉSTOR CARO (1917), en los cuentos de *Cielo negro* (1949), esquematiza situaciones de la gente humilde; RAMÓN LACAY POLANCO (1925), poeta, cuentista y novelista: *La mujer de agua* (1949), *En su niebla* y *Punto sur* (1958); y ALFREDO FERNÁNDEZ SIMÓ (1915), autor de la novela *Guazábara* (1958). J. M. SANZ LAJARA (1917) ha viajado por toda América y de sus observaciones han salido varias colecciones de cuentos realistas: *Cotopaxi* (1949), *Aconcagua* (1950) y *El candado* (1959).

Puerto Rico. Medio siglo de dominio de los Estados Unidos no pudo desplazar a Puerto Rico de su base hispánica. Más: fue creciendo, si no la voluntad de independencia política, por lo menos la voluntad de conservar lo esencial puertorriqueño. En la literatura se reflejó la opinión dividida: partidarios de la anexión

a los Estados Unidos, partidarios de la autonomía total.
En 1952 se llegará a una fórmula jurídica de conciliación: la mayoría del pueblo votó en el sentido de convertirse en Estado Libre Asociado. Hubo dramáticos
gestos nacionalistas, hechos de sangre, polémicas. La
afirmación de la personalidad histórica de la isla y
la defensa de sus valores será uno de los temas de la
narrativa puertorriqueña. Uno de los mejores cuentistas es RENÉ MARQUÉS (1919). En *Otro día nuestro*
(1955) los tópicos de la muerte, el tiempo, la angustia,
el asco, el miedo, la conciencia del ser, lo absurdo de la
vida, la libertad, tan traídos y llevados por los existencialistas, se meten en tirabuzón en la realidad política
puertorriqueña, en esa de los episodios heroicos o qui-
jotescos del nacionalismo. Marqués es hombre de inquietudes políticas, preocupado por la soberanía nacional, pero sutil, complejo y capaz de sorpresas. Su novela
La víspera del hombre (1959) es una dolorosa historia
de amor, amor de Pirulo no sólo a una mujer, sino
a la tierra y su pueblo humilde. La acción transcurre
en 1928, y uno de los hilos de la trama está teñido
con el rojo de la pasión política. El diálogo entre
Pirulo, que quiere la república, y Raúl, conforme con
la dominación norteamericana, es uno de sus momentos. Además de sobresalir en la literatura narrativa,
Marqués es importante en la producción teatral. *La
carreta* (1952) presenta, en tres actos, la historia de
una familia que se desarraiga del campo, se muda a
un arrabal de la ciudad de San Juan y después a Nueva
York. Ha recogido en un volumen, *Teatro* (1959),
"Los soles truncos", "Un niño azul para esa sombra"
y "La muerte no entrará en palacio". También ha
publicado el drama "El sol y los MacDonald" y una
"pantomima", *Juan Bobo y la dama de occidente*
(1956).

Otro de los buenos narradores es ABELARDO DÍAZ
ALFARO (1920), autor de los cuentos de *Terrazo*
(1948), de ambiente campesino. Dentro del realis-

mo, sus frases son graciosas, a veces con sobretonos
de protesta por las penurias sociales; en algunas páginas simboliza con animales los conflictos humanos.
El narrador del habitante de las ciudades fue José
Luis González (1926). Tiene varias colecciones de
cuentos: *En la sombra* (1943), *Cinco cuentos de sangre* (1945), *El hombre en la calle* (1948), *En este
lado* (1954). De 1950 fue su novelita *Paisa*, pero la
reeditó, muy modificada, en 1955. Allí entreteje, hábilmente, un relato y una evocación. El relato: un atraco
de dos puertorriqueños a un almacén de Nueva York.
La evocación: la que uno de ellos, Andrés, el paisano,
el "paisa", hace de su propia vida, desde su infancia
hambrienta en Puerto Rico hasta su hambrienta adolescencia en Nueva York. La técnica del entretejido, y
algunas frases de viva imaginación y aun poesía, nos
piden que respetemos a José Luis González, escritor.
Sin embargo, la novelita se perjudica por la impacien-
cia con que el autor da salida a su voluntad política
sin haberla antes estilizado artísticamente. Los esquemas políticos —de tipo marxista— son obvios: los
sufrimientos de la clase trabajadora, las injusticias sociales, el imperialismo yanqui, la discriminación racial, el
bandidaje como defensa inmediata y la lucha revolucionaria como solución mediata. Perucho es el "razonador", el que levanta una consigna optimista desde
el fondo de la tragedia de *Paisa*. PEDRO JUAN SOTO
(1928), en *Spicks* (1956), también nos da cuentos
sobre el puertorriqueño en Nueva York, escritos con
una prosa escueta, un poco a la manera de Hemingway.
Ha escrito novelas —*Los perros anónimos*, *Usmaíl*— y
piezas teatrales. GUILLERMO COTTO-THORNER (1916)
es otro de los que se inspiraron en la colonia puertorriqueña de Nueva York: *Trópico en Manhattan* (1951).
CÉSAR ANDREU IGLESIAS (1918?) es uno de los novelistas de más fuerte personalidad: contó en *Los derrotados*
(1956) la acción terrorista del nacionalismo, cuando
atacaron en Washington a funcionarios del gobierno.

Después publicó otra novela: *Una gota de tiempo* (1958). (Acá debería ir Díaz Valcárcel pero, por error de fecha que sólo pudimos corregir cuando este libo estaba compuesto, se lo encontrará en el Apéndice.) José Luis Vivas se aparta del grupo anterior por sus relatos más sentimentales, menos combativos: *Luces en sombra* (1955). Otros nombres de esta generación: Edwin Figueroa (1925), Salvador de Jesús (1927), Violeta López Suria, Manuel Toro (1925), Jorge Felices (1917).

iv) *Venezuela*

En el año 1940 irrumpe una generación de cuentistas. Son diferentes entre sí, unos calando la vida nacional, en el campo o en la ciudad, otros autocontemplándose o siguiendo ejemplos literarios ajenos. Gustavo Díaz Solís (1920) es un buen paisajista, y sus cuentos decaen cuando entran en la ciudad: *Marejada* (1941), *Llueve sobre el mar* (1942), *Cuentos de dos tiempos* (1950). Óscar Guaramato (1916) pinta bien los fondos de la naturaleza —paisajes, animales— y en un primer plano presenta, con ternura, sus personajes humanos: *Biografía de un escarabajo* (1949). Humberto Rivas Mijares (1919) es un artista de bien disciplinado estilo, preciso, conciso en su descripción de las cosas: *Ocho relatos* (1944), *El Murado* (1949). Antonio Márquez Salas (1919) sorprende la naturaleza en sus gestos más dramáticos, y un aura lírica envuelve a sus personajes: *El hombre y su verde caballo* (1947), *Las hormigas viajan de noche* (1956). Luego aparecieron Héctor Mújica (1927), Roger Hernández (1921), Alfredo Armas Alfonso (1921), Andrés Marino Palacio (1928), Oswaldo Trejo (1925), Francisco Andrade Álvarez (1920), Eduardo Arcila Farías (1918), Horacio Cárdenas (1924), Mireya Guevara (1923). Ramón González Paredes (1925) se ha distinguido en varios géneros: poesía, tea-

tro, ensayo, y, en la narrativa, por los cuentos de *Crimen
extraordinario* (1945) y las novelas *El suicida imaginario* y *Génesis*.

v) *Colombia*

JAIME ARDILA CASAMITJANA (1919) volcó la materia de su novela *Babel* (1943) dentro de la cabeza
de un protagonista intelectual e hizo un fino análisis de
la percepción del tiempo y de los estados confusos
de la personalidad. JESÚS BOTERO RESTREPO (1921)
fue el novelista de la selva, con *Andágueda* (1947).
JAIME IBÁÑEZ (1919) ha narrado episodios de guerras
civiles (*Donde moran los sueños*) y, con estilo más
poético, el sufrimiento humano ante una naturaleza
que se destruye a sí misma (*Cada voz lleva su angustia*). Notable, *La hojarasca* (1955) de GABRIEL GARCÍA MÁRQUEZ (1928). El novelista cede el relato a
tres testigos del cadáver de un suicida: el niño, la madre y el abuelo. Gracias a sus monólogos interiores
—simultáneos y trenzados en menos de una hora, en
1928— el lector ata los cabos sueltos y se va enterando de lo ocurrido en más de un siglo. La acción
avanza, retrocede, zigzaguea. Es la historia del extraño
doctor francés, de una familia, de todo un pueblo
arruinado. NÉSTOR MADRID-MALO (1918), en *Suerte
a las 7 y otros relatos* (1955) es de los que se despegaron de las fórmulas del costumbrismo y, con prosa
sencilla, se acercaron a los hombres para describir sus
psicologías. Otros narradores: MANUEL MEJÍA VALLEJO (1923), CLEMENTE AIRÓ (1918), PRÓSPERO MORALES PRADILLA (1920), RAMIRO CÁRDENAS (1925),
autor de *Dos veces la muerte y otros cuentos* (1951),
EDUARDO SANTA (1928) se dio a conocer con *La
provincia perdida* (1951). ¿Novela? Sólo en el sentido
en que puede decirse que el *Platero y yo* de Juan Ramón Jiménez lo es. ¿Poemas en prosa? Sólo en el
sentido en que puede decirse que lo son las "confesio-

nes de un pequeño filósofo", en "los pueblos" de
Azorín. Más bien, álbum de estampas de la vida en
Aldeópolis, tal como las evoca un adolescente bien educado. O, mejor todavía, diario íntimo. Escenas, tipos,
costumbres, paisajes, cosas reales, pero la realidad que
siempre se impone es la de la sensibilidad del autor,
andariego y artista. En su novela *El girasol* Santa ana-
lizó después los movimientos oscuros de la psicología
anormal.

vi) *Ecuador*

ADALBERTO ORTIZ (1914) apareció en 1942 con
Juyungo, una de las buenas novelas hispanoamericanas.
El tema dominante es la raza negra y sus mezclas con
indios y blancos: prejuicios, resentimientos, odios. Pero
la intención del autor es sobreponer a la preocupación
por los sufrimientos de su raza los sufrimientos más universales causados por la injusticia social y la guerra.
La corriente de la acción deshace los caracteres, dibu-
jados como en el agua. Apenas si permanece la figura
de Ascensión, el negro "Juyungo", a quien vemos desde
la infancia hasta su muerte, durante la invasión peruana
del Ecuador, en 1941. La luz cae sobre la terrible
naturaleza y las primitivas costumbres de negros, indios,
mulatos y zambos. Todo lo demás, aunque indicado,
queda en el lado de sombra. La explotación de los
pobres, la bajeza política, la enfermedad, la superstición,
la violencia, la muerte, el arduo trabajo en selvas y ríos
de Esmeraldas ocupa la mayor parte de *Juyungo.* Pero
también hay idilios, nobles ideales políticos, reflexiones
patrióticas, esperanzas de mejora. La novela no tiene
unidad de estilo. Frases imaginativas a vueltas con
clisés desgastados. Novela desordenada, no siempre
porque el autor lo quiera. Los episodios se suceden
gratuitamente, en una línea de puntos continuos. Cada
capítulo está precedido por un fragmento de lo que
oye y ve el "oído y ojo de la selva". Hay, pues, un
intento de composición artística. Y, en efecto, la falta

de argumento y la acumulación de tantas palabras
dialectales, de tantas escenas extrañas, de tantas cosas
desconocidas acaba por crear una atmósfera poética.
Después recogió Ortiz once relatos en *La mala espalda*
(1952). Son de una realismo lírico, sobre todo en la
descripción del paisaje, pero la naturaleza no cubre
la voz de los hombres. En un clima de violencia, vemos perecer a los débiles, sobrevivir a los fuertes. Los
móviles son el miedo, la avaricia, las pasiones elementales, los celos. También aquí aparece la preocupación
racial, y sus procedimientos para representar el fluir
de la conciencia. Últimamente ha publicado su antología poética: *El animal herido* (1959). PEDRO JORGE
VERA (1915) apareció como poeta: *Nuevo itinerario,
Romances madrugadores* y *Túnel iluminado*. Después
nos dio la novela *Los animales puros* (1946), que en
vez de deslizarse por los exteriores de la realidad ecuatoriana —según hacían otros novelistas— se metió en
lo hondo de los personajes. Siguió un libro de cuentos:
Luto eterno y otros relatos (1950), más sencillos aunque también densos en vistazos introspectivos.

vii) *Perú*

CARLOS ZAVALETA (1928) es de los más notables
narradores de su generación. Sus relatos, desde *El cínico*
(1954) hasta *Los Ingar* (1956), trabajan con el problema del indio, pero no desde el punto de vista de la
sociología, sino más bien con atención a los matices
psicológicos. El conocimiento de la literatura norteamericana, sobre todo de Faulkner, ha enriquecido su
técnica, y a pesar de la materia común, no podría
agruparse con los regionalistas anteriores, del tipo de
José María Arguedas. GUSTAVO VALCÁRCEL (1921)
arma sus experiencias políticas y sociales con los procedimientos de la novela psicológica: *La prisión* (1951)
es un documento sobre los sufrimientos de la juventud perseguida por las fuerzas reaccionarias. ELEODORO

Vargas Vicuña (1924) ha cultivado el cuento rural, pero lo hace en forma de viñetas poéticas: *Nahuín*. José Durand (1925) ha escrito excelentes cuentos, con rara combinación de humor y fantasía: *Gatos entre nosotros* (1960).

viii) *Bolivia*

Dentro de la novelística predominantemente social se destaca Raúl Botelho Gosálvez (1917): *Borrachera verde* (1938), *Coca* (1941), *Altiplano* (1945), *Vale un Potosí, entremés* (1949), *Tierra chúcara* (1957). Su juvenil novela *Coca* es la historia del fracaso de Álvaro, joven aristócrata que, de la guerra del Chaco, vuelve a La Paz moralmente deshecho, se va a la selva para buscar oro, tiene amores con dos mujeres igualmente apasionadas, aunque de opuestas clases sociales, se envilece con el vicio de la coca y acaba por suicidarse. Botelho Gosálvez junta —sin amalgamar— el realismo socialista con el esteticismo todavía modernista y valleinclanesco. El nervio más estremecido es el erótico.

ix) *Chile*

En general puede decirse que los narradores de este período no quisieron saber nada con los criollistas, por lo menos con los criollistas que se limitaban a inventariar hechos externos. Del pasado chileno les interesaba más bien la dirección psicológica, urbana, de D'Halmar-Barrios-Prado-Maluenda-Edwards Bello-Manuel Rojas. Pero si los une este rechazo a una literatura excesivamente vernacular, excesivamente cargada de geografía, botánica, zoología y etnografía, vuelven a separarse por el modo de acentuar sus narraciones: acentos sociales y políticos, imaginativos y formalistas. Los cambios traídos por la industrialización, la economía planificada, la violenta aspiración de las masas al go-

bierno y la segunda Guerra Mundial, más los cambios
de técnica literaria que resultaron de los experimentos
emprendidos desde la generación de James Joyce y
Compañía, modificaron el contenido y la forma de la
novela y el cuento. VOLODIA TEITELBOIM (1916), militante comunista, denuncia en sus narraciones la explotación de la clase trabajadora y la lucha contra las
compañías extranjeras. FERNANDO ALEGRÍA (1918), que
se había distinguido por sus biografías noveladas, se
orientó con *Camaleón* (1950) hacia la novela, si no
política, con sensibilidad política. Después de los cuentos de *El poeta que se volvió gusano* (1956) —también de tono político— escribió una novela apicarada
sobre la vida de los hispanos en San Francisco, Cali-
fornia: *Caballo de copas* (1957). La trama entreteje
tres hilos: la historia de un caballo, el amor de Mercedes y el narrador y la huelga de los estibadores capi-
taneados por Marcel, el padre de Mercedes. GUILLER-
MO ATÍAS (1917) noveló, en *El tiempo banal* (1955),
vidas de varios niveles sociales, con especial atención
a lo psicológico; ROBERTO SARAH (1918), seudónimo
de Andrés Terbay; EDMUNDO CONCHA CONTRERAS
(1918?), CARLOS LEÓN (1916), PABLO GARCÍA (1919)
y otros van acercándose a lo que se ha llamado la
"generación de 1950". El definidor de esta generación
es ENRIQUE LAFOURCADE (1927). Su literatura —prosas poemáticas, cuento, novela— se niega a dejarse
acorralar en ningún localismo agrario; se niega también
a proponer para los problemas de la literatura solucio-
nes que no sean, ante todo, literarias. JOSÉ DONOSO
(1925), después de los cuentos de *Veraneo* —lejana-
mente emparentados con Henry James, Faulkner, Tru-
man Capote—, escribió una de las mejores novelas de
los últimos años: *Coronación* (1957). Pinta un hogar
tradicional de la clase alta de Santiago, y va mostrando
su descomposición y ruina, en contraste con la fuerza
de la masa popular. La prosa, y los procedimientos
constructivos, son personales. JOSÉ MANUEL VERGARA

(1929) alcanzó nombradía con su novela *Daniel y los leones dorados* (1956), buceo en la vida contemporánea, en Inglaterra y España, desde un punto de vista católico, próximo al de Graham Greene en el análisis de la psicología religiosa. Su último libro: *Las cuatro estaciones* (1958). CLAUDIO GIACONI (1927), animado por lecturas de la literatura internacional (especialmente de lengua inglesa, como Faulkner, Wolfe y otros), rechazó el hábito regionalista de la narrativa chilena y apareció en las letras con ímpetu rebelde, revisionista, enjuiciador y se metió dentro de las vidas de sus cuentos: *La difícil juventud* (1954). HERBERT MULLER (1923) tiende, en *Perceval y otros cuentos* (1954), al cuento esquemático, sutil, ceñido a los personajes, sin descripción de exterioridades. Después publicó una noveleta: *Sin gestos sin palabras sin llanto* (1955). ARMANDO CASSIGOLI (1928) contempla la vida con ojo festivo, complaciéndose en lo absurdo: *Confidencias y otros cuentos* (1955). Otros: GUILLERMO BLANCO (1927?), MARIO ESPINOSA (1924), ALFONSO ECHEVERRÍA (1922), LUIS SÁNCHEZ LATORRE (1925), JAIME LASO (1927?), MARGARITA AGUIRRE (1925?).

x) *Paraguay*

AUGUSTO ROA BASTOS (1918), poeta en *El naranjal ardiente*, es el más representativo de los narradores paraguayos de esta generación. *El trueno entre las hojas* (1953) son diecisiete cuentos que describen la violencia y la miseria de la vida nacional. La prosa tan pronto se pega al habla regional (mezcla de español y guaraní) como se retuerce con artificios literarios. Protesta por la situación social y política de su patria, y su tono es de esperanza en la reivindicación de las clases oprimidas. En *Hijo de hombre* (1959) va contando, animando y explicando la vida de su pueblo paraguayo. JOSÉ MARÍA RIVAROLA MATTO (1917) ha novelado, en *Follaje en los ojos* (1952), la explotación

de los obreros en los yerbatales. Otro narrador: Néstor
Romero Valdovinos (1916).

xi) *Uruguay*

Los narradores podrían apartarse en dos familias,
una de raíces en el suelo nativo, de emociones más
fáciles, realista, descuidada en el estilo; otra de técnicas
más rigurosas e inteligentes, esmerada en el estilo de la
frase menor y en la construcción de la total arquitectura. En la primera se distinguen, con sus relatos
nativistas, Luis Castelli y Julio C. da Rosa (1920).
Este último ha madurado desde los cuentos de *Cuesta
arriba* (1952) hasta los de *De sol a sol* (1955), si bien
dentro de los límites que se impuso: campo, pueblo,
criaturas humildes comprometidas en humildes tareas,
anécdotas tristes, palabras más de la conversación que
de la literatura. En la segunda familia, de más ambición estética, se distinguen Carlos Martínez Moreno
(1918), inteligente y complejo; Ángel Rama (1926),
el autor de ¡*Oh sombra puritana!* (1951); José Pedro
Díaz (1921), que afantasma la realidad en su relato
El habitante (1949); María Inés Silva Vila, con sus
cuentos de tema fantástico y estilo artístico: *La mano
de nieve* (1951); Clotilde Luisi en *El regreso y otros
cuentos* (1953) y Giselda Zani en *Por vínculos sutiles*
(1958), ambas cuentistas de tono fantástico; Mario
Arregui (1917) mantiene su tensión constructiva y
su inteligente selección verbal aun en los momentos
en que describe las costumbres vulgares: *Noche de
San Juan y otros cuentos* (1956); Mario Benedetti
(1920) es buen observador de las almas de sus personajes, generalmente vistos en ambientes citadinos. Es
también poeta y ensayista, pero su producción narrativa es más considerable: *Esta mañana* (1949), *El último viaje y otros cuentos* (1951), *Quién de nosotros*
(1953), *Montevideanos* (1959).

xii) *Argentina*

Una de las figuras descollantes de esta generación —en poesía, ensayo y novela— es la de H. A. MURENA (1924?). Más: ha sido una de las cabezas pensantes, uno de los definidores de su generación. Su trilogía *Historia de un día* ("La fatalidad de los cuerpos", "Las leyes de la noche" y "Los herederos de la promesa") y sus cuentos de *El centro del infierno* (1956) nos dan una visión desesperada y desesperanzada. Se compromete con la realidad, y la describe con crudeza; pero, en los cuentos mencionados, para comunicar mejor su sentimiento de que el mundo nos es hostil, ha preferido darle una dimensión fantástica. El horror, lo desconocido no son en Murena goces de la imaginación, sino sufrimiento. Es como si narrara marasmos interiores, desvencijamientos del alma; y lo hace con gesto desabrido y avinagrado. Está como disgustado con la vida, cansado del sinsentido de todo lo que lo rodea, y se deja estar y se hunde en lo oscuro, en el hastío, en la soledad. Atmósferas de fracaso, de degradación. Otro de los más descollantes es JULIO CORTÁZAR (1916). Llamó la atención con *Los reyes* (1949), poema dramático en prosa. Prosa de notable fuerza en la definición de imágenes e ideas. Allí propuso una curiosa variante al mito del Minotauro. Ariana, enamorada de su monstruoso hermano el Minotauro, da el hilo a Teseo, no para que salga a salvo del laberinto, sino para que el Minotauro lo destruya y escape. Pero el Minotauro prefiere morir. Se deja matar para así sobrevivir oscuramente desde los sueños e instintos de Ariana; más, desde los sueños e instintos de todos los hombres. El Minotauro, desde entonces, habitará en nuestra sangre, nos regirá como un duende. Ya en *Los reyes* reconocemos el tema favorito de Cortázar: lo monstruoso, lo bestial, misteriosamente prendido al destino humano. Repárese en el título —tan significativo— del libro que le siguió: *Bes-*

tiario (1951), cuentos fantásticos. Y en *Final del juego* (1956), también colección de cuentos, reaparece el tema en "Axolotl", donde el narrador siente que es uno de los monstruos que está contemplando en el acuario. Aunque el tema de sus cuentos no sea la vida bestial, Cortázar ha de bestializar al hombre en crueles descripciones, como en el pesadillesco relato "Las Menadas". Es posible que un lector no muy atento, al dejarse impresionar por la aguda percepción de detalles con que Cortázar empieza sus narraciones, crea que va a enfrentarse con hombres y cosas de todos los días. Pronto advertirá, sin embargo, que un aire de alucinación y de poesía se mete por los intersticios de la realidad, envuelve el episodio y lo hace acabar en fantasmagoría. En "La banda" hay intención satírica: esa "realidad" fea, sórdida, absurda, grotesca es la del peronismo. El protagonista, Lucio, "comprendió que esa visión podía prolongarse a la calle, al Galeón, a su traje azul, a su programa de la noche, a su oficina de mañana, a su plan de ahorro, a su veraneo de marzo, a su amiga, a su madurez, al día de su muerte". Y, disgustado, se desterró de la Argentina. Uno sospecha que esa inundación de vulgaridad arrambla también la lengua de escritores educados en literaturas refinadas y políticamente adversos al peronismo pero que, de pronto, creen que hablar como la masa es gracioso (Bioy Casares y Borges, en *Isidro Parodi*) o vigorosamente real (Cortázar). En sus cuentos Cortázar no construye. Escribe con cierto desgano y se descuida en la composición. Lo mismo podría decirse de su última colección de cuentos: *Las armas secretas* (1959). Acaso el mejor de ellos sea "El perseguidor". El ambiente —jazz, vicio, delirio, sordidez, etc.— está muy bien visto: es el de la generación golpeada, de los jóvenes desorientados y perdidos de los últimos años. Pero el aflojamiento de las costumbres afloja también el estilo del narrador. Bruno, crítico de jazz, ha escrito un libro sobre la música de su amigo Johnny,

saxofonista erótico, borracho y mariguano. Está preparando la segunda edición: oye atentamente lo que
Johnny tiene que decir sobre su propia música y sobre
el libro que él, Bruno, ha escrito. Pero Johnny es tan
incoherente que en realidad no dice nada: apenas si
alude a algunos temas (el tiempo, Dios) y no hay evidencia de que detrás de sus balbuceos haya de veras
sentido profundo (ni siquiera hay evidencia de que
Cortázar sienta profundamente esos temas). Johnny,
finalmente, muere; y así, con una nota cronológica en
la segunda edición, se cierra la novela; y esto es todo.
A pesar de lo dicho, Cortázar es uno de los buenos
cuentistas de Hispanoamérica, y los críticos tendrán
que estar atentos a su obra futura.

Gran parte de los cuentistas y novelistas de estos
años se empeñan en presentar la vida humana encajada
en un mundo visto en su totalidad. Las constantes
humanas que prefieren describir son las del sexo, la
violencia y la muerte. Figuran, en este grupo, F. J.
SOLERO (*El dolor y el sueño*); JUAN C. MANAUTA
(*Tierras blancas*); DAVID VIÑAS (*Cayó sobre su rostro,
Los años despiadados, Un Dios cotidiano*); ALBERTO
RODRÍGUEZ (*Donde haya Dios*); NÉSTOR BONDONI (*La
boca sobre la tierra*) y algunos más. Leyéndolos pa-
recería que la violencia es necesaria en una América
condenada, infernal. Algunos narradores evocaron sus
años de adolescencia, poéticamente, como JULIO ARDI-
LES GRAY (1918) en *Elegía* (1952) (también en su
ciclo novelesco *Los amigos lejanos, La grieta* y *Los
médanos ciegos*). BEATRIZ GUIDO (1924) es otra de
las novelistas de la adolescencia: *La casa del ángel*
(1954), *La caída* (1956), *Fin de fiesta* (1958). Salvo
un débil intento de complicar la perspectiva —alter-
nadamente Adolfo es narrador-protagonista y también
personaje visto por un narrador que habla en tercera
persona— *Fin de fiesta* no trae novedades técnicas.
El viejo naturalismo —en todo caso, nuevo en una
mujer— destapa ahora el tacho de basura de una fami-

lia pudiente, en la política oligárquica de 1930 a 1945.
La "fiesta" a la que la revolución militar de 1943 pone
fin no es en verdad una fiesta: es sexo, crimen, decadencia moral, fealdad, malas costumbres en la sociedad,
el gobierno y la iglesia. El eje de la acción es la ciudad
de Avellaneda. Todo va dando vueltas con rapidez,
pero lo que se ve es superficial. La prosa, aunque no
tiene vigor descriptivo, es veraz en los diálogos. No hay
creación de caracteres: sólo situaciones en las que los
personajes se divierten o sufren. SILVINA BULLRICH
(1915) comenzó con poesías —Vibraciones, 1935—
pero su camino es la novela: La redoma del primer
ángel (1943), La tercera versión (1944), Bodas de
cristal (1952), Teléfono ocupado. En La tercera versión nos da la autobiografía que Paul, un escritor sin
vocación ni talento, y algo trastornado por fantasmas
familiares, dirige a su amada Claudia. Tenemos las dos
versiones del fracaso de su propio padre, un violinista
español (también llamado Pablo); la versión de la
madre (también llamada Claudia) según la cual ella,
deliberadamente, malogró por celos el genio del padre,
y la versión prosaica del médico amigo, según la cual
fue un músico mediocre que murió accidentalmente.
Cuando el médico, en su lecho de muerte, ofrece la
tercera versión, la verdadera, Paul se niega a oírla.
La novela se desmaya en el desenlace, aunque es entonces cuando el tono poético —sostenido a lo largo
de todo el libro— sube de punto. Excelente en la
presentación de un suave clima de misterio, falla en
la construcción de sus torres: "la simetría de destinos"
(los dos Pablos, las dos Claudias) no está novelesca-
mente resuelta. ESTELA CANTO (1920?), tanto en El
muro de mármol (1945) como en El hombre del crepúsculo (1953), se ha distinguido por la comprensión
psicológica de sus personajes. En esta dirección psicológica es curiosa la novela de CARLOS MAZZANTI (1926),
El sustituto, monologante, toda interiorizada. JUAN
CARLOS GHIANO (1920), en Extraños huéspedes, His-

torias de finados y traidores y *Memorias de la tierra
escarlata* pareció haberse decidido por la narración, pero
después ha logrado más éxito con el teatro. En el
género policial —que había dado sus momentos más
altos con Borges, Bioy Casares, Silvina Ocampo, Leonardo Castellani, Manuel Peyrou y Abel Mateo— se
distinguieron, en esta generación, ADOLFO PÉREZ ZE-
LASCHI (1920), RODOLFO J. WALSH (1927) y MARÍA
ANGÉLICA BOSCO.

MARCO DENEVI (1922) tuvo un éxito instantáneo
con su novela *Rosaura a las diez* (1955). Se ha cometido un asesinato, en un hotelucho de Buenos Aires:
la víctima, una muchacha. La policía interroga a varios
testigos. Las sucesivas declaraciones de cuatro de estos
testigos constituyen la novela. En la quinta parte, como
documento que completa el rompecabezas y no sólo
absuelve al acusado, sino que descubre a los verdaderos
asesinos, se reproduce una carta aclaratoria que la
muchacha asesinada dejó a medio escribir. El procedimiento de mostrar la misma realidad desde cuatro perspectivas diferentes permite a Denevi ejercitar su pe-
netración psicológica, su humorismo y, sobre todo, su
habilidad para que el lector, cada vez más ansioso,
se prenda al libro y no lo deje hasta el final. El pasado,
oscuro y complicado, va revelándose poco a poco. A las
diez de la noche —de aquí el título de la novela— es
cuando Rosaura entra, carne y hueso, en el mundo
de la pensión donde viven los personajes importantes
Su misteriosa personalidad —ficticia y real, inocente y
vil, encubierta y descubierta— enciende una luz en
medio de la fealdad de los hechos. El tema de un personaje inventado que de pronto se presenta ante su
mismo creador —ya lo hemos señalado a propósito de
El socio de Jenaro Prieto— está aquí desarrollado de un
modo realista.

Otros narradores: LUIS MARIO LOZZIA (1922), *Domingo sin fútbol;* VALENTÍN FERNANDO (1921), *Desde
esta carne;* ABELARDO ARIAS, *El gran cobarde* y *Álamos*

talados; Jacobo Feldman (1917), *Relato de una fuga;*
Adolfo Jasca, *Los tallos amargos;* David José Kohon,
El negro círculo de la calle; Gloria Alcorta, *El hotel
de la luna y otras imposturas;* Gregorio Scheines, *El
rostro perdido;* Emma de Cartosio, *Cuentos del ángel
que bien guarda;* Federico Peltzer, *Compartida.*

2. Teatro

Es visible el esfuerzo de los escritores para convertirse en profesionales de las tablas. Al dejar los teatros
experimentales —que obsequiaban piezas de calidad
literaria a públicos minoritarios— para abrazar el pro-
fesionalismo, algunos comediógrafos y dramaturgos se
pusieron a cocinar temas típicos para el paladar nacional. Esto, en general; pues también hubo teatro con
gran decoro artístico. Grupos universitarios o vincula-
dos a los círculos intelectuales de más categoría trataron de renovar las técnicas del espectáculo. Con el
crecimiento de las ciudades, fue creciendo también
la actividad escénica. Algunos autores fueron ya mencionados, por sus contribuciones a otros géneros, y por
eso no aparecerán acá.

En México uno de los autores más originales es
Elena Garro (1917); sus piezas —varias fueron recogidas en el volumen *Un hogar sólido,* 1958— trajeron
una concepción mágica, poética, evocadora, irónica y
algo superrealista de una materia tradicional. Luisa
Josefina Hernández (1928) es importante, por la
sostenida calidad de su constante producción. Vimos
Los sordomudos (1953). Sólo hay un sordomudo: la
criada. Pero el título se refiere a la sordomudez moral
de una familia de clase media en una provincia mexicana. El hogar está roto por el odio, el resentimiento,
la incompatibilidad. Son como sordomudos. Apenas
si se comunican. Al final los hermanos se dispersan y el
padre, un cínico, queda solo, acompañado por la criada.
Después Hernández ha dado obras mejores: *Los frutos*

caídos y, sobre todo, *Los huéspedes reales,* una de las
pocas buenas tragedias en toda su generación. Hemos
visto también *Miércoles de ceniza* de Luis G. Basurto
(1920): el diálogo se demora en discusiones sobre el
sentimiento religioso. Emilio Carballido (1925) conoce al dedillo su oficio. Prefiere sondear las almas
provincianas de la clase media. Entre sus mejores obras
se cuentan *Rosalba y los Llaveros* y *La danza que sueña
la tortuga.* Sergio Magaña (1924) es de los más pro-
blemáticos. En *Los signos del Zodiaco* presenta, en
un barrio pobre de la ciudad de México, la desorientación moral de los jóvenes. Una de las promesas más
seguras es la de Jorge Ibargüengoitia (1928), con su
comedia costumbrista *Clotilde en su casa.* Se destacan
también Rafael Solana (1915), Ignacio Retes (1918).

En Centroamérica, Alfredo L. Sancho (1922).
En las Antillas el puertorriqueño Francisco Arriví
(1915), que ha llevado a escena, con recursos nuevos,
los temas de la vida nacional; tiene varias obras, de
El diablo se humaniza (1941) a *Club de solteros*
(1953). En Venezuela, dejando aparte a la extraordinaria Ida Gramcko, a quien hemos visto entre los
poetas, se destaca Rafael Pineda (1926), seudónimo
de Rafael Ángel Díaz Sosa. Del Perú es Sebastián
Salazar Bondy (1926). Inteligente, culto, de hondos
sentimientos, preocupado por los problemas del hombre y por las condiciones sociales de la vida americana,
ha sobresalido en varios géneros: el ensayo, la poesía, la
narración (*Náufragos y sobrevivientes,* 1954; *Pobre
gente de París,* 1958). Pero su talento teatral reclama
que lo situemos en esta sección de nuestra historia:
Roau (1952), *No hay isla feliz* (1954), etc. Otro de
los valores teatrales peruanos: Enrique Solari Swayne
(1918), autor del drama realista *Collacocha.*

En Chile uno de los más distinguidos es Luis
Alberto Heiremans (1928). Además de sus colecciones de cuentos, con "niños extraños" y personajes
incomunicados con "los demás", ha representado obras

teatrales, con las que tuvo más éxito. El mejor
dramaturgo: EGON WOLF. Otro chileno: FERNANDO
DEBESA (1921). En Uruguay los tres más importantes
son ANTONIO LARRETA (1922), autor de *La sonrisa;*
CARLOS DENIS MOLINA, de quien ya hablamos, al ocu-
parnos de la poesía; y JACOBO LANGSNER (1924), experimentador con formas. Langsner es autor de *El
hombre incompleto, Los ridículos, La rebelión de Gala-
tea, El juego de Ifigenia.* También merecen mencio-
narse HÉCTOR PLAZA NOBLÍA, ALEJANDRO PEÑASCO,
ANGÉLICA PLAZA. En Argentina el grupo de autores
teatrales es numerosísimo. OMAR DEL CARLO (1918)
es autor de *Electra al amanecer, Prosperpina y el extranjero, El jardín de ceniza, Donde la muerte clava sus
banderas.* En *Proserpina y el extranjero* el mito del
rapto de Proserpina penetra como un rayo de luz en
la sórdida realidad de un inquilinato porteño y se
refracta en extraños reflejos de poesía. Sol en la charca,
que muestra esmeraldas en el agua podrida. El Mito,
personificado, avanza por el escenario y nos habla: al
conjuro de su palabra ocurren rápidas transmutaciones.
El infierno se muda a Buenos Aires; el Aquerón se
queda inmóvil, en sucio Río de la Plata; Hades, rey
del mundo subterráneo, se disfraza de Porfirio, el guapo, rey del hampa; la deidad Proserpina, hija de Deméter, es ahora Proserpina, una muchacha de los campos
del sur, que cae en un ambiente de infamia y prostitución. Hábilmente Del Carlo funde mito y realidad y
juntos se salvan para el arte dramático. Los personajes
son criaturas de la Argentina de hoy; y, sin embargo,
sus gestos y palabras tienen una fuerza que les viene
desde el fondo de los tiempos. Y el paisaje de los
trigales donde vivían Demetria y su hija Proserpina
nos sigue dando una emoción argentina aunque sepamos que ésos son los trigales de la deidad Deméter.
El enlace del mito de Proserpina raptada en el infierno
con las figuras de Claudio y Flavia —el punto moralmente más bajo del poder pagano y el arranque de la

expansión del cristianismo— agrega al drama intenciones de alegoría religiosa. La salvación final de Proserpina adquiere así valor de símbolo moral. Omar del
Carlo rompe la composición en marco del teatro mo-
derno y pone la acción en libertad: movimiento rápido
de escenas vivas, sueltas, desnudas, cambiantes. La
fluidez del teatro griego o del teatro de Lope de Vega
y de Shakespeare —después del endurecimiento de los
decorados realistas— vuelven ahora a correr por el
cauce de las formas nuevas del teatro contemporáneo,
formas que han aprendido del cine, sin imitarlo. Inferior nos parece *Donde la muerte clava sus banderas*
(1959). El tema —tan viejo como los bíblicos Amnon
y Thamar, del amor incestuoso de un hermano por su
hermana— reaparece en la Argentina de Mitre y
Urquiza, en vísperas de la batalla de Pavón. El padre
de los incestuosos —quien debe pagar al deseo de
venganza de una mujer su propio pasado de violencia—
se rebela contra Dios y muere. La idea es católica, y la
concepción del drama tiene un rápido movimiento
escénico, con coros. Pero la espectacularidad excede
el contenido mismo del drama. CARLOS GOROSTIZA
(1920) es humano, preocupado por los males sociales:
acertó en *El puente*, y después continuó una carrera
desigual, hasta *El último perro*. JULIO IMBERT (1918),
con *La lombriz, La mano, Este lugar tiene cien fuegos,
El diente, Úrsula duerme* y *La noche más larga del
año* adquirió una merecida reputación: personajes que
dialogan vivamente, escenas bien enlazadas, atmósferas
fatídicas, buceo psicológico, uso de símbolos, temas de
horror y repugnancia. Otras figuras importantes: AGUS-
TÍN CUZZANI, TULIO CARELLA, OSVALDO DRAGÚN,
PABLO PALANT, JUAN CARLOS GENÉ, VITO DE MARTINI.

3. ENSAYO

Es éste el género más abundante en Hispanoamérica. Sólo daremos unos pocos nombres, los más próxi-

mos a la literatura, dejando de lado, en lo posible, a
quienes se especializan más bien en otras disciplinas,
históricas, filosóficas o sociológicas.

En México, RAMÓN XIRAU (1924), ANTONIO ALA-
TORRE (1918). En Colombia, ANDRÉS HOLGUÍN (1919),
DANIEL ARANGO (1920), JAIME TELLO (1918), también
poetas; y OTTO MORALES BENÍTEZ (1920). En Perú,
ANTONIO PINILLA (1924), FRANCISCO MIRÓ QUESADA
(1918) y ALBERTO WAGNER DE REYNA (1915). En
Chile, en crítica literaria —debimos haber mencionado
en un capítulo anterior a DOMINGO MELFI, 1892-
1946—, uno de los que trabajan con rigor analítico es
ALFREDO LEFEBVRE (1917); en el ensayo filosófico,
FÉLIX MARTÍNEZ BONATTI (1928); a Fernando Alegría,
Luis Oyarzun y Jorge Millas se los encontrará en otras
secciones. En Uruguay, EMIR RODRÍGUEZ MONEGAL
(1921), CARLOS REAL DE AZÚA (1916). En Argentina,
ALBERTO M. SALAS (1922), EMMA SUSANA SPERATTI
PIÑERO (1919).

APÉNDICE

1955 - 1960

[Nacidos desde 1930]

Es evidente que estos escritores están dando pasos hacia alguna parte. ¿Hacia dónde? Ah, esto no es tan evidente. El grupo es demasiado juvenil: ni su dirección, ni su calidad, ni siquiera sus nombres significativos podemos conocer todavía. En general impresionan por su rostro serio, descontento y resentido. Salieron del cascarón cuando ya había terminado la segunda Guerra Mundial y ¿qué es lo que vieron? Vieron cómo se plasmaba un nuevo orden político, dividido en dos colosos —los Estados Unidos, Rusia—, armados con bombas atómicas, proyectiles y gases capaces de exterminar la especie humana. Vieron que se fomentaba el odio de naciones contra naciones y se llevaba la "guerra fría" al borde mismo del suicidio universal. Vieron un nuevo espectáculo: satélites mecánicos llenos de criaturas vivas circunnavegando nuestro planeta y preparativos para viajes siderales. Vieron cómo las potencias europeas o europeizantes, que antes habían justificado sus acciones en nombre de la expansión civilizadora, ahora lo hacían en nombre de la necesidad de sobrevivir en medio de la desintegración de los viejos imperios, y cómo China, África, India, Asia cerraban el ciclo del colonialismo y alteraban la composición de fuerzas. Vieron que entraban en el mismo círculo, y se sentaban alrededor de la misma mesa, países que aceleraban extraordinariamente la Revolución Tecnológica (en los últimos quince años), países que estaban ingresando apenas en la Revolución Industrial (que lleva ya 150 años) y países que todavía vivían en el período de la Revolución Agraria (unos 10,000 años). Vieron que la rebelión de las masas —con signos nacionalistas o comunis-

tas— convulsionaba todos los rincones del orbe. Vieron
la explosión demográfica (en nuestra América, con una
población de 185 millones, el índice de crecimiento es
del 2.5 por ciento anual, mientras el del mundo entero
es del 1.6 por ciento) y la inevitabilidad de un radical
cambio en la estructura económica, social y política. En
Hispanoamérica vieron regímenes de fuerza que se su-
cedían uno tras otro, con distintas concepciones del
Estado, desde la caída del régimen de Perón en Argentina hasta la instauración del régimen de Fidel Castro
en Cuba. Todo esto lo vieron con ojos pesimistas o
agónicos, sin comprender a veces que el nacimiento de
un nuevo orden moral, pese a sus caóticas apariencias,
es un bien en comparación con el orden inmoral que
prometía el plan fascista de 1936 a 1945. Eran demasiado jóvenes para comprenderlo. Y así, mientras la
técnica empequeñece el mundo, se les agranda la idea
de mundo, y en ese marco mental padecen en carne
propia la crisis del invidualismo. En el panorama de
las letras ven por todas partes impotencia, desesperación,
amargura. Hacen oír lamentos románticos, pero no son
ya lamentos de titanes: más bien pigmeos nostálgicos
de una grandeza pasada. Se sienten, no más solos
—puesto que siempre el escritor ha estado solo— sino
más incomunicados que nunca. Es un nuevo tipo de
soledad, desamparada pero anhelosa de comunión, aun
en la orgía. Soledad desconforme. Como cuando un
muchacho le dice a una muchacha: yo me entrego a ti,
tú te entregas a mí (el sexo como culminación), y los
dos juntos mandamos el mundo al diablo. Esfuerzo de
comunicación —no ya como subjetividad, sino como
reacción contra el mundo objetivo— que se orienta hacia contactos con escondrijos de vida antes despreciados
por las élites, o en formas de militancia social, a favor
del orden o del desorden. Ante un mundo absurdo, la
respuesta es la arbitrariedad; no hay sueños dorados
sobre el futuro, y se escribe, no para la posteridad, sino
para el presente. Y así estos escritores jóvenes suelen

comportarse escandalosamente como si quisieran ser personajes de una novela imaginada por el público. No es que esto sea nuevo: lo nuevo, en todo caso, es que haya adquirido importancia como índice de un estado social, de una dirección en el proceso histórico, de un gusto compartido por la mayoría. El neonaturalismo, el existencialismo, la propaganda comunista y católica, la expresión de lo telúrico en movimientos nacionalistas, el culto a la brutalidad y aun a la fealdad de grupos que denuncian los ideales liberales de la burguesía, los convencen de la necesidad de una "literatura comprometida": una literatura activa mediante la cual tomar posición ante nuestro tiempo y afirmar, así, libremente el programa de nuestras vidas personales. Una de las maneras de comprometerse es someter el pasado a una inexorable revisión crítica. Rechazan mucha poesía, excelente pero, según ellos, desvitalizada, elegiaca o excesivamente virtuosa en el juego de las palabras. El verso pierde su viejo poder. En la prosa también el revisionismo cambia las jerarquías: a juicio de muchos jóvenes, los estilistas disuelven el arte de contar en un mero despliegue de nubes. En cambio, esos jóvenes proponen violencias sin estilo, violencias por el gusto de la violencia. Hay preferencia por la novela (en la que entran a dominar los norteamericanos, especialmente Faulkner), concebida ahora como pudridero en la que toda realidad es materia corruptible; o, en todo caso, se cultiva la poesía sin confiar tanto como antes en su primacía dentro de las letras. Al hacer poesía no pueden menos de repetir algunas de las buscas de los escritores anteriores. Por ejemplo: el "invencionismo" de hoy —inventar verbalmente un mundo— se parece al "creacionismo" de ayer. En el fondo, la misma ambición de presentar cosas sorprendentes a fuerza de imágenes. Otros poetas se encierran en la angustia y allí a las superrealistas volutas de humo procuran darles perfiles de arte. Al margen de los "parricidas", de los denuncialistas, de los enjuiciadores, de los rebeldes escriben otros más serenos: los que se escapan de la realidad por el camino del ensimismamiento o del culto al pasado. Renacen así formas y fórmulas del Renacimiento. En suma: que unos descreen del heroísmo individual y se entregan a las masas; otros, resucitan un sentido heroico en el culto a las letras clásicas. Naturalezas autoritarias en nombre de las mayorías presentes, y naturalezas libres en nombre de los grandes genios de la historia. Nuestro respeto, a los individualistas que ni prevarican con ismos ni buscan clientela en las fáciles congregaciones políticas. En este apéndice, qué otro remedio, sólo hay espacio para nóminas.

A. PRINCIPALMENTE VERSO

México. El grupo más numeroso es el de los poetas con gesto político. El lirismo se cuela por las rendijas de esas ventanas asomadas a los problemas de la paz, la lucha de clases, el indio, la solidaridad, la justicia, etc. El propósito, sin embargo, es comunicarse con el pueblo, con palabras sencillas referidas a una realidad inmediata. Hay otras direcciones, sin embargo. Ya vimos, en el capítulo pasado, a Rubén Bonifaz Nuño y Rosario Castellanos; y también a Tomás Segovia. En estos últimos años el poeta es MARCO ANTONIO MONTES DE OCA (1931). Deja que su conciencia vaya discurriendo libremente por las palabras; y esa corriente psíquica es rica en temporalidad. En *Pliego de testimonios* constelaciones de metáforas se van desplazando, como en un sueño. *Delante de la luz cantan los pájaros* (1959) —donde se recogen libros anteriores— muestra su imaginería y preocupación por lo humano. La imaginación creadora de Montes de Oca va diluviando sobre el mundo miriadas de miríficas gotas. Todo el mundo queda bellamente irisado con tantas metáforas de aguda luz poética. Gotas, esto es, intuiciones redondas, mínimas, rápidas, fluidas, sorprendentes por su originalidad. Libertad, pero no la del espontáneo superrealista —que nos mezcla la joya y el barro—, sino la del lúcido forjador de mitos en miniatura, orgulloso orfebre de formas limpias. De recordar un taller, sería más el de Huidobro que el de Neruda.

Centroamérica. En Guatemala se juntaron, en *Poemario* (1957), JULIO FAUSTO AGUILERA, IVÁN BARRERA, MARIO EFRAÍN HERNÁNDEZ, DONALDO ESTRADA CASTILLO, MARTÍN GOMAR, JUAN FRANCISCO MANRIQUE, HÉCTOR GUILLERMO PINEDA y CARLOS ZIPFEL Y GARCÍA. En Honduras, ÓSCAR ACOSTA (1933), con su *Poesía menor*, clara, comunicativa, aun conceptual, y POMPEYO DEL VALLE (1930). En Costa Rica, VIRGINIA GRÜTTER (1929) y ENRIQUE MORA SALAS (1930), celebrado por sus "tres sonetos a la rosa". En Panamá se empinan GUILLERMO ROSS ZANET (1930), DEMETRIO J. FÁBREGA (1932), EDISON SIMONS QUIRÓS (1933), JOSÉ FRANCO (1931) y ÁLVARO MENÉNDEZ FRANCO (1933).

Antillas. En Cuba, FAYAD JAMIS (1930), ROSARIO ANTUÑA (1935) y ROBERTO FERNÁNDEZ RETAMAR (1930), quien celebró las luchas por la liberación de Cuba en *Vuelta de la antigua esperanza* (1959): uno de sus poemas más conmovedores, "El otro". En Santo Domingo las voces más promisoras son de MARCIO VELOZ MAGGIOLO (1936), ABELARDO VICIOSO (1930), JUAN SÁNCHEZ LAMOUTH (1929), RAFAEL LARA CINTRÓN (1931), ABEL FERNÁNDEZ MEJÍA (1931), JUAN ALBERTO PEÑA LEBRÓN (1930). En 1957 se dieron a conocer, en *Trío*, MÁXIMO AVILÉS BLONDA (1931), LUPO HERNÁNDEZ RUEDA (1931) y RAFAEL VALERA BENÍTEZ (1938). En Puerto Rico, JORGE LUIS MORALES (1930) y ¿por qué no? la niña prodigio ELSA JOSEFINA TIÓ (1952?).

Venezuela. Los jóvenes, al mirar hacia atrás, reconocen, además de los nombrados, la excelencia de José Antonio Ramos Sucre, Rodolfo Moleiro y Luis Barrios Cruz (de esa década se nos olvidó nombrar, en el capítulo pertinente, a Pedro Rivero, 1893-1958, y a Julio Morales Lara, 1894-1952). Mirando siempre hacia atrás,

reconocen el magisterio de Manuel Felipe Rugeles, José
Ramón Heredia, Juan Beroes (también leen a Manuel
Rodríguez Cárdenas y, de Héctor Guillermo Villalobos,
les impresiona la gracia lírica de sus romances y el
sentido social; olvidamos en su lugar a dos poetas todavía estimados: José Miguel Ferrer, 1904, y Luis Fernando Álvarez, 1902-1952). Más cerca todavía, en la
generación que siguió, reconocen, además de los que
consignamos en el capítulo XIV —sobre todo a Aquiles
Nazoa, por su humor popular—, estos otros nombres
que debimos haber situado allí: Morita Carrillo (1921),
la más alta expresión de la poesía con motivos infantiles; Juan Manuel González (1924) y Manuel Vicente
Magallanes (1922). Pero ¿quiénes son estos poetas jóvenes, cuya mirada retrospectiva hemos tratado de ima-
ginarnos? Aparecieron alrededor de 1950, en numeroso
grupo. Unos son claros, nativistas (RAFAEL JOSÉ MU-
ÑOZ, 1928; JESÚS ROSAS MARCANO, 1932; LUCILA VE-
LÁZQUEZ, 1929); otros son más herméticos, intelectuales
o universales (RAMÓN PALOMARES, 1935; FRANCISCO
PÉREZ PERDOMO, 1929; JUAN SALAZAR MENESES, 1929;
ALFREDO SILVA ESTRADA, 1934; EDMUNDO J. ARAY,
1936; ALFREDO CHACÓN, 1937; GUILLERMO SUCRE
FIGARELLA, 1933; RÉGULO VILLEGAS, 1930); otros son
sentimentales, afirmativos (MIGUEL GARCÍA MACKLE,
1927; CARLOS GOTTBERG, 1929; JUAN ÁNGEL MOGO-
LLÓN, 1932; JOSÉ JOAQUÍN BURGOS, 1933; RAFAEL
CADENAS, 1930; HELY COLOMBANI, 1932). Veamos dos
ejemplos de esta poesía. JUAN CALZADILLA (1931) afinó
su maestría en formas clásicas a una sensibilidad actual,
inclinado sobre su tierra, atento a los reclamos de la
vida (*La torre de los pájaros*); cultivó también la prosa
lírica en *Los herbarios rojos*. PEDRO DUNO, en *No ca-
llaré tu voz* (1955), nos habló, con frases entrecortadas
por el desánimo, de sus insatisfacciones: las limitaciones del hombre, las imposibilidades en una vida monótona, el fracaso, la tristeza. La fuerza de su sinceridad
levanta la lengua, sencilla, casi conversacional, a una

torre de imágenes, ricas por su inventiva. Esa sinceridad es la de un solitario que —como lo revela en el
poema que da título al volumen— quiere comunicarse
con la vida ordinaria.

Colombia. En los últimos años se oyen dos voces
nuevas: Héctor Rojas Herazo —el "Salmo de la
derrota" que le hemos leído es un ronco lamento:
"Caemos, sí, caemos, / hacia adentro caemos. / Sin
caridad hacia nosotros contribuimos a la destrucción. /
Con alegría nos destruimos"— y Eduardo Cote Lamus (1930), quien va meditando, con sencillez y triste
desgano; meditaciones tan pegadas a sus experiencias
personales y a las cosas que describe que, afortunadamente, no desertan de la poesía para pasarse al bando
de la filosofía, pero que, de todas maneras, suelen hacerse prosaicas: *La vida cotidiana,* 1959.

Ecuador. Continuando las familias de poetas que
ya abren los ojos a la realidad, ya exploran la vida interior, despuntan los nuevos: Jacinto Cordero Espinosa,
David Ledesma Vázquez (1934), Hugo Salazar Tamariz, Carlos Eduardo Jaramillo, Rubén Astudillo
(1939?).

Perú. En la línea social, influido por César Vallejo, Gonzalo Rose (1928); y Manuel Scorza
(1929). En la línea del lirismo introvertido, Pablo
Guevara (1930), de voz muy personal: *Retorno a la
creatura* (1957).

Bolivia. Jorge Suárez (1932), Félix Rospigliosi
Nieto (1930).

Chile. En el último capítulo debieron señalarse José
Miguel Vicuña (1920), Eliana Navarro (1923), Julio Moncada (1919), Antonio Campaña (1922), Raquel Señoret (1923?), Pablo Guíñez (1929). En
este apéndice corresponde apartar, del abundante quehacer poético de los más jóvenes, unas pocas figuras de
firme vocación. El más importante es Efraín Barquero (1931). Desde su primerizo poemario *La piedra del
pueblo* (1954) ha venido ahondando, libro tras libro,

en su visión de las cosas cotidianas, en sus esencias y en sus contactos con el hombre. Van de punta también PEDRO LASTRA (1932), ARMANDO URIBE ARCE (1933) y JORGE TEILLIER (1935).

Paraguay. JOSÉ LUIS APPLEYARD (1927), esteticista de preocupación formal; RAMIRO DOMÍNGUEZ (1929), humano, sencillo; LUIS MARÍA MARTÍNEZ (1934), personal; RICARDO MAZÓ (1927), el más extravagante y raro de todos; CARLOS VILLAGRA MARSAL (1932), capaz de temas y tonos épicos, como en su "Carta a Simón Bolívar" y RUBÉN BAREIRO SAGUIER (1930).

Uruguay. CECILIO PEÑA (1925).

Argentina. Independientes del grupo superrealista (oscura espontaneidad del sueño) y del grupo "invencionista" (inteligente vigilancia del sueño) buscan su propia expresión JUAN JOSÉ HERNÁNDEZ (1930), en quien el paisaje y el ánimo se conjugan (*Claridad vencida*, 1957), y MARÍA ELENA WALSH (1930), quien, en *Casi milagro* (1958), confirmó lo que ya en un libro de adolescente había anunciado: una deslumbrante capacidad poética, rotunda y feliz en la expresión de la pura instantaneidad ("soy lo que se me ocurre cuando canto").

B. PRINCIPALMENTE PROSA

1. *Novela y cuento*

México. Después de Arreola y Rulfo, y emergiendo del último grupo de narradores —Rosario Castellanos, Josefina Vicens, Luis Spota, Sergio Galindo, Jorge López Páez— el más notable es CARLOS FUENTES (1929). A los cuentos de *Los días enmascarados* (1954) siguió la novela *La región más transparente* (1958). Zambullido en las corrientes de la novela experimental, de Joyce y Faulkner en adelante, Fuentes representa los procesos mentales de sus múltiples personajes y entrecruza las series de acontecimientos. Protagonista es la ciudad de México, vista en varias clases sociales, tipos humanos, actividades y formas de la sensibilidad. La técnica con que maneja los elementos constructivos de la novela —y aun los recursos mecánicos de la tipografía— es complicada, ambiciosa y exhibicionista. Después, en *Las buenas conciencias* (1959) —que inicia un cuarteto de novelas: "Los nuevos"—, Fuentes pone en orden su taller, guarda las herramientas no necesarias y con una parsimonia de novelista ochocentista cuenta la historia de una familia burguesa, conservadora y católica, en Guanajuato, desde la época de Porfirio Díaz, y la biografía del adolescente Jaime Ceballos, su amistad intelectual con el indio Juan Manuel, sus escrúpulos religiosos y su rebelión contra el fariseísmo. Otros: TOMÁS MOJARRO (1932), *Cañón de Juchipila* (1960), cuentos escritos en lenguaje mexicano regional; y ERACLIO ZEPEDA, *Benzuzul* (1959), cuentos con temas indios.

Centroamérica. FERNANDO CENTENO ZAPATA (Nicaragua; 1935?), ÁLVARO MENÉNDEZ LEAL (El Salvador; 1931).

Antillas. EMILIO DÍAZ VALCÁRCEL (Puerto Rico; 1929) se hunde en deprimentes, mórbidas y asquerosas realidades y de allí saca unos cuentos de gran fuerza narrativa. *El asedio y otros cuentos* (1958) es una negra antología de horrores: lesbianismo, suicidio, escena macabra, prostitución, morfinomanía, homicidio, miseria, injusticia, robo, enfermedad, impotencia sexual. Sólo en un cuento —"El sapo en el espejo"— la repugnante situación entra en una luz de fantasía: el soldado sin piernas que se convierte en un sapo y croa mientras avanza a saltitos con la cabeza derecha hacia el sexo de su mujer. Pero aun en los otros cuentos, amasados con cieno real, Díaz Valcárcel sabe imponerles una forma violentamente artística; sólo fracasa en dos monólogos discursivos y moralizadores. Más eficaces son los monólogos interiores, intercalados en el curso de la acción. Lo más poderoso del libro es su aguda comprensión de la soledad. De Cuba es NIVARIA TEJERA (1930).

Venezuela. Antes de mostrar el grupo juvenil, aprovechemos este apéndice para reparar el olvido de algunos narradores en capítulos anteriores: Rafael Cabrera Malo (1872-1936); Julio Garmendia (1898), cuentista breve, de estilo sencillo y fino humor; Julio Rosales (1885), también cuentista; Leoncio Martínez (1888-1941), el mejor humorista; Arturo Croce (1907), notable en la novela y el cuento; Manuel Guillermo Díaz (1900-1959), más conocido por su seudónimo Blas Millán; Antonia Palacios (1908) y Pablo Domínguez (1901). En la generación inmediatamente anterior, la que corresponde al capítulo XIV de esta *Historia,* ya pusimos en resalto las figuras de Óscar Guaramato, de temas sociales, pero con un realismo elaborado poéticamente; Antonio Márquez Salas, renovador de técnicas, familiarizado con las tendencias más imaginativas, influyente sobre los jóvenes; y Gustavo Díaz Solís, que compone con sencillez; también son estimables Armas Alfonzo y Rivas Mijares. Pero en este apéndice corresponde incluir los valores más recientes. Ante todo, Salvador Garmendia (1931), que llamó la atención con su novela *Los pequeños seres* (1959). Los otros son más bien cuentistas: Adriano González León (1931), inquieto, con algo del realismo mágico en *Las hogueras más altas* (1957); Oswaldo Trejo (1928), el más discutido por sus procedimientos en la composición de extraños climas; Andrés Mariño Palacios (1927), Carlos Dorante (1929), Héctor Malave Mata (1930) y Héctor Mujica (1927).

Colombia. Gonzalo Arango (1930).

Ecuador. De los narradores más próximos a los jóvenes de hoy mencionamos ya a Pedro Jorge Vera, Adalberto Ortiz y Jorge Fernández. Debimos haber completado el cuadro con Gonzalo Ramón (1912?), Nelson Estupiñán Bass (1915), Arturo Montesinos Malo (1913?) y Rafael Díaz Icaza (1921?). Pero ahora hay que nominar a los últimos: Eugenia Viteri (1935?), autora de *El anillo;* Jorge Rivadeneira

(1930?), de más propósito político que literario; y
WALTER BELLOLIO (1933?).

Perú. Los jóvenes cultivan más el cuento que la
novela. No es ya el cuento regionalista, folklórico, de
años atrás, sino de un realismo muy consciente de las
técnicas del estilo y la composición. En esta línea realista son varios los aventajados. Ante todo, ENRIQUE
CONGRAINS MARTÍN (1932) con sus cuentos de Kikuyo
(1957) y Lima, hora cero (1958), y con su novela No
una sino muchas muertes. Es el suyo un realismo urbano, descarnado, un poco a la manera de Moravia. JULIO
RAMÓN RIBEYRO (1929), que acertó con Los gallinazos
sin plumas (1955); de menos fuerza son sus Cuentos de circunstancias (1958). MARIO VARGAS LLOSA
(1930?), cuentista en Los jefes. MARIO CASTRO (1932),
novelista en El líder. Otros se aventajan en la línea
expresionista, fantástica: los cuentistas LUIS LOAYZA
(1931?), inteligente y culto; JOSÉ MIGUEL OVIEDO
(1933?); y MANUEL MEJÍA VALERA (1930). Éste publicó La evasión (1954) y algunas de sus páginas se
recogieron en Lienzos de sueños (1959), que son esquemas narrativos: uno de ellos, el que da título al volumen, es borgiano en el juego de formas dentro de
formas.

Chile. Los narradores jóvenes parecen más preocupados por la forma. Se delinean dos tendencias, ambas
de rechazo al regionalismo chabacano. Una, con temas
urbanos y un lenguaje más sutil e intencionado. Otra,
de deformación de la realidad, a través de perspectivas
anormales y a veces patológicas. La selección de Cuentistas de la Universidad (1959), emprendida por Armando Cassigoli, presenta dieciocho. Raros son los que
de ellos han publicado libro. Algunos nombres promi-
sorios: JAIME VALDIVIESO (1929), POLI DÉLANO (1936),
CARLOS MORAND (1936), CRISTIÁN HUNEEUS (1937).
Echa el pie adelante el cuentista JORGE EDWARDS
(1931), autor de El patio (1952); JORGE GUZMÁN
(1929), afamado por su cuento "El Capanga", es de los

que, por su lucidez y rigor, prometen más fruto. (Debieron de figurar en capítulos anteriores MIGUEL SERRANO, 1917, y JORGE IBÁÑEZ, 1926.)

Paraguay. JOSÉ MARÍA GÓMEZ SANJURJO (1930), poeta delicado e íntimo, se ha hecho notar también en la novela con *El español del almacén.*

Argentina. En la tendencia realista, de temas urbanos, más atenta a lo psicológico que a lo social, rayan JORGE ONETTI (1931) y ROBERTO HOSNE (1931). Una de las buenas novelas recientes es *Enero* de SARA GALLARDO (1934?): un conmovedor amor juvenil, en el campo argentino, contado con honda comprensión y sincera prosa. Entre los narradores notables: JORGE MASCIÁNGIOLI (1929).

2. *Teatro*

En México HÉCTOR MENDOZA (1932), que ha escenificado en *Las cosas simples* los problemas de la adolescencia; JUAN GARCÍA PONCE, con *El canto de los grillos* (1957); y HÉCTOR AZAR, un poco a la manera de Eugene Ionesco, con *Apassionata.* En las Antillas, el dominicano FRANKLIN DOMÍNGUEZ (1931) es el más fecundo: ha escrito una veintena de piezas, de las que estrenó ya cinco.

En Venezuela es quizá el teatro la más escasa de las actividades. Habían cultivado teatro, en el pasado, Leopoldo Ayala Michelena (1894), Luis Colmenarez Díaz (1902) y, el mejor, César Rengifo (1905). De los más jóvenes, quien pisa las tablas con paso más firme es ROMÁN CHALBAUD (1933), autor de *Caín adolescente* y *Requiem para un eclipse.*

3. *Ensayo*

En México, JOSÉ EMILIO PACHECO (1939), CARLOS MONSIVÁIS (1936). En Chile, JUAN LOVELUCK (1929) y CEDOMIL GOIC (1928).

En Venezuela paguemos, ante todo, una deuda: olvidamos, en el capítulo pertinente, la figura de SANTIAGO KEY AYALA (1874-1959), la de mayor relieve en este género. Educado con los ideales del modernismo, se distinguió siempre por la finura de su prosa, aunque, a diferencia de los modernistas cosmopolitas, sus temas preferidos fueron los de su ciudad natal. Otros olvidados: Mario Briceño Iragorry (1897-1958), de los mayores por su fuerza y su influencia sobre los jóvenes; Eduardo Carreño (1880-1956), Luis Correa (1889-1940) y Enrique Bernardo Núñez (1895). Más próximos a nuestros años, Humberto Tejera (1901?), Eduardo Arroyo Lameda (1902), el padre Pedro Pablo Barnola (1908) y Joaquín Gabaldón Márquez (1906). En el Capítulo XIV debieron estar Guillermo Morón (1926), José Luis Salcedo Bastardo (1924), Hermann Garmendia (1918) y Pedro Díaz Seijas (1921). Ahora, en este apéndice sobre los ensayistas novísimos, sobresale OSCAR SAMBRANO URDANETA (1929), riguroso en sus métodos de crítica estilística. Otros: GUSTAVO LUIS CARRERA (1933) y ORLANDO ARAUJO (1928).

Nombres, nombres, nombres... No pertenecen todavía a la historia, pero algunos de ellos harán historia.

BIBLIOGRAFÍA

Ofrecemos, a quienes se inician en el estudio de la literatura hispanoamericana, una bibliografía muy elemental.

I. HISTORIAS DE CONJUNTO

Son tantas que hasta hay bibliografías sobre ellas: véase, por
ejemplo, la de ROBERTO P. PAYRÓ, Historias de la literatura americana, Washington, D. C., Unión Panamericana, 1950.

Recomendamos, en primer término, la de PEDRO HENRÍQUEZ
UREÑA, Las corrientes literarias en la América hispánica. Traducción
del inglés por Joaquín Díez-Canedo, México, Fondo de Cultura
Económica, 1949. Muy útiles son las de LUIS ALBERTO SÁNCHEZ,
Nueva historia de la literatura americana, Buenos Aires, Editorial
Guarania, 1950, 5ª ed., y ARTURO TORRES-RIOSECO, Nueva historia
de la gran literatura hispanoamericana, Buenos Aires, Emecé, 1960;
J. A. LEGUIZAMÓN ha publicado ahora por separado la Bibliografía general de la literatura hispanoamericana (Buenos Aires, 1954), que era
lo que antes hacía útil su Historia de la literatura hispanoamericana
(Buenos Aires, 1945, 2 vols.). ALBERTO ZUM FELDE ha dividido
su historia por géneros. Hasta ahora: Índice crítico de la literatura
hispanoamericana, tomo I: Los ensayistas, México, Editorial Guarania, 1954; tomo II, La narrativa, Ibidem, 1959.

Han aparecido, recientemente, historias escritas en otras lenguas:
ROBERT BAZIN, Histoire de la littérature américaine de langue es-
pagnole, París, 1953; CHARLES V. AUBRUN, Histoire des lettres
hispanoaméricaines, París, 1954; JOÃO-FRANCISCO FERREIRA, Capítulos de literatura Hispano-Americana, Porto-Alegre, Brasil, 1959;
UGO GALLO-GIUSEPPE BELLINI, Storia della letteratura ispanoameri-
cana, Milano, 1958.

En la traducción española de la Historia universal de la literatura de GIACOMO PRAMPOLINI (Buenos Aires, Uteha Argentina,
1941-42), en los tomos XI y XII, hay unas "ampliaciones" a los
panoramas nacionales de nuestra literatura a cargo de críticos como
Roberto F. Giusti, José María Chacón y Calvo, Alfonso Reyes,
Pedro Henríquez Ureña, Isaac Barrera y otros. Un proyecto parecido
es el del Panorama das literaturas das Americas editado por JOAQUIM
DE MONTEZUMA DE CARVALHO. Hasta ahora han aparecido tres
volúmenes (Edição do Município de Nova Lisboa, Angola, 1958-59).
Es una colección de monografías de literaturas nacionales, a cargo
de diferentes historiadores. La Unión Panamericana ha iniciado un
Diccionario de la literatura latinoamericana: han salido ya los volú-
menes correspondientes a Chile, Bolivia, Colombia y Argentina
(Washington, D. C., 1958-61).

Historias de conjunto pero limitadas a ciertos períodos, tendencias, géneros o temas son numerosas. Baste citar algunas.

Períodos y tendencias: MARIANO PICÓN-SALAS, *De la Conquista a la Independencia: tres siglos de historia cultural*, México, Fondo de Cultura Económica, 1944; IRVING A. LEONARD, *Books of the Brave*, Cambridge, Harvard University Press, 1949, y *Baroque Times in Old Mexico*, Ann Arbor, The University of Michigan Press, 1959; EMILIO CARILLA, *El Romanticismo en la América Hispánica*, Madrid, Gredos, 1958; MAX HENRÍQUEZ UREÑA, *Breve historia del Modernismo*, México, Fondo de Cultura Económica, 1954; A. BERENGUER CARISOMO y JORGE BOGLIANO, *Medio siglo de literatura americana*, Madrid, 1952.

Géneros: FEDERICO DE ONÍS, "La poesía iberoamericana" (en *España en América*, Universidad de Puerto Rico, 1955). ARTURO TORRES-RIOSECO, *La novela en la América hispana*, Berkeley, 1939, y *Grandes novelistas de la América hispana* Berkeley, 1949, 2ª ed.; FERNANDO ALEGRÍA, *Breve historia de la novela hispanoamericana*, México, Ediciones De Andrea, 1959; LUIS ALBERTO SÁNCHEZ, *Proceso y contenido de la novela hispano-americana*, Madrid, Gredos, 1953; H. D. BARBAGELATA, *La novela y el cuento en Hispanoamérica*, Montevideo, 1947; ARTURO USLAR PIETRI, *Breve historia de la novela hispanoamericana*, Caracas 1957. JOSÉ JUAN ARROM, *El teatro de Hispanoamérica en la época colonial*, La Habana, 1956; WILLIS KNAPP JONES, *Breve historia del teatro latinoamericano*, México, Ediciones De Andrea, 1956. ROBERT G. MEAD JR., *Breve historia del ensayo hispanoamericano*, México, Ediciones De Andrea, 1956; FRANCISCO ROMERO, *Sobre la filosofía en América*, Buenos Aires, Editorial Raigal, 1952; MEDARDO VITIER, *Del ensayo americano*, México, Fondo de Cultura Económica, 1945.

II. HISTORIAS NACIONALES

a) *Argentina*: ARTURO GIMÉNEZ PASTOR, *Historia de la literatura argentina* (2 vols.), Buenos Aires, Editorial Labor, 1948. RICARDO ROJAS, *La literatura argentina* (la edición de Buenos Aires, 1948, trae índices). *Historia de la literatura argentina*, dirigida por Rafael Alberto Arrieta. Monografías por JULIO CAILLET-BOIS, ROBERTO F. GIUSTI, RAFAEL ALBERTO ARRIETA, RICARDO SÁENZ-HAYES, EZEQUIEL MARTÍNEZ ESTRADA, ÁNGEL J. BATTISTESSA, JUAN P. RAMOS, JULIO NOÉ, LUIS EMILIO SOTO, CARMELO BONET, CÉSAR FERNÁNDEZ MORENO, AUGUSTO RAÚL CORTÁZAR, LUIS FRANCO, RICARDO CAILLET-BOIS, DOMINGO BUONOCORE. Hasta ahora han salido los cinco primeros volúmenes: Buenos Aires, Ediciones Peuser, 1958-1959.

b) *Bolivia*: FERNANDO DÍEZ DE MEDINA, *Literatura boliviana*, La Paz, 1953; ENRIQUE FINOT, *Historia de la literatura boliviana*, México, 1943.

c) *Colombia:* Antonio Gómez Restrepo, *Historia de la literatura colombiana* (4 vols.), 2ª ed., Bogotá, 1945. Baldomero Sanín Cano, *Letras colombianas*, México, Fondo de Cultura Económica, 1944.

d) *Costa Rica:* Abelardo Bonilla, *Historia y antología de la literatura costarricense*, San José, 1957. Vol. I, *Historia.*

e) *Cuba:* Juan N. José Remos y Rubio, *Historia de la literatura cubana* (3 vols.), La Habana, 1945; O. Olivera, *Breve historia de la literatura antillana*, México, Ediciones De Andrea, 1957.

f) *Chile:* Arturo Torres-Rioseco, *Breve historia de la literatura chilena*, México, Ediciones de Andrea, 1956; Hugo Montes-Julio Orlandi, *Historia de la literatura chilena*, Santiago, 1955; Luis Merino Reyes, *Panorama de la literatura chilena*, Washington, D. C., Unión Panamericana, 1959.

g) *Ecuador:* Augusto Arias, *Panorama de la literatura ecuatoriana*, 2ª ed., Quito, 1948. Isaac J. Barrera, *Historia de la literatura ecuatoriana*, 4 vols., Quito, Casa de la Cultura Ecuatoriana, 1955.

h) *El Salvador:* Luis Gallegos Valdés, "Panorama de la literatura salvadoreña" (en *Panorama das Literaturas das Américas*, tomo II, Edição do Municipio de Nova Lisboa, 1958); Juan Felipe Toruño, *Desarrollo literario de El Salvador*, San Salvador, 1958.

i) *Guatemala:* David Vela, *La literatura guatemalteca* (2 vols.), Guatemala, 1944-1945. Otto-Raúl González, "Panorama de la literatura guatemalteca" (en *Panorama das literaturas das Américas*, vol. III, 1959).

j) *Honduras:* Humberto Rivera Morillo, "La literatura hondureña en el siglo xx" y Jorge Fidel Durón, "La prosa en Honduras" (en *Panorama das literaturas das Américas*, vol. II, 1958); Luis Mariñas Otero, "Formación de la literatura hondureña" (en *Universidad de Honduras*, Tegucigalpa, septiembre de 1959, número 1).

k) *México:* Carlos González Peña, *Historia de la literatura mexicana*, 7ª ed., México, 1960. Alfonso Reyes, *Letras de la Nueva España*, México, Fondo de Cultura Económica, 1948, y *Resumen de la literatura mexicana* (siglos xvi-xix), México, 1957; Julio Jiménez Rueda, *Letras mexicanas en el siglo xix*, México, Fondo de Cultura Económica, 1944. José Luis Martínez, *Literatura mexicana. Siglo xx* (2 vols.) México, 1949.

l) *Nicaragua:* Juan Felipe Toruño, "Sucinta reseña de las letras nicaragüenses en 50 años: 1900-1959" (en *Panorama das literaturas das Américas*, vol. III, 1959).

m) *Panamá:* Leonardo Montalbán, *Historia de la literatura de la América Central* (2 vols.), San Salvador, 1929-1931. Rodrigo Miró, "La literatura panameña de la República" (en *Panorama das literaturas das Américas*, vol. III, 1959).

n) *Paraguay:* Carlos R. Centurión, *Historia de las letras paraguayas* (3 vols.), Buenos Aires, 1947-1951. Rubén Bareiro Saguier,

"Panorama de la literatura paraguaya: 1900-1959" (en *Panorama das literaturas das Américas*, vol. III, 1959).

o) Perú: Luis Alberto Sánchez, *La literatura peruana* (6 vol.). Buenos Aires, 1951. Alberto Tauro, *Elementos de literatura peruana*, Lima, 1946.

p) Puerto Rico: Josefina Rivera de Álvarez. *Diccionario de literatura puertorriqueña*, Universidad de Puerto Rico, 1955. (Trae un "Panorama histórico de la literatura puertorriqueña", pp. 3-153.) María Teresa Babín, *Panorama de la cultura puertorriqueña*, San Juan de Puerto Rico, 1958; Francisco Cabrera Manrique, *Historia de la literatura puertorriqueña*, San Juan, 1956.

q) República Dominicana: Max Henríquez Ureña, *Panorama histórico de la literatura dominicana*, Río de Janeiro, 1945. Joaquín Balaguer, *Historia de la literatura dominicana*, 2ª ed., Ciudad Trujillo, 1958.

r) Uruguay: Alberto Zum Felde, *Proceso intelectual del Uruguay y crítica de su literatura*, Buenos Aires, 1941.

s) Venezuela: Mariano Picón-Salas, *Formación y proceso de la literatura venezolana*, Caracas, 1940.

III. ANTOLOGÍAS

Por falta de espacio sólo indicamos antologías de conjunto, que comprenden a todos los países hispanoamericanos. Las mejores, las más útiles son, sin embargo, las limitadas a un solo país o, dentro de un país, a un período.

Comprende varios géneros (menos la novela y el teatro) *Literatura hispanoamericana. Antología e introducción histórica* por Enrique Anderson Imbert y Eugenio Florit (Nueva York, Holt, Rinehart and Winston, 1960).

a) Verso: Marcelino Menéndez y Pelayo, *Antología de poetas Hispano-americanos*, Madrid, 1893-95. Federico de Onís, *Antología de la poesía española e hispanoamericana (1882-1932)*, Madrid, 1934. Carlos García Prada, *Poetas modernistas hispanoamericanos*, Madrid, 1956. Julio Caillet-Bois, *Antología de la poesía hispanoamericana*, Madrid, 1958.

b) Cuento: Véase Bernice D. Matlowsky, *Antología del cuento americano. Guía bibliográfica*, Washington, D. C., Unión Panamericana, 1950. Algunos ejemplos: Ventura García Calderón, *Los mejores cuentos americanos*, Barcelona, s. f. Antonio R. Manzor, *Antología del cuento hispanoamericano*, Santiago de Chile, 1939. Enrique Anderson Imbert y Lawrence B. Kiddle, *Veinte cuentos hispanoamericanos del siglo xx*, Nueva York, 1956. Ricardo Latcham, *Antología del cuento hispanoamericano*, Santiago, 1958.

c) Novela: Francisco Monterde, *Novelistas hispanoamericanos (del prerromanticismo a la iniciación del realismo)*, México, 1943.

d) Ensayos y prosa de ideas: Aníbal Sánchez Reulet, *La filo-

sofía latinoamericana contemporánea, Washington, D. C., Unión
Panamericana, 1949. José Gaos, Antología del pensamiento hispanoamericano, México, 1935.

Quienes quieran ampliar estos datos pueden recurrir a: Cecil
K. Jones, A Bibliography of Latin American Bibliographies, 2ª ed.,
Washington, 1942; Bibliographies of the Belles-Lettres of Hispanic
America prepared by the Harvard Council of Hispano American
Studies (varios volúmenes), Cambridge, de 1931 a 1937; Hand-
book of Latin American Studies, preparado anualmente, desde 1936,
en The Hispanic Foundation, en la Biblioteca del Congreso, de
Washington, D. C., Estados Unidos. El último volumen, de 1959,
está editado por University of Florida Press. Para el período anterior
a 1935, que es cuando comienzan los trabajos del Handbook of Latin
American Studies, Sturgis E. Leavitt ha compilado una bibliografía que se anuncia para 1960: Index to the Literary, Linguistic and
Folklore Materials in Fifty Spanish American Magazines. También
se anuncia para este año la revisión de Spanish American Bibliography
de José Manuel Topete. Hay bibliografías del contenido de varias
revistas (Nosotros, Sur, etc.). Véanse, asimismo, las bibliografías
sistemáticas publicadas por la Revista Hispánica Moderna, Nueva
York, Columbia University, y por otras publicaciones especializadas.

Además de las fuentes bibliográficas anotadas, nos han sido pro-
vechosas las siguientes historias nacionales sobre géneros y períodos
particulares. Poesía: Juan Carlos Ghiano, Poesía Argentina del
siglo xx, México, Fondo de Cultura Económica, 1957. Roberto
Fernández Retamar, La poesía contemporánea en Cuba, La Habana, 1954. Cintio Vitier, Lo cubano en la poesía, La Habana,
1958. Fernando Alegría, La poesía chilena, México, F.C.E.,
1954. Raúl Leiva, Imagen de la poesía mexicana contemporánea,
México, 1959. Luis Monguió, La poesía postmodernista peruana, México, F.C.E., 1954. Cesáreo Rosa-Nieves, La poesía en
Puerto Rico, 2ª ed., San Juan, 1958. José Ramón Medina, Examen
de la poesía venezolana contemporánea, Caracas, 1956. Juan Pinto,
Breviario de literatura argentina contemporánea, Buenos Aires, 1958.

Narración: Antonio Curcio Altamar, Evolución de la novela
en Colombia, Bogotá, 1957. Raúl Silva Castro, Panorama de la
novela chilena, México, Fondo de Cultura Económica, 1955. Ángel F. Rojas, La novela ecuatoriana, México, Fondo de Cultura
Económica, 1948. Joaquina Navarro La novela realista mexicana,
México, 1955. José Fabbiani Ruiz, Cuentos y cuentistas, Caracas,
1951. Pascual Venegas Filardo, Novelas y novelistas de Venezuela, Caracas, 1955. James East Irby, La influencia de William
Faulkner en cuatro narradores hispanoamericanos, México, 1956.

Teatro: Ernesto Morales Historia del teatro argentino, Buenos
Aires, 1941. José Juan Arrom, Historia de la literatura dramática
cubana, New Haven, 1944. Antonio Magaña Esquivel y Ruth
S. Lamb, Breve historia del teatro mexicano, México, 1958.

ÍNDICE DE AUTORES

ÍNDICE GENERAL

TERCERA PARTE: ÉPOCA CONTEMPORÁNEA

XIII. 1925-1940. [Nacidos de 1900 a 1915] ..   145

MARCO HISTÓRICO: *Entre las dos Guerras Mundiales.*
La crisis económica. Mayor participación de las
masas en el poder político.
TENDENCIAS CULTURALES: *Literaturas de vanguardia.*
Poesía pura y superrealismo.

XIV. 1940-1955. [Nacidos de 1915 a 1930] .. 274

MARCO HISTÓRICO: La segunda Guerra Mundial. La "guerra fría". Evolución hacia economías planificadas.

TENDENCIAS CULTURALES: Superrealismo. Existencialismo. Neonaturalismo.

APÉNDICE

Este libro se terminó de imprimir el día 27 de febrero de 1961 en los talleres de Gráfica Panamericana, S. de R. L., Parroquia 911, México 12, D. F. Se tiraron 15 000 ejemplares, y en su composición se utilizaron tipos Electra de 9:10, 8:9 y 7:8 puntos. La edición estuvo al cuidado del autor y de Alí Chumacero.

BREVIARIOS PUBLICADOS

ARTE

LITERATURA

HISTORIA

PSICOLOGÍA Y CIENCIAS SOCIALES

RELIGIÓN Y FILOSOFÍA